Robinson, Jam

Die chirurgische, mechanische und medizinische Behandlung der Zaehne

Robinson, James1

Die chirurgische, mechanische und medizinische Behandlung der Zaehne

Inktank publishing, 2018

www.inktank-publishing.com

ISBN/EAN: 9783747787083

DIE

CHIRURGISCHE, MECHANISCHE UND MEDICINISCHE BEHANDLUNG

DER

ZÄHNE

MIT EINSCHLUSS DER ZAHN - MECHANIK

VON

JAMES ROBINSON

ZAHNARZTE IM METROPOLITAN-HOSPITALE ZU LONDON, VORLESER ÜBER ANATOMIE,
PHYSIOLOGIE UND PATHOLOGIE DER ZÄHNE, EHRENDOCTOR DER ZAHNHEILKUNDE
DES VEREINES DER ZAHNÄRZTE ZU BALTIMORE ETC.

—— ——

NACH DER ZWEITEN AUFLAGE AUS DEM ENGLISCHEN
ÜBERSETZT, MIT VIELEN ABBILDUNGEN UND ZUSÄTZEN
VERMEHRT UND MIT EINEM ANHANGE VERSEHEN

VON

ADOLF FRÖHLICH

DOCTOR DER MEDICIN, AUSÜBENDEM ZAHNARZTE, MITGLIEDE DER MEDICINISCHEN
FACULTÄT, UND DER K. K. GESELLSCHAFT DER ÄRZTE IN WIEN.

MIT 156 ABBILDUNGEN.

WIEN.

VERLAG DER CARL HAAS'SCHEN BUCHHANDLUNG
SINGERSTRASSE NR. 878.

1848.

INHALT.

ERSTER THEIL.

DIE CHIRURGISCHE, MECHANISCHE UND MEDICINISCHE BEHANDLUNG DER ZÄHNE.

Erstes Capitel. Geschichte der Zahnheilkunde.

Zweites Capitel. Die erste Zahnreihe.

Viertes Capitel. *Ursachen der Unregelmässigkeit*
der Zähne.

Mechanische Behandlung der Unregelmässigkeiten
der zweiten Zähne.

Fünftes Capitel. Verhütung der Unregelmässigkeiten der Zähne.

Sechstes Capitel. Neue Instrumente zur Ausdehnung der Winkel der Kiefer.

Unbeweglichkeit des Unterkiefers.

Siebentes Capitel. Die Farbe der Zähne als Zeichen der Schwindsucht etc.

X   INHALT.

Behandlung des Zahnmark-Schwammes   98

,,   der Eiterung des Zahnnerven .   98

,,   der Beinhautentzündung . . .   98

Neuntes Capitel. Das Ausfüllen (Plombiren).

Wichtigkeit des frühzeitigen Plombirens   100

Vorbereitung der Höhle zum Plombiren durch Entfernung

aller Caries   102

Instrumente zur Entfernung der Caries   103

Plombir-Instrumente   105

Die Operation des Plombirens   105

Der Gebrauch des Kautschuks, um die Zähne vor dem

Plombiren zu trennen   107

Die zum Plombiren gebräuchlichen Stoffe.

Gold .   108

Platin .   109

Zinn . .   109

Blei . .   109

Silber . .   .   109

Mineralischer Kitt   109

D a r c e t's und R e g n a r t's Composition . .   110

Das Mineral-Marmoret, Succedaneum . .   110

Der erdig-metallige Kitt   111

Der schmerzstillende Kitt . .   111

Vegetabilische Kitte . .   111

Asbest – Plomb.

Eigenthümlicher Charakter dieses Minerals   112

Fälle für dessen Anwendung . .   .   112

*Zehntes Capitel. Zahnfächerabscess und Zahn-
fleischgeschwür.*

Verschiedene Ursachen desselben .   114

Das Feilen.

Eilftes Capitel. Der Zahnstein (Weinstein der Zähne).

Das Entfernen des Zahnsteins.

Das Schützen der Zähne gegen saure Medicamente.

13

ZWEITER THEIL.

MECHANIK DER ZAHNHEILKUNDE.

16

**

.

ANHANG.

ÜBER DIE ANWENDUNG DER SCHWEFELÄTHER-DÄMPFE IN DER ZAHNÄRZTLICHEN PRAXIS.

VORREDE ZUR ÜBERSETZUNG.

Ich glaube im Interesse meiner deutschen Collegen zu handeln, wenn ich in unsere Literatur hiermit ein Werk einführe, das alle einem Zahnarzte nothwendigen Kenntnisse mit möglichster Kürze und Klarheit bespricht, und dem schon des Verfassers Name einen empfehlenden Geleitsbrief gibt.

Da ich vorliegendes Werk mit Abbildungen und Zusätzen vermehrte, wollte ich nicht etwa dem Verfasser den Vorwurf der Unvollständigkeit machen; ich wollte nur eines Theils das Buch für den Lernenden brauchbarer herstellen, indem ich die Abbildung und Beschreibung von Instrumenten etc. beifügte, die der Verfasser als mehr bekannt überging; anderen Theils wollte ich das Interesse für das Werk dadurch erhöhen, dass ich die Angabe und Abbildung von Instrumenten und Vorrichtungen einschaltete, wie sie unsere, von C a r a.b e l l i gegründete Schule in Gebrauch zieht (was z. B. bei der C a r a b e l l i'schen Maschine zum Gleichrichten schiefstehender Zähne, und Anderem der Fall ist).

Da in der Zahn-Mechanik. wie in jeder anderen nur durch die Praxis zu erlernenden Kunst, jeder einzelne

** 2

20

dieselbe Ausübende manche ihm eigenthümliche Vortheile
und Bequemlichkeiten auffindet, so hätten wohl bei vielen Verrichtungen in der Zahn-Mechanik abweichende Methoden angegeben werden können; da diese jedoch fast
durchaus nur unwesentliche Modificationen der Ausführung einzelner technischer Arbeiten geliefert hätten, würden sie den Umfang des Werkes nur nutzlos vergrössert
haben.

Uebrigens wird sich Niemand einbilden, durch das
Lesen eines zahnärztlichen Werkes ein vollkommener
Zahnarzt und Zahntechniker werden zu können; wohl aber
wird nach meiner Absicht der Lernende in vorliegendem
Werke einen Leitfaden durch das ganze Gebiet der Zahnheilkunde, und der ausgebildete Zahnarzt manches interessante Neue finden, das er prüfen, und davon das Beste
behalten möge.

In einem Anhange über die Anwendung der Schwe-
felatherdämpfe in der zahnärztlichen Praxis zu sprechen,
tielt ich der Neuheit des Gegenstandes wegen für zeit-
gemäss, und bestrebte mich darin, dem Zahnarzte einen
Weg zu zeigen, der ihn zwischen den übertriebenen En-
thusiasten und den bedingungslosen Widersachern zu einem wünschenswerthen Ziele führen könne.

Wien im Oktober 1847.

Adolf Fröhlich.

VORREDE DES VERFASSERS.

Es sei dem Autor gestattet, indem er das folgende Werk
uber die Zähne der Beurtheilung der Kunstgenossen und
des Publikums vorlegt, einige Bemerkungen über die Beschaffenheit und den Zweck desselben vorauszuschicken.
Wenn man mit Recht den Werth eines Dinges nach
seinem Nutzen bemisst, so werden die Zähne einen hohen
Rang unter den Theilen unseres Körpers einnehmen. Denn
ihre Dienstleistungen sind wahrhaft allgemeiner Natur. So
wird durch ihre Kauverrichtung die erste Vorbereitung
der Speise eingeleitet, die zur späteren Verdauung unerlässlich ist. Indem sie die Nahrung verkleinern, tragen sie
zum Geschmackssinne bei, der null und nichtig ist, wenn
nicht die Speisen bis zu einer bestimmten Grösse, welche
der Geschmacksempfindung angemessen ist, gebracht werden; überdies trägt ihre Gesundheit zur Bequemlichkeit
beim Essen wesentlich bei. Auch sind der gesunde Zustand und die regelmässige Stellung derselben zur Schönheit beim Manne und beim Weibe, so wie auch zur Vollkommenheit der Sprache erforderlich. Diese Betrachtungen, welche leicht weiter fortgesetzt werden könn-

ten, sind hinreichend, Jeden zu rechtfertigen, der die Zähne zum Gegenstande seiner besonderen Aufmerksamkeit
macht.

Demnach ist es nicht überraschend, dass eine Menge
Werke über die Zähne geschrieben wurden. Ihre Zahl ist
in der That so gross, dass es fast scheint, als wäre das
Feld, auch ohne der gegenwärtigen Abhandlung, hinreichend bestellt. Eine kurze Betrachtung jedoch wird zeigen, dass dies nicht der Fall ist.

Fürs erste dürfen wir uns durch die blosse Zahl der
Bücher, die häufig kein Zeugniss für die Menge nützlicher Belehrungen ist, welche über einen bestimmten Gegenstand bestehen, nicht täuschen lassen; wenn wir sie
überdies nach ihrer Originalität schätzen, indem wir alle
jene veröffentlichten Werke, die nur Copien von anderen
sind, bei Seite setzen, werden wir finden, dass die Zahl
der musterhaften Werke im zahnärztlichen Fache keineswegs gross ist. Fürs zweite haben in England selbst
Werke von anerkannter Vortrefflichkeit jene Grundfeste
der zahnärztlichen Kunst, — den mechanischen Zweig, —
bis jetzt ausgeschlossen.

Ohne die bewunderten Bemühungen anderer auch nur
im geringsten beeinträchtigen zu wollen, haben wir in
unserem Werke unsere eigenen Beobachtungen zu geben
uns bestrebt, indem wir dies dem Schöpfen aus schon be-
stehenden Quellen vorzogen. So war es auch unsere Absicht, wo nur immer möglich, in allgemein verständlichen
Ausdrücken zu schreiben. Denn die Zeit ist da, wo die
Künste und Wissenschaften von dem Publikum gewürdigt

werden sollten, welches von einem Kunstverständigen,
der aufhört eine unverständliche Sprache zu sprechen,
kaum übler denken wird.

Der erste Theil des Werkes enthält die anatomische
und chirurgische Abtheilung der Zahnheilkunde; lehrt die
Mittel, die kranken Zähne zu behandeln, sie in Fällen
theilweisen Verderbens auf die beste Art herzustellen,
und sonst in gesundem und schönem Zustande zu erhalten. Die zahlreichen Illustrationen zu diesem Theile sind
insbesondere nöthig, da einige Gegenstände und Fälle, die
dem Verfasser in seiner ausgebreiteten öffentlichen und
Privat-Praxis vorkamen, und welche er besonders augen-
fällig vor den Leser stellen wollte, nach seinem Dafürhalten neu sind, und durch eine blosse Beschreibung nicht
wohl verständlich sein könnten.

Der zweite Theil, der mehr für den Studirenden und
Practiker, als für den Leser im Allgemeinen berechnet ist,
enthält die Kunst der Zahnmechanik mit allen Verbesserungen der neuesten Zeit. Jede mechanische Verrichtung, die
mit der Verfertigung künstlicher Zähne verbunden ist, wurde beschrieben und illustrirt. Auch die verschiedenen Arten
künstlicher Zähne wurden besprochen, und die Methode,
selbe anzupassen und zu befestigen, nicht nur durch Worte, sondern auch durch geeignete Abbildungen erläutert.
Bei dieser Abtheilung des Buches war es die Absicht des
Verfassers, den Standpunkt des Zahnarztes als Mechaniker
höher zu stellen, und ihn, was er auch immer für nützliche und eigene Kenntnisse schon besitzen mag, zu dem
Range seiner ersten Kunstgenossen zu erheben.

Schlüsslich sei bemerkt, dass die Wichtigkeit der zahnärztlichen Kunst, und der daraus für jeden geschickten Zahnarzt entspringende Erfolg, eine Menge Leute von zweifelhaftem Charakter anzog, diesen Stand zu ergreifen, Leute, bei denen die, auf was immer für eine Art befriedigte Gewinnsucht mehr, als das würdige Streben, ihrem gewählten Berufe Ehre zu machen, das vorherrschende Motiv ist. Aber nicht die Zahnheilkunde allein leidet an diesem Gebrechen, denn dies ist leider die Klage bei jedem Berufe, und diese Thatsache schwebte uns auch deutlich bei der Abfassung des gegenwärtigen Werkes vor. Wir hoffen nämlich durch Verbindung von Deutlichkeit mit einer umständlichen und detaillirten Auseinandersetzung unserer Kunst dem Publikum einen Sicherheitspass gegen jene Classe von Personen in die Hände zu geben, auf die wir zuvor hinwiesen, und wir haben zu diesem Zwecke einige ihrer unverantwortlichen practischen Künste, die sie so häufig begehen, unbarmherzig aufgedeckt, z. B. die Verwendung von electrisch vergoldeten Metällen statt Gold, oder die von unreinem Golde etc. etc. etc.

Wir glauben durchaus, dass alle Berufszweige zuerst für das Publikum da sind, und dies wollen wir auch Jenen antworten, die da glauben, wir hätten die Geheimnisse unserer edlen Kunst gar zu ausführlich erklärt und an's Licht gezogen.

ERSTER THEIL.

DIE

CHIRURGISCHE, MECHANISCHE UND MEDICINISCHE BEHANDLUNG DER ZÄHNE.

ERSTER THEIL.

DIE CHIRURGISCHE, MECHANISCHE UND MEDICINISCHE BEHANDLUNG DER ZÄHNE.

ERSTES CAPITEL.

GESCHICHTE DER ZAHNHEILKUNDE.

Der Ursprung der Medicin ist, so wie der vieler anderer Künste, in ein dichtes Dunkel gehüllt. Die Kranken zu heilen, die Qualen der leidenden Menschheit zu lindern, und zwischen Krankheit und Tod als ein Vermittler zu stehen, waren Attribute, die den Göttern beigelegt wurden. Daher auch die Alten, die sich mehr an die mythologische, als an die natürliche Wahrheit der Dinge hielten, die Medicin für eine Emanation der Gottheit selbst hielten, und sich dieselbe anfangs in Apollo, und später in seinem Sohne Aeskulap verkörpert dachten, wodurch auch die Geschichte der Medicin der Vorzeit überall von Mythologie und Poësie durchwebt erscheint.

1 *

Obgleich wir uns keinen so glücklichen Zustand der
menschlichen Gesellschaft denken können, der frei von jedem Leiden, Krankheit und Tod dasteht, obgleich die man-
nigfaltigsten Unfälle, die Veränderungen, denen der menschliche Körper bei seiner Entwicklung und Abnahme unterworfen ist, obgleich die Heimsuchungen der Pest und die
blutige Geissel des Krieges zu allen Zeiten die Aufmerksamkeit der Medicin in Anspruch genommen, und ihre Ausübung als eine unerlässliche Nothwendigkeit hingestellt haben muss; so besitzen wir dennoch keine glaubwürdige
Geschichte von ihrem Ursprunge und ihren ersten Fortschritten.

Eusebius erwähnt eines gewissen Athotes, eines
egyptischen Königs, der mehrere Abhandlungen über Anatomie geschrieben haben soll; aber die Existenz dieses Re-
genten wird von Andern wieder in Zweifel gestellt, und
Thouth — ein Egyptier, der Diodorus zufolge 2000
Jahre vor Christi Geburt lebte — wird allgemein für den
Ersten angesehen, der über Medicin schrieb, in einem Zeit-
puncte, wo sie noch nicht als eine für sich bestehende
Kunst geübt wurde, sondern ohne Unterschied in den Händen der Priester, Krieger, Dichter und Philosophen sich
befand.

Obgleich die Ueberhandnahme der Ueppigkeit, und
dem zufolge auch die gesteigerte Aufmerksamkeit auf das
Aussehen und die persönliche Erscheinung, das Fach der
Zahnkunde zu einer nicht geringen Wichtigkeit erhob, und
obwohl das Auge und das Ohr lange Gegenstand besonderer Beobachtung und eigener Behandlung gewesen war, so

begegnen wir doch erst zu Hippokrates Zeiten da und dort zerstreuten Bemerkungen über die Krankheiten der Zähne und über Männer, die der Zahnchirurgie ihre Kräfte widmeten. Dies ist um so sonderbarer, als die Wichtigkeit dieser Organe — um Nichts von ihrem Nutzen und ihrer Schönheit zu sprechen — von den alten Egyptern in einem so hohen Grade anerkannt wurde, dass eine ihrer schwersten und entehrendsten Strafen in dem Herausreissen eines Schneidezahns bestand.

Es unterliegt jedoch keinem Zweifel, dass die Verfertigung künstlicher Zähne und andere Zweige der Zahnheilkunde in einer viel früheren Periode bestand, als uns die Geschichte meldet. Der Verlust eines Schneidezahnes, sei es nun durch Krankheit oder nicht, musste natürlich unter den Verhältnissen des erwähnten egyptischen Gesetzes zu sehr unliebsamen Vermuthungen Anlass geben, und es wurde vermuthlicher Weise jedes Mittel aufgeboten, diesen Mangel zu ersetzen. Auch haben Belzoni und Andere künstliche Zähne in den Sarkophagen der Egypter entdeckt. Sie sind zwar auf eine rohe Art gearbeitet, und — da sie aus Holz sind — wenig für die Kauverrichtung geeignet; doch kann man sich leicht denken, dass ihre Wirkung auf die Articulation der Stimme, und die Stütze, die sie ihren natürlichen Nachbarn gewährten, die Zahnkunde als einen Gegenstand für den Erfinderischen und mit Talent zur Mechanik Begabten erscheinen liessen.

Wir haben geschichtliche Beweise, dass in den ersten Zeiten Griechenlands und Roms die Krankheiten und das allgemeine Aussehen der Zähne eine besondere Aufmerk-

samkeit in Anspruch nahmen *). Aristoteles spricht
schon von einer Zange, die zum Ausziehen der Zähne bestimmt war **). Plinius sowohl wie Martial erwähnen
verschiedener Zahnpulver; und das Tragen künstlicher Zähne
wurde mehr als Einmal von der Satyre römischer Dichter
gegeisselt ***).

Bei den Griechen geschieht eines besonderen Zahnlei-
dens Erwähnung, das in Verbindung mit Zahnstein auftritt,
und Stumpfsein der Zähne von ihnen genannt wird. Dieses
Volk sah die Dentition als einen geheimnissvollen und
hochwichtigen Act an, und es wurden Denjenigen, die vor
der Vollendung derselben starben, die Begräbnissehre eines Erwachsenen verweigert, und sie wurden prunklos zur
Erde bestattet, anstatt — wie es das Herkommen forderte
— feierlich verbrannt zu werden.

Die Zahnheilkunde aber, als eine für sich bestehende
Kunst, wurde von den Alten nur sehr wenig gepflegt. Die
Schriften von Hippokrates und Galen, welche das

---

*) Im Anfange der christlichen Zeitrechnung finden wir in den
   Schriften des Celsus eine sehr ausführliche Anweisung
   in Betreff verschiedener wichtiger Zahnoperationen, so wie
   auch während den neuen Ausgrabungen in Pompeji und
   Herculanum verschiedene Zahninstrumente aufgefunden
   wurden, die eine grosse Aehnlichkeit mit jenen haben, die
   in unserer Zeit gebräuchlich sind.

**) „Questiones mechanicae," Cap. XXII.

***) Martial macht ganz besonders Anspielungen auf künstli-
    che 'Zähne, die von römischen Frauen zu seiner Zeit ge-
    tragen wurden.

medicinisch-zahnärztliche Hauptbuch dieser Zeit darstellen, enthalten Recepte über Latwerge, Pulver und Elixire,
um die Zähne schöner zu machen, aber nichts, was eigentlich auf den Namen Zahnkunst und Zahnwissenschaft
Anspruch machen kann.

In der ersten Hälfte des eilften Jahrhunderts schrieb
Albukasis, ein arabischer Arzt, über die Krankheiten
der Zähne, und fügte Zeichnungen von Instrumenten hinzu, die damals zur Extraction, zum Reinigen, und zu anderen Zahnoperationen angewendet wurden. Aber erst am
Ende des 16. Jahrhunderts schenkte man dieser Kunst jene
ungetheilte Aufmerksamkeit, zu welcher sie sowohl wegen
ihrer Schwierigkeit, als wegen ihrer Nützlichkeit berechtigt ist.

Nicht weniger als 38 Abhandlungen über unsern Gegenstand wurden um diese Zeit veröffentlicht. Diese wim-
meln in der That von Dingen, die heutzutage alles Nut-
zens bar sind, aber schon der Geist, dem sie ihren Ursprung verdanken, ist ein Beweis, dass man dem Gegenstande nun grössere Wichtigkeit zuzuschreiben anfing, und
dass es nur Zeit und Erfahrung bedurfte, um die Zahnchirurgie zu einer ihrer würdigen Stellung unter den andern
Künsten zu erheben.

Der erste Versuch, die Krankheiten der Zähne in bestimmte übersichtliche Classen zu bringen, wurde von P.
Fouchard in Paris gemacht, einem Manne, der mit Recht
der Vater der Zahnheilkunde genannt wird. Vor seiner
Zeit scheinen die Practiker dieses Faches die Zähne bloss
von ihrer mechanischen Seite aus betrachtet zu haben, in-

dem sie von ihnen als Complexe organischer Gewebe, die
durch ihre eigene Lebenskraft sich im Körper heranbilden,
wenig Rücksicht nahmen. P. Fouchard hatte das Ver-
dienst, die Aufmerksamkeit nicht allein auf den Bau und
die gesonderte Behandlung der Zähne, sondern auch auf
die Zeichen hingelenkt zu haben, welche sie in Verbindung
mit den benachbarten Theilen über den Stand der Gesundheit im Allgemeinen darbieten.

Dies war ein mächtiger Fortschritt in der Behandlung
des Gegenstandes; denn es bleibt unbestreitbar, dass die
Zähne nicht bloss scheinbar, sondern in der That die ursprüngliche Grundconstitution der Individuen repräsentiren.
Denn Schönheit und Festigkeit sind in diesen Organen so
innig mit Gesundheit verbunden, dass der berühmte De-
labarre (welchem wir ein ausgezeichnetes Werk über
diesen Gegenstand verdanken) den Müttern, die schlecht
beschaffene Zähne haben, das Säugen ihrer Kinder untersagt, damit sie nicht sowohl ihre schlechten Zähne, als
auch ihre schwächliche Constitution auf ihre Kinder über-
tragen; und er fährt fort, indem er sagt, dass man bei
der Wahl einer Amme darauf Bedacht haben müsse: „dass
ihre Augen frisch und lebhaft, ihre Haare und Augen-
brauen braun oder licht gefärbt, ihre Lippen roth, ihre
Zähne gesund und gut, ihr Zahnfleisch hart und schön
geröthet sei."

Wir bemerkten zuvor, dass am Ende des 16. Jahrhunderts 38 Schriften über die Zähne veröffentlicht wurden; aber der Gegenstand hatte im Verlauf der Zeit so an
Bedeutsamkeit zugenommen, dass am Ende des 18. Jahr-

hunderts nicht weniger als 158 Fachwerke in Europa erschienen waren.

Diese Werke aufzuzählen, würde mit dem Plane, den wir uns gestellt haben, nicht ganz im Einklange stehen, aber es mag nicht ganz nutzlos sein, einige von den wichtigeren hervorzuheben. So veröffentlichten Bunon im Jahre 1723, Mouton i. J. 1746, Le Cluse i. J. 1755, Bourdet i. J. 1758, und Bunon nochmals 1759 ihre Werke. Im Jahre 1766 erschien das berühmte Werk von Jourdain, und i. J. 1770 gab Thomas Berdmore sein Werk über die Zähne heraus, das ihm wegen seiner Gediegenheit und Wichtigkeit die Stelle eines Zahnarztes bei Georg III. verschaffte.

Um jene Zeit widmete der berühmte John Hunter seine Aufmerksamkeit diesem Gegenstande, und beschenkte die Welt mit seiner „Naturgeschichte der Zähne;" ein Buch, welches, da es den Kreis der Zahnkenntniss so bedeutend erweiterte, den Stolz der englischen Practiker und eine wohlthätige Rivalität unter ihnen hervorrief.

Die Inaugural-Dissertation über das Gefüge der Menschen- und Thierzähne, welche Robert Blake i. J. 1798 herausgab, liefert den deutlichen Beweis von den raschen Fortschritten, die schon damals in der Anatomie und Physiologie der Zähne gemacht wurden. Diesem Werke folgten bald andere, und im Anfange des 19. Jahrhunderts waren die Dentisten Englands wohl vollkommen berechtigt, sich mit den Practikern in den andern Zweigen der Chirurgie in gleichen Rang zu stellen.

Die wichtigsten Werke unserer Zeit sind die von

Fox 1803, Bell 1829, Nasmyth 1839, Owen 1840;
auch die von Snell, Waite, Robertson, Jobson
und Koecker; nebst welchen wir noch einige kleinere
Werke von Saunders, Clendon, White und Andern,
nebst mehreren schätzenswerthen Artikeln, die da und
dort in periodischen Blättern und Zeitschriften zerstreut
sind, anführen können.

Im letzten Jahrhundert hat die Zahnheilkunde in den
vereinigten Staaten raschere Fortschritte, als in irgend einem Lande der Welt gemacht. So haben wir das Werk
von ·Gardette 1821, Parmly, L. S. Parmly und
Flagg 1822, Trenor 1828, Fitch 1829, Brown
1833, Spooner 1836, Goddard 1843, und 1845 das
Werk des Dr. Harris, eines der Herausgeber des amerikanischen Journals für Zahnheilkunde, ein
Buch, das sehr brauchbar und umfassend ist, und unter
dem Titel: Die Principien und Praxis der Zahnchirurgie, erschien. Auch wurden viele andere Aufsätze
über diesen Gegenstand in Amerika, und besonders in dem
ebenerwähnten Blatte, veröffentlicht.

Dass mehrere Ansichten unserer Altvordern in Betreff
der Zähne für unseren Zweck sich unbrauchbar zeigen,
darf keineswegs überraschen. Hippokrates schildert
die Zähne als leimige Rückstände, die nach der Verbren-
nung der fetten Bestandtheile durch die Hitze übrigblieben,
und nimmt an, dass sie härter, als die Knochensubstanz
wären, weil sie keine brennbaren Bestandtheile mehr in
sich enthielten. Es ist schwer den zu Grunde liegenden Gedanken dieser Ansicht heutzutage herauszubringen; Ari-

stoteles jedoch (welcher, wie gewöhnlich über alle
andern Dinge, auch hier einige vortreffliche allgemeine
Ansichten über Menschen- und Thierzähne hat) hält dafür,
dass sie die einzigen Knochen wären, die durch das ganze
Leben wachsen, weil, wie er meint, sie durch beständige
Reibung bald abgenützt sein würden, wenn sie nicht ohne
Unterlass sich erneuerten *). Dieses ist jedenfalls einleuchtend und annehmbar, was man auch von dem Schlusse halten mag, den Aristoteles daraus zieht. Er fügt hinzu,
dass der Wachsthum besonders an jenen Zähnen bemerkbar ist, die ihre entsprechenden Gegner in der anderen
Kinnlade verloren haben.

Bevor wir schliessen, sei es uns noch erlaubt, ein
Wort über den gegenwärtigen Stand der Zahnkunst und
Wissenschaft auszusprechen.

Die Bedingungen ihrer Entwicklung und ihres Fort-
schreitens scheinen von denen anderer Zweige practischen
Wissens durchaus nicht verschieden zu sein. Sie finden sich
alle in den zwei Worten: „vereinigte Arbeit" zu-
sammengefasst. Welcher Verschiedenheit der Ansichten wir
auch immer in den Hauptwerken unserer ersten Autorilä-
ten begegnen, so scheint dieselbe doch grösstentheils nur
der Vereinzelung, in der sie ihre Studien trieben, und dem
Mangel eines gegenseitigen Austausches ihrer Ideen, ihren
Ursprung zu verdanken. Was wir hingegen an wahrhaftem
Fortschritte unserer Kunst in unserem Lande finden, das
in der Zahnheilkunde der erste Bannerträger der Welt ge-

---

*) „De generatione animalium," lib. II., cap. VI.

worden ist, so verdanken wir dies bloss jeder Abwesen-
heit von Vorurtheil und Eifersucht, was allein einen frei-
müthigen Austausch von Ideen und eine Vereinigung ge-
meinsamer Interessen unter unsern Standesgenossen zulässt. Denn der Verein der Zahnärzte in Amerika hat seinen Mitgliedern nicht allein eine S t e l l u n g in der Gesellschaft angewiesen, die bis jetzt unter den Zahnärzten un-
bekannt war, er hat nicht allein jene Individuen ausge-
merzt, die sich bis lang dem Publicum auf eine unehren-
hafte Weise aufdrängten, und andererseits dem wahrhaften
Verdienste seine Geltung und seinen Vorrang verschafft,
sondern er hat auch viel zu jenem hochentwickelten Grade
der Zahnwissenschaft beigetragen, wie sie jetzt in den vereinigten Staaten dasteht. Es ist schmerzlich zu denken,
dass wir nicht dieselben Vortheile in England besitzen.
Die Namen von H a r r i s, B r o w n, P a r m l y, M a y n a r d,
G r e e n w o o d, G o d d a r d und H a y d o n ragen in diesem Puncte über alle andern hervor und liefern uns die
herrlichsten Muster von gutem, collegialen Einvernehmen,
wissenschaftlicher Tüchtigkeit und practischem Geschicke.

In neuerer Zeit stellt die Lehre von den Zähnen eine
ganz von der zahnärztlichen Kunst gesonderte Wissenschaft
dar. Und dies desshalb, weil die tiefer eindringende Auf-
fassung und Würdigung der Zähne sie zu einem Haupt-
mittel der Classification in der Naturgeschichte und in der
comparativen Anatomie gemacht hat. Die microscopische
Gewebslehre dieser Organe wurde zum Gegenstande der
unermüdlichsten und scharfsinnigsten Untersuchung gemacht. Unter denen, welche die Zahn-Wissenschaft im All-

gemeinen im sechzehnten, siebzehnten und achtzehnten Jahrhunderte mit Erfolge cultivirten, stehen Eustachius, Malpighi und Leeuwenhoek oben an, und unter den besten Odontologen unserer Zeit werden Owen, Nasmyth, Goodsir, Müller, Cuvier, Rosseau, Purkinje und besonders Retzius mit Ehren genannt.

ZWEITES CAPITEL.

DIE ERSTE ZAHNREIHE.

Alle Eltern sollten wenigstens eine allgemeine Kenntniss von der Entwicklung und der Anatomie der ersten Zähne haben, nicht bloss wegen ihrem wissenschaftlichen Interesse, sondern wegen ihrer grossen Wichtigkeit in der Behandlung der Kinder. Die Zeit ihres ersten Erscheinens ist sowohl, wie die anderer Naturvorgänge, verschiedenen Abweichungen unterworfen, und obgleich mehrere Schriftsteller zu zeigen sich bemüht haben, dass die Zähne ein Merkmal des Alters abgeben, so sind doch andrerseits viele Beispiele von Kindern bekannt, die mit einem, zwei oder auch mehreren derselben geboren wurden. Was auch die Geschichte dazu sagen mag, Shakspeare hat wenigstens keinen physiologischen Fehler begangen, wenn er seinen Helden Richard diese Eigenthümlichkeit beilegt, indem er ihn sagen lässt: „Ich wurde mit Zähnen geboren." Dasselbe ist von Frankreichs Ludwig XIV. bekannt, bei dem das Dasein von Zähnen schon bei seiner Geburt seine künftige Grösse vorauszusagen schien. In unseren Tagen erwähnte Dr. Crump vor dem „amerikanischen Vereine der Zahnärzte" eines Kindes, dessen Kiefer bei der Geburt die Milchzähne vollzählig zeigten.

Die Wechsel- oder Milchzähne, die ursprünglich durch einen Absonderungsprocess gebildet werden, sind bei der Geburt in ihren Fächern oder Zellen enthalten, so dass man die Form und die beinerne Substanz von 10 derselben genau in jeder Kinnlade unterscheiden kann. Wie der Verknöcherungsprocess beginnt, nehmen sie auch einen vollkommenern Character an. Ihr einhüllendes Häutchen sondert eine Flüssigkeit ab, aus welcher sich eine weisse Masse auf die Zahnpulpe ablagert; dies ist das Zahnemail, welches anfänglich von einem Gefüge ist, das kaum härter als Kalk ist, aber in späteren Jahren einen solchen Grad von Härte erlangt, dass eine Feile bald abgestumpft wird, wenn sie sich daran versucht.

Nach der Geburt wachsen die Zähne sehr schnell, und können nicht lange in den Höhlen des Alveolarfortsatzes oder den Zellen eingeschlossen bleiben. Jedoch ist, wie wir früher bemerkten, die Zeit ihres Durchbruches unbestimmt, indem sie von der Gesundheit und Körperbeschaffenheit des Kindes, und verschiedenen andern Umständen abhängt. Während ihres Wachsthums verlängern sich nur die Wurzeln; und indem dieses geschieht, wachsen die Zellen ringsherum, und schliessen sich fester an dieselben an.

Die 20 Wechselzähne — 10 im Ober- und 10 im Unterkiefer — brechen gewöhnlich in folgender Ordnung durch:

Die zwei unteren, und hierauf die zwei oberen Central- oder mittleren Schneidezähne vom 4. bis 8. Monate.

Die zwei seitlichen Schneidezähne in jedem Kiefer vom
7. bis 11. Monate.

Die vier vorderen Backenzähne, zwei in jedem Kiefer, vom 12. bis 18. Monate.

Die vier Spitz- oder Eckzähne, zwei in jedem Kiefer,
vom 16. bis 22. Monate.

Die vier hinteren Backenzähne, zwei in jedem Kiefer,
vom 19. bis 38. Monate.

Diese vollenden die Reihe der Wechsel- oder Milchzähne, deren an Zahl zwanzig (nämlich 10 in jedem Kiefer) sind.

Allein diese Angaben sind nur annäherungsweise richtig. Wir haben Kinder gesehen, welche ein Alter von
zwölf, ja sogar sechzehn Monaten erreichten, ohne dass
ein Zahn durchgebrochen wäre, und Lefoulon erwähnt
eines siebenjährigen Mädchens, dessen mittlere Schneidezähne des Unterkiefers nicht erschienen waren; während wir andrerseits, wie oben angeführt wurde, eine
Menge Beispiele haben, dass Kinder mit Zähnen geboren
wurden.

Zuweilen ändert die Natur sowohl die Ordnung als die
Zeit, in welcher die Zähne erscheinen; manchmal kommen
die oberen Schneidezähne früher als die unteren hervor;
ein andermal gehen die Eckzähne den seitlichen Schneidezähnen voraus.

Als allgemeine Regel kann man angeben, dass die

Reihe der Wechselzähne beiläufig im dritten oder vierten Jahre vollendet sei, und diese Ansicht darbietet.

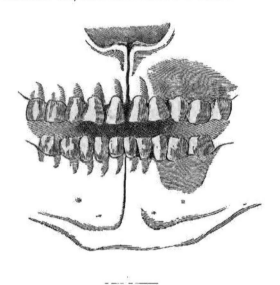

KRANKHEITEN DER KINDER VOM ZAHNEN.

Die Zeit des Zahnens ist eine Zeit des Schmerzes und der Gefahr für das Kind, der Sorge und Angst für die Mutter; denn obschon in günstigen Fällen die Symptome nur leicht hervortreten, und auf Geschwulst und Röthe des Zahnfleisches, vermehrten Speichelfluss, und geringes Ergriffensein der Baucheingeweide sich beschränken, so geschieht es doch häufig, dass die Dentition von den Anzeichen einer grossen Unordnung des ganzen Organismus begleitet wird.

2

Das Zahnen beginnt gewöhnlich um den 3. oder 4. Monat, wird durch vermehrten Zufluss des Speichels bemerkbar gemacht, und das Kind hat die Neigung, jedes Ding, das es immer erreichen kann, in den Mund zu stecken. Nachdem dieser Zustand längere oder kürzere Zeit (zwischen sechs oder zwölf Wochen) fortgedauert hat, werden die Symptome ernstlicher; das Zahnfleisch schwillt an, ist entzündet und schmerzhaft, so dass das Kind nicht leicht zulässt, selbes zu berühren; ja zuweilen will es nicht einmal die Brust.

In schlimmen Fällen beginnen nun die Anzeichen allgemeiner Aufregung; das Athmen wird beschleunigt und unterdrückt, der Puls schnell und unregelmässig, und der Urin sparsam und hoch gefärbt; es erscheinen Delirien, und in vielen Fällen heftige und selbst tödtliche Convulsionen.

Wie werden alle diese Wirkungen hervorgebracht? Was den Durchbruch des Zahnes begleitet, oder vielmehr demselben vorangeht, ist die Aufsaugung des ihn umgebenden Häutchens und Zahnfleisches, und wenn der Zahn schneller hervorzutreten strebt, als diese Aufsaugung Statt hat, so wird ein gewisser Grad von Druck gegen das Häutchen und das Zahnfleisch ausgeübt. Dieses wirkt auf die Pulpe oder den gefässreichen Theil des Zahnes, und es entsteht eine gewisse allgemeine Aufregung, die mehr oder weniger heftig ist, je nachdem der ausgeübte Druck und der demselben entgegengesetzte Widerstand es sind: unter diesen Umständen mag wohl der kindliche Organismus die verborgenen Keime der Auszehrung und Scrofelsucht, und anderer Krankheiten, welche durch Generationen hindurch im tiefen Schlummer gelegen waren, zur Reife bringen. Und auf diese Weise wird der kleine Leidende durch die beständigen Schmerzen und die Aufregung entweder aufgerieben, oder seine Gesundheit, Kraft und vielleicht auch seine geistigen Anlagen für alle Zukunft unersetzlich beeinträchtiget.

In dem einen Kinde beobachten wir schnelles und unterdrücktes Athemholen, als einen Beweis von Congestion gegen die Lungen; in einem andern ist der Kopf ergriffen, und Irrereden, Krämpfe und zuweilen auch Wasserkopf sind die Folgen.

Einige Kinder bekommen Drüsengeschwülste am Halse, mit den sie begleitenden Uebeln; andere werden aufgezehrt durch das langsame Feuer eines hitzigen Fiebers.

So erschreckend dieses Verzeichniss der Qualen und Leiden des zahnenden Kindes ist, sind wir doch verpflichtet, es aufrichtig niederzuschreiben, jedoch nicht, um die Eltern zu beunruhigen, sondern um zu zeigen, dass der Zahnprocess ein sehr wichtiger sei, und die grösste Sorgfalt und Aufmerksamkeit erfordere.

Häufig schmälert die Natur das Uebermass der Aufregung durch ihr eigenes Dazuthun, und in diesem Falle sind Hautausschläge, Aufgebrochensein hinter den Ohren und Diarrhoe die beständigen Begleiter des Zahndurchbruches.

Wollten wir daher den Müttern die Pflicht der Ueberwachung ihrer zarten Sprösslinge während dieser Lebensperiode an's Herz legen, so müssen wir unsern strengen Tadel aussprechen über jedes ungelegene Dazwischenhandeln

2 *

gegen die Natur, und vor Allem über den so gewöhnlichen wiederholten Gebrauch von Opiaten, in der Form von Godfrey's Herzstärkung, Johnson's besänftigenden Syrup etc., durch welche viel mehr Kinder geopfert wurden, als durch die Gefahren des Zahnprocesses selbst. Der Schmerz, die Geschwulst und Röthe des Zahnfleisches, die Ausschläge der Haut und die Diarrhoe sollen als natürliche Symptome dieses Processes, oder als Bestrebungen der Natur, die Gefahren desselben abzuwenden, betrachtet werden; und daher lassen sie gewöhnlich nach dem Erscheinen des Zahnes nach. Ausgenommen die Diarrhoe wäre übermässig, und das Kind schiene unter derselben zu unterliegen, erfordert dieselbe keine besondere Behandlung, oder wird wenigstens leicht besänftiget durch die einfache Operation des Einschneidens des Zahnfleisches und Verabreichung von abwechselnden kleinen Gaben von Kreide und Mercur, oder andern ähnlichen Präparaten. Ein Theelöffel voll Ricinusöl wird gemeiniglich ein weit wirksameres Opiat sein, als alle Godfrey'schen Herzstärkungen und besänftigenden Syrupe, die nur jemals erfunden wurden.

Wenn die Symptome heftig, oder der Zahnprocess zu lange hinausgezogen werden, sollte man sogleich die ärztliche Hilfe in Anspruch nehmen, damit nicht, was an und für sich ein natürlicher, und unter gehöriger Leitung heilsamer Process ist, den Grund für künftige Krankheit, Schmerz und Elend lege.

FORTSCHRITT DER ZWEITEN ODER BLEIBENDEN
ZÄHNE IN DEN KIEFERN ZUR ZEIT DER
VOLLENDUNG DER ERSTEN.

Wenn alle Wechsel- oder Milchzähne vollendet, und
an ihrem gehörigen Platze aneinander gereiht sind, und
selbst noch vor dem, während der Zeit ihres Wachsthums,
befindet sich die Reihe der zweiten Zähne schon im Ent-
wicklungsstadium. In allen derselben ist die Verknöche-
rung schon bedeutend vorgeschritten, die vier oberen und
unteren Schneidezähne befinden sich in vorgerückter Ausbildung; die vier vorderen Mahlzähne sind fast vollendet,
und die übrigen in verschiedenem Zustande der Entwicklung, während die ersten Anfänge der Weisheitszähne noch
tief in den Zellen eingeschlossen sind.

In dem Alter von sechs Jahren sind gewöhnlich nicht
weniger als acht und vierzig Zähne in beiden Kiefern:
zwanzig Wechselzähne, alle vollendet, und acht und zwanzig bleibende Zähne auf verschiedenen Stufen der Entwicklung, und in abgesonderten und deutlich unterschie-
denen Zellen, wie es in der folgenden Abbildung dargestellt ist. Bei der Betrachtung derselben wird man beobachten, dass die ganze Reihe der zweiten Zähne etwas
hinter den ersten liegt, und in einen engeren Kreis zu-
sammengedrängt ist, so dass die zweiten Zähne, sobald
sie an Grösse zunehmen, nothwendiger Weise den Kiefer
anfüllen, und zuletzt die Milchzähne aus ihren Plätzen ver-
drängen. Obschon die zweiten Zähne in gesonderten Zel-

len sich befinden, ist doch ihre Verbindung mit den ersten mittelst eines Stranges (siehe die Abbildung) durch eine kleine Oeffnung am Grunde der Zellen der Wechselzähne hergestellt.

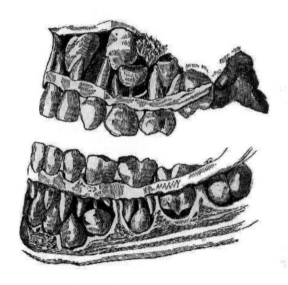

Diese Verbindung dient, die ersteren mit Lebenskraft, nämlich: Blut- und Schlagadern und Nerven zu versehen; und daher kömmt die Nothwendigkeit, die ersten Zähne so lange als möglich zu erhalten, — ein Gegenstand, den ich umständlicher erörtern werde, wenn von den Ursachen der unregelmässigen Stellung der Zähne die Rede sein wird.

VOM AUSFALLEN DER ERSTEN ZÄHNE.

Ich werde mich nicht über die verschiedenen und oft widerstreitenden Meinungen, welche über diesen Gegenstand zu Tage gefördert wurden, und welche nur dazu dienen, einen in der That einfachen Stoff zu verwirren, näher einlassen; aber als Leitfaden diene uns Bell's Ansicht, welche die vernünftigste zu sein scheint. Er behauptet, dass, sobald die zweiten Zähne bis zu einem gewissen Grade der Bildung vorgeschritten sind, und nicht mehr länger in ihren eigenen Zellen eingeschlossen bleiben können, in den vorderen Wänden dieser Höhlungen eine Aufsaugung Statt finde, auf welche Art es den Zähnen gestattet wird, einigermassen vorwärts zu kommen. Dieser Aufsaugung zufolge geschieht es oft, dass nicht nur die Zelle des entsprechenden Milchzahnes, sondern auch die des Zahnes auf jeder Seite, gegen den bleibenden Zahn zu offen ist.

Nun beginnt die Aufsaugung an der Wurzel des Milchzahnes, und zwar gewöhnlich an jener Stelle, welche seinem Nachfolger am nächsten ist; und dies geschieht nach und nach bis die Wurzel vollkommen entfernt ist. Endlich fällt die Krone ab, und hinterlässt den Raum dem bleibenden Zahne, damit dieser ihn ersetze.

Die Aufsaugung der Wurzel beginnt selten an ihrem Ende, sondern gewöhnlich in einer ziemlichen Entfernung von demselben, und oft auch nahe am Halse. Wenn ein Theil der Wurzel entfernt ist, hat selbe fast das Ansehen, als wäre sie gebrochen; aber eine etwas nähere Betrachtung wird Jedermann bald in den Stand setzen, den Unterschied zu entdecken.

Es kann die Zeit nicht genau bestimmt werden, wann dieser wichtige Wechsel Statt findet, oder wann die Milchzähne entfernt, und durch mehrere und dauerhaftere ersetzt werden. In der That ist dieser Vorgang so wenig einer unwandelbaren Regel unterworfen, dass ich mit Leuten von dreissig und selbst vierzig Jahren zusammentraf, welche einen oder mehrere Milchzähne bis dahin behalten hatten.

Die Zeit des Zahnwechsels weicht oft beträchtlich ab; so wie wir einerseits Fälle verspäteten Wechsels erwähnten, so erzählt man von einem Kinde, welches in einem Alter von neunzehn und einem halben Monate zwölf zweite Zähne hatte, deren Wachsthum ganz vollendet war. Die Bostoner medicinische Zeitschrift macht eines Beispieles Erwähnung, dass eine Frau von vierzig Jahren zwei mittlere und zwei seitliche Schneidezähne eingesetzt hatte. Drei Monate später hatte sie diese künstlichen Zähne entfernt, und in noch vier Monaten hatte sie vier natürliche an deren Platze.

Derselbe Verfasser gibt an: „Ich erinnere mich eines anderen Falles von einer jungen Dame von zwei und zwanzig Jahren, welche einige Zeit vorher meine Hilfe in Anspruch genommen hatte, und einen Spitz- oder Augenzahn auf einer Platte eingesetzt trug. Kurze Zeit darnach bedurfte sie wieder meiner Hilfe, und ersuchte mich, die Platte zu befestigen, da selbe immer lockerer werde. Bei nähe-

rer Besichtigung fand ich', dass daselbst ein neuer Augenzahn durchbreche, wo er zwölf Jahre vorher hätte erscheinen sollen."

In der Mehrzahl der Fälle findet das Erscheinen der
bleibenden Zähne in dem Alter von sechs bis acht Jahren
Statt, indem es mit den ersten bleibenden Mahlzähnen den
Anfang macht, deren Durchbruch gewöhnlich dem Ausfallen
der zwei mittleren Schneidezähne des Unterkiefers vorangeht.

Folgende Tabelle zeigt, so genau es der Gegenstand
zulässt, die Ordnung, in welcher die bleibenden Zähne erscheinen:

		Jahre des Alters.
Die 4 vorderen Mahlzähne	vom	6.— 7.
„ 4 mittl. Schneidez., 2 in jedem Kiefer . .	„	7.— 7¹/₂.
„ 4 seitl. Schneidez., den vorigen zur Seite .	„	7.— 8.
„ 4 vorderen zweispitzigen oder Backenz. .	„	8.— 9.
„ 4 hinteren zweispitzigen Zähne	„	10.—12.
„ 4 Spitz- oder Eckzähne	„	11.—13.
„ 4 zweiten Mahlzähne	„	12.—14.
„ 4 dritten Mahl- oder Weisheitszähne . .	„	18.—30.

32.

Die letztgenannten Zähne jedoch erscheinen nicht immer in der oben angegebenen Ordnung, und nehmen überdies zuweilen die sonderbarsten Stellungen an.

In der folgenden Abbildung kann man sehen, dass die
Weisheitszähne anstatt nahe an den zweiten Mahlzähnen
im Hintertheile des Kiefers (wie es durch die weissen Linien angezeigt ist) beträchtlich davon entfernt und ausserhalb der ihnen von der Natur angewiesenen Lage erschienen sind.

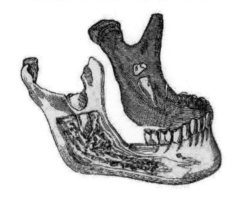

Der nachstehende Holzschnitt zeigt die vordere Ansicht einer vollständigen Reihe von völlig ausgebildeten bleibenden Zähnen.

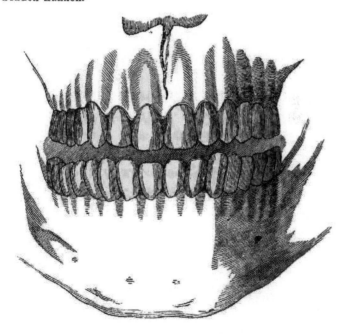

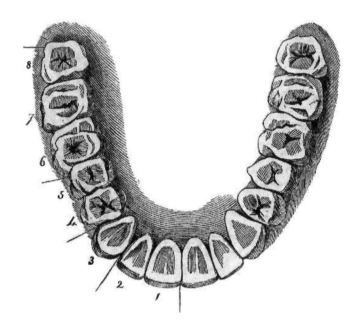

Die obenstehende Abbildung enthält die Darstellung der hinteren Flächen der Schneide- und Spitzzähne, und der Mahlflächen der Backen- und Mahlzähne des Oberkiefers, und zeigt:

1. Den mittleren } Schneidezahn ;
2. den seitlichen }

3. den Spitz- oder Eckzahn ;

4. den ersten } Backenzahn ;
5. den zweiten }

6. den ersten }
7. den zweiten } Mahlzahn.
8. den dritten }

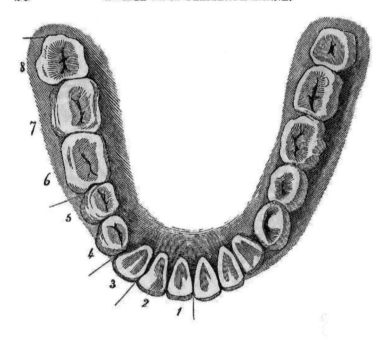

Wie die Abbildung auf der vorigen Seite die bleibenden Zähne des Oberkiefers darstellt, so zeigt diese
die Zähne des Unterkiefers, welche dieselben Namen haben, wie sie in der voranstehenden Tabelle verzeichnet
sind.

DRITTES CAPITEL.

VERGLEICHENDE BETRACHTUNG DER ZÄHNE DES MENSCHEN UND DER THIERE.

Unter den vielen Merkmalen, durch welche sich das Menschengeschlecht von der Thierwelt unterscheidet, ist die senkrechte Aneinanderreihung der Schneidezähne des Unterkiefers eines der bestimmtesten; denn wenn auch die Menschenzähne denen der Thiere an Gestalt und Stellung ähnlich sind, so beweiset doch die Bildung des Kinnes, dass die aufrechte Stellung dem Menschen allein eigenthümlich ist. Bei dem Menschen sind ferner die Zähne von einer gleichförmigen Länge und ununterbrochenen Reihenfolge, was nicht so bei den Thieren der Fall ist, deren Spitzzähne man mehr oder weniger über die andern hervorragend findet, je nach dem Bedürfnisse des Thieres. Bei den Menschen macht die Hand den Gebrauch der Zähne überflüssig, mag man selbe nun als Angriffs- oder Vertheidigungswaffen, oder als Werkzeuge sich Nahrung zu verschaffen, betrachten.

Die folgende Figur stellt einen menschlichen Schädel mit vollkommenem Gebisse dar.

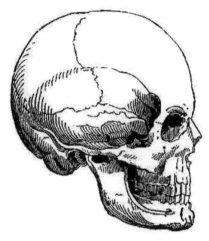

Wenn wir dieses mit dem Gebisse eines Affen (welches dem menschlichen an Gestalt am ähnlichsten ist) vergleichen, so werden wir finden, dass, während in beiden Fällen die Zähne in gleicher Anzahl vorhanden sind, bei dem Affen die unteren Zähne nach auf- und auswärts statt senkrecht nach aufwärts stehen ; und dass die Eckzähne um ein Beträchtliches länger sind, als die andern und als die der entsprechenden Gattung beim Menschen.

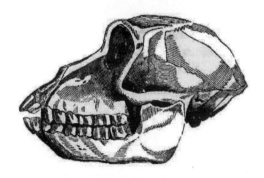

Bei dem Eichhörnchen haben wir wieder einen ferneren Beweis für die Thatsache, dass die Zähne der Thiere
ihren Bedürfnissen und ihrer Lebensweise angemessen gebildet sind.

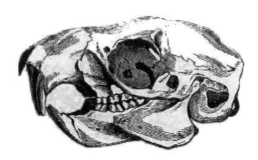

In dieser Abbildung kann man sehen, dass nur zwei
Schneidezähne mit einer gewissen Hervorragung in jedem
Kiefer vorhanden sind; die Spitzzähne fehlen, und die
Mahlzähne, welche den hinteren Theil der Kiefer ausfüllen,
sind von den Vorderzähnen durch einen beträchtlichen Zwi-
schenraum getrennt.

Vergleichen wir aber wieder den Schädel und die
Zahnreihe eines Löwen mit denen eines Menschen, so wer-

den wir finden, dass die Spitz- und Schneidezähne, besonders aber die ersteren, auffallend verschieden seien; denn
die Spitzzähne, welche der Löwe zum Zerreissen und Zer-
fleischen der Beute gebraucht, sind der vorläufigen Masti-
cation wegen, für welche das Thier kein Bedürfniss besitzt,
in der That sehr ausgebildet.

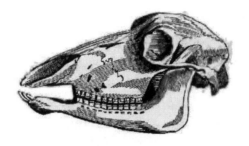

Bei dem Schafe hingegen, als dem Repräsentanten
einer anderen Thierclasse, ist bemerkenswerth, dass die
Vorderzähne im Oberkiefer ganz und gar fehlen.

Kurz, wir mögen die ganze Thierschöpfung durchge-
hen, so werden wir überall eine ganz eigenthümliche Anordnung finden; als unumstösslichen Beweis, dass die Zähne
aller Thiere ihren verschiedenen Bedürfnissen, ihrer Lebensweise und ihren Erfordernissen besonders angepasst
sind.

VIERTES CAPITEL.

URSACHEN DER UNREGELMÄSSIGKEIT DER ZÄHNE.

Man kann annehmen, dass Unregelmässigkeiten in der Aneinanderreihung nur bei der zweiten Reihe der Zähne Statt finden, und diese sind von zweierlei Art, vorübergehend und bleibend. Die erste Art entsteht durch ein zu schnelles Vordrängen der zweiten Zähne, bevor noch eine entsprechende Aufsaugung an den ersten Platz genommen hat, wodurch die zweiten Zähne in eine unnatürliche Stellung gedrängt werden, und das Zahnfleisch entweder vor, oder hinter, oder auch in einigen Fällen neben den ersten Zähnen durchbrechen. Die zweite Art von Unregelmässigkeit entsteht durch eine im Vergleiche zu den Milchzähnen zu grosse Gestalt der zweiten Zähne, und durch deren Hervorkommen, bevor noch in den Kiefern eine hinlängliche Ausdehnung Statt fand, welche den Zähnen gestattete, das Zahnfleisch regelmässiger Weise zu durchbrechen.

Diese Unregelmässigkeiten beschränken sich hauptsäch-

3

lich auf die vorderen Zähne, obschon Fälle vorkommen,
und zwar nicht wenige, in welchen die zweispitzigen (oder
Backen-) Zähne auf diese Weise in Unordnung gebracht
sind. Ueberdies können viele Unregelmässigkeiten, welche
vorerst vorübergehende heissen, zu bleibenden
werden, wenn man sie über eine gewisse Zeit hinaus bestehen lässt. Zum Beispiele: wenn ein zweiter Zahn das
Zahnfleisch entweder zu weit vorne oder zu weit rückwärts durchbricht, so ist die Folge davon die hier darge-
stellte Unregelmässigkeit.

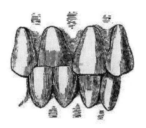

Diese würde eine bleibende Verunstaltung werden,
wenn man nicht zu einer mechanischen Abhilfe (die näher
auseinandergesetzt werden wird, wenn wir auf die Behandlung dieser Fälle zu sprechen kommen) seine Zuflucht
nehmen würde.

Was wir bleibende Unregelmässigkeiten der zweiten
Zahnreihe benannten, kann von verschiedenen Ursachen
herrühren; als von einem in den Kiefern selbst begründe-
ten Mangel an Raum für die ausgebildete Gestalt der zweiten Zähne; von einer Missbildung der Zähne und der Kie-

fer *) ; oder von einer zu starken Neigung des Bogens
des Oberkiefers und Zusammenziehung seiner Winkel.

Die Hauptursache der Unregelmässigkeit der zweiten
Zähne bleibt doch die, von der wir sprachen; nämlich:
das zu frühe Herausziehen der ersten Zähne, bevor noch
die zweiten hinlänglich entwickelt sind, um die Plätze derselben einzunehmen, was häufig in der irrigen Meinung,
Verunstaltungen zu verhüten, in Ausführung gebracht wird.
Dass diese Behandlungsweise viel öfter die Ursache von
bleibenden Verunstaltungen der zweiten Zahnreihe ist, als
irgend etwas anderes, kann leicht bewiesen werden. Denn
wie oft begegnen wir sonst lieblichen Gesichtern, deren
Umrisse auf diese Art unverbesserlich zerstört sind! Eine
solche Behandlungsweise kann nicht strenge genug ver-
bannt werden, noch kann denen, die derselben fröhnen,
ein Platz unter den gebildeten Zahnärzten gestattet sein.

Was kann schmerzlicher sein, als einen von Natur aus
gut geformten Mund zu sehen, der durch den Arzt, dessen Sorgfalt man denselben anvertraute, für immer verunstaltet wurde, indem er, in der angeblichen Absicht, Uebel zu verhüten, seinem Patienten eine unverbesserliche
Missstaltung verursachte?

---

*) Ein Paar sonderbare Anomalien werden von Plinius und
Dr. Pritchard mitgetheilt; ersterer erwähnt des Falles
von Pyrrhus, König von Epirus, bei welchem die Kronen
aller Zähne in Eins verschmolzen waren. Letzterer erzählt, dass er bei einer neuerlichen Ausgrabung einen alten Römer-Schädel entdeckte, an welchem die Zähne eine
ähnliche Erscheinung darboten.

3 *

Es könnten viele Fälle angeführt werden, in welchen
das Antlitz auf diese Weise verunstaltet wurde, wir wollen uns jedoch mit der Auseinandersetzung eines einzigen
begnügen.

Ein Knabe, sechs Jahre alt (der Sohn eines Edelmannes) wurde zu einem Zahnarzte gebracht, damit dieser seinen Mund untersuche. Alle ersten Zähne waren fest. Der
Zahnarzt jedoch behauptete, dass es nothwendig sei, einige derselben zu entfernen, oder eine Unregelmässigkeit
der zweiten Zahnreihe würde sonst die Folge sein. Er zog
nun mit besonderer Gewandtheit acht Vorderzähne, vier
aus jedem Kiefer, heraus, und entliess den Patienten mit
dem Wunsche, ihn zu sehen, wenn die zweiten Zähne hervorgekommen wären. Zwei und zwanzig Monate jedoch verstrichen, bevor dieses eintraf; in der Zwischenzeit war
der Alveolarfortsatz zusammengesunken, und die Zähne
erschienen stufenweise, indem die einen im Centrum in
der Mitte des Kiefers, die andern unter einem Winkel
von fünf und vierzig Graden durchbrachen; Alles dies — so
wurde behauptet — würde bald in Ordnung kommen, wenn
noch einige mehr herausgezogen würden. Die vier
Spitzzähne und zwei Milch-Backenzähne wurden nun entfernt. So hatte also dieser Operateur in weniger als
zwei Jahren alle Vorderzähne entfernt; und als ich den
Knaben sah, zu welcher Zeit er dreizehn Jahre zählte, war
sein Mund, wie er in der nachstehenden Abbildung dargestellt ist. Der Bogen und die Winkel waren ganz hübsch
entwickelt, und boten hinlänglichen Raum für die ausgebildete Gestalt der Zähne. Nun ist dieser Fall in der That

ein bedauerlicher. Jeder Leser wird den falschen Grundsatz einer solchen Behandlungsweise leicht einsehen, wenn
er einen Blick zurückwirft auf die Darstellung (Seite 22)
welche die innige Verbindung zwischen den ersten oder
Wechselzähnen und den zweiten oder bleibenden Zähnen
zeigt.

MECHANISCHE BEHANDLUNG DER UNREGELMÄSSIG-
KEITEN DER ZWEITEN ZÄHNE.

Es gibt keinen Zweig der zahnärztlichen Kunst, über
welchen eine grössere Meinungsverschiedenheit bestünde,
als die Behandlung der Unregelmässigkeiten der zweiten
Dentition. Es sind nicht nur beständig mechanische Vorrichtungen in Gebrauch gezogen worden, welche fehler-
haft in ihrer Anlage, und dem zu Folge mehr zum Scha-

den als zum Nutzen waren; sondern es ist auch die Zeit, zu welcher wirklich nützliche Mittel mit Erfolg in Anwendung gebracht werden sollen, unter den Zahnärzten keineswegs festgestellt. Dieser Gegenstand ist von grösster Wichtigkeit nicht nur in Bezug auf eine freundliche persönliche Erscheinung, sondern auch für den Besitz einer freien und vollkommenen Aussprache. Daher werden wir der näheren Beleuchtung desselben ein eigenes Capitel widmen.

Unzählige Werke wurden über die eigenthümliche Behandlung der Unregelmässigkeiten der Zähne geschrieben; und jeder Schriftsteller, wenn auch vielleicht in jedem anderen Dinge von seinen Kunstgenossen abweichend, stellt den Grundsatz auf: dass keine Veränderung in der Stellung der Zähne nach einem Alter von vierzehn Jahren bewirkt werden könne.

Bell erwähnt zwar eines Patienten, den er in einem derartigen Falle in einem Alter von 19 bis 20 Jahren mit glücklichem Erfolge behandelte; die vorherrschende Meinung jedoch ist, dass es nach dem fünfzehnten oder sechzehnten Lebensjahre fruchtlos sei, die Unregelmässigkeiten der Zähne bekämpfen zu wollen.

Ich war durch einige Jahre von dem Gedanken beseelt, dass die Unregelmässigkeiten der Zähne wenigstens einer grossen Verbesserung, wenn nicht einer vollständigen Regelung, auch in einer viel späteren Lebensperiode fähig seien, als die meisten Collegen gerne zuzugeben schienen; und in dieser meiner Meinung wurde ich seither durch die glücklichen Erfolge in der Praxis bestärkt. In der „brittischen Vierteljahrs-Zeitschrift über Zahnchirurgie" veröffentlichte ich zuerst eine Abhandlung über diesen Gegenstand, der nicht allein die Folge hatte, die bis jetzt üblichen Methoden zu verändern, sondern auch den Zeitraum, den man lange zu einem vollkommenen Erfolge für nothwendig hielt, auf eine viel spätere Lebensperiode, als man gewöhnlich annimmt, hinauszuschieben.

Ich führe daher die nachstehenden Fälle, die ich aus vielen anderen auswählte, an, um zu zeigen, was man bei schlecht gestellten Zähnen, für deren Regelung man früher keine Hoffnung gehegt hätte, zu thun vermöge.

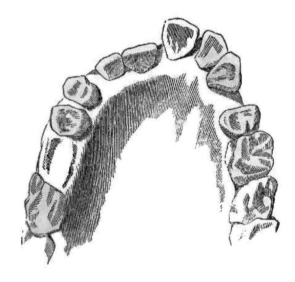

l. Fall. Obige Abbildung stellt den Oberkiefer eines jungen Mannes von 28 Jahren dar, wie er beschaffen war, als dieser sich das erstemal an mich wandte.

Der Kieferbogen war zusammengezogen, der Gaumen mehr ausgehöhlt als gewöhnlich, und die vier Schneidezähne, besonders aber der mittlere und seitliche rechterseits, waren so stark nach einwärts geneigt, dass beim Schliessen des Mundes die unteren Zähne völlig auf die Vorderfläche der oberen zu stehen kamen.

Da der Patient ein Rechtsgelehrter war, war es für ihn von Wichtigkeit, dass dieser Missstaltung abgeholfen werde, da dieselbe den freien Gebrauch seiner Zunge so sehr hemmte, dass seine Sprache unverständlich und unarticulirt wurde; und da der Beredsamkeit und Ueberredungskunst eine gefällige Gesichtsbildung bedeutenden Vorschub leistet, so war letztere im gegenwärtigen Falle ganz besonders in Anschlag zu bringen. Als er das erstemal bei mir sich Raths erholte, gab ich ihm zu verstehen, dass unter der Bedingung, wenn er durch wenigstens drei Monate einigen Unbequemlichkeiten sich unterziehen würde, ein Versuch, die schlechtgestellten Zähne zu ordnen, mit einiger Aussicht auf Erfolg gemacht werden könne. Zugleich aber machte ich ihm begreiflich, dass ein günstiges Ergebniss nicht mit Sicherheit zu erwarten sei. Freudig willigte er ein, sich dem Versuche zu unterziehen, und äusserte den Wunsch, dass, sollte es misslingen, die Zähne herausgezogen werden. Unter diesen Umständen beschloss ich, ein Instrument anzufertigen, welches frei von den Vorwürfen wäre, die man jenen bisher von Fox, Bell und Andern in Gebrauch gezogenen gemacht hat. Dieses bestand in einem Stücke Hyppopotamus (Flusspferdzahn) welches sorgfältig auf ein Modell des vordern

Theiles des Gaumens und der inneren Flächen der obern Zähne gepasst wurde; die Kanten rundete man ab, um es so angenehm als möglich für die Zunge zu machen. Dieses dehnte sich in Form einer Querplatte hinter den vier Schneidezähnen aus, mehr nach rückwärts flachte es sich ab, und bildete so an jedem Ende eine Art Kappe, welche an der linken Seite über die Kronen des zweispitzigen und des ersten Mahlzahnes geführt war, und rechterseits, über die beiden zweispitzigen Zähne sich erstreckend, dem Raume sich anschmiegte, der durch die Entfernung des ersten Mahlzahnes (welcher früher einmal herausgezogen wurde) herbeigeführt ward.

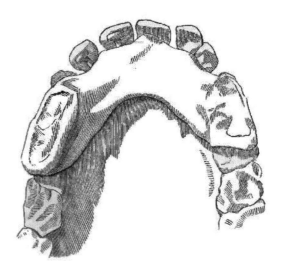

Diese Vorrichtung entsprach vollkommen dem Zwecke, das Schliessen des Unterkiefers in seiner vorigen Lage zu

verhüten; das Vermögen aber, einen Druck auszuüben,
welcher erforderlich war, um die unregelmässigen Zähne
in ihren gehörigen Platz zu drángen, war durch zwei
Stücke starken Golddrahtes, die in das Bein geschraubt
waren, hergestellt. Unmittelbar hinter jenen Zähnen waren diese Drähte umgebogen und abgeplattet, so dass sie
eine knopfartige Form gegen die hintere Fläche jener Zähne
darstellten, mit welchen sie in Berührung kamen, so oft
der Mund geschlossen wurde. Dieses Instrument wurde
durch zwei breite Klammern, die in das Bein eingelassen,
und um die zweiten zweispitzigen Zähne herum befestigt
waren, an seinem Platze festgehalten.

Die vorhergehende Abbildung zeigt das beschriebene
Stück, wie es im Munde war. Patient trug dasselbe durch
sechs Wochen; zu Ende dieser Zeit war die Veränderung
in der Richtung der Zähne so bedeutend, dass die unteren
Zähne an die Schneiden der oberen, vorher unregelmässig gestellten Zähne sich anschlossen.

Um die Cur zu vollenden, war es nothwendig, ein
neues Stück zu machen, welches an jenem Theile, der
den Druck ausüben sollte, bedeutend dicker war. Dieses
wurde sieben Wochen länger getragen, als es der bereits
vollkommen erreichte Zweck nöthig machte. Der Patient
klagte über keine Unbequemlichkeit während der Behandlung, und nun sind seit diesem günstigen Erfolge vier
Jahre vergangen, und die Zähne haben sich fortwährend
in ihrer verbesserten Stellung, wie sie in der nachstehenden Abbildung dargestellt ist, erhalten.

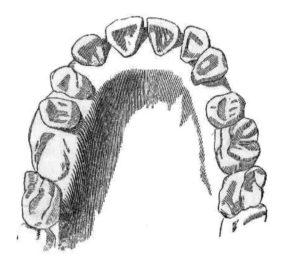

II. Ein anderer Fall, welcher kurz nach der Veröffent-
lichung des vorigen mir zur Behandlung zukam, war der
an einem jungen Manne von 29 Jahren, dem Sohne eines
unserer ausgezeichnetsten Rechtsgelehrten. In diesem Falle
ragten die sechs Vorderzähne des Oberkiefers unter einem
Winkel von nahe an fünf und vierzig Graden hervor, und
ihre Schneiden waren fast parallel mit der Spitze seiner
Nase, während auf jeder Seite des Mundes ein beträchtlicher Zwischenraum zwischen dem ersten zweispitzigen und
dem Spitzzahne war.

Die nachstehende Abbildung zeigt die Stellung der
Zähne zu der Zeit, als er meine Hilfe suchte.

Es ist hier zu bemerken, dass der in diesem Falle an-
gewandte Mechanismus dem des vorigen Falles gerade entgegengesetzt war. Daher wurde eine Platte genau ange-

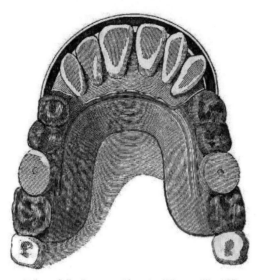

passt, welche sich kappenförmig über alle Zähne — vom
ersten zweispitzigen auf jeder Seite bis über den zweiten
Mahlzahn — erstreckte. An diese Platte war (über dem ersten Mahlzahne) ein kleines Stück Hyppopotamus genietet,
welches die Annäherung der Kiefer in ihrer vorigen Lage
hinderte, und bei der Berührung mit demselben als Hebel
wirkte. An der innern Seite des Mundes dehnte sich die
Platte hinter den Zähnen aus, war jedoch nach vorne gegen die unregelmässig gestellten Zähne hin ausgeschnitten,
damit sie nicht der Wirkung einer Spange entgegendrü-
cke, welche, in der Gegend des zweiten Backenzahnes angelöthet, sich bis zu dem entsprechenden Zahne der andern Seite erstreckte, und so nothwendiger Weise einen
Druck ausübte, wenn der Mund geschlossen wurde. Diese
Spange war sorgfältig geglättet, und an der Vorderseite

der hervorragenden Zähne angebracht. Als diese Maschine das erstemal angelegt wurde, war ein leichter Druck erforderlich, um die Zähne in den Raum zwischen die Spange und die Platte zu bringen. Nachdem dies Stück durch drei Tage getragen war, sah ich meinen Patienten, und fand, dass die hervorragenden Zähne sich zurückgesenkt hatten, und die Platte so locker wurde, dass zwischen der Spange und den Zähnen ein Raum von der Dicke eines englischen Sechspfennigstückes (etwas über eine Linie) entstand. Um dies zu berichtigen, bohrte ich Löcher in die Spange, befestigte daran ein Stück Kautschuk, und dies wurde von Zeit zu Zeit, so wie die Zähne sich senkten, wiederholt.

Nachdem der Patient diese Platte durch sechs Wochen fortwährend getragen hatte, war ich bemüssigt, eine neue nach demselben Plane zu verfertigen, und sie der jetzigen Stellung der Zähne anzupassen. Von Zeit zu Zeit, so wie die Zähne sich herab neigten, wurde der Kautschuk erneuert. In weniger als drei Monaten waren die Zähne an ihrem gehörigen Platze, die zweispitzigen Zähne schlossen sich an jeder Seite an, und zum grossen Vergnügen des Patienten waren alle Umrisse des Mundes und Gesichtes auf das Vortheilhafteste geändert.

Da jedoch die Zähne die Neigung zeigten, in ihre ursprüngliche Stellung zurückzukehren, fuhr er auf mein Ersuchen durch zwei Monate fort, die zuletzt angefertigte Platte des Nachts zu tragen; seitdem bis zu dem gegenwärtigen Augenblicke (und vierthalb Jahre sind indess ver-

strichen) trat keine Veränderung ein, und eine solche ist
auch weiterhin nicht mehr wahrscheinlich.

Diese Abbildung stellt den Kiefer nach der Behandlung dar.

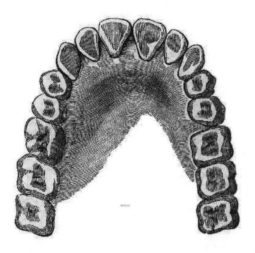

Einige Fälle waren meiner Sorge anvertraut, in welchen sich die Unregelmässigkeit nur auf Einen der Vorderzähne des Oberkiefers beschränkte. Die Zurechtrich-
tung dieser Abweichung hatten die Zahnärzte bisher für
äusserst schwierig und mühsam gehalten. Sie entsteht am
häufigsten von einer zu gedrängten Stellung der zweiten
Zähne, und der; Zahn entwickelt sich in einer schiefen
Richtung, so dass die Schneide desselben beinahe einen
rechten Winkel mit der Linie des Zahnbogens bildet. Diese
Eigenthümlichkeit bedingt immer ein unangenehmes Her-
vorgedrängtsein der Lippe, und setzt dieselbe leicht Ris-
sen oder Quetschungen aus. Ich bewirkte eine vollstän-

dige und bleibende Heilung einer solchen Unregelmässigkeit durch das hier abgebildete Instrument, welches zuerst
von Brewster angegeben, und in unserem Vaterlande
von Saunders in Anwendung gebracht wurde.

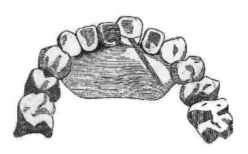

Die Behandlungsweise mittelst des hier dargestellten
Instrumentes ist folgende:

An den Gaumen und das Zahnfleisch wird eine Goldplatte, welche bis hinter den ersten zweispitzigen Zahn auf
jeder Seite reicht, genau angepasst. Um die Platte in
dieser Lage zu erhalten, werden Löcher in dieselbe gemacht, ein Faden von Perlseide hindurch gezogen, und um
den Hals eines jeden ersten Backenzahnes festgebunden.
Auf diese Weise erhält man einen fixen Punct, von welchem aus der erforderliche Zug an dem unregelmässigen
Zahne in was immer für einer Richtung fortwährend bewirkt werden kann.

Die Art und Weise, den beständigen Zug hervorzu-
bringen, ist einfach folgende: Es wird ein Ende eines
Stückes, nach Art einer Spiralfeder leicht gewundenen
Golddrahtes an einem Puncte, nahe am hinteren Rande

der Platte befestigt, und dieser Draht durch Befestiguug des anderen Endes mittelst einer Seidenschlinge am unregelmässigen Zahne in einem Zustande von Spannung erhalten.

Die Spiralfeder wird mit der Platte verbunden, indem sie an ein Stück Draht, das unter einem rechten Winkel umgebogen, und an die Platte angelöthet ist, an jenem Puncte angeschraubt wird, von welchem der gewünschte Zug ausgehen soll. So wie von Zeit zu Zeit der Zahn nach einwärts gezogen, und der Zug der Feder vermindert wird, werden eine oder mehrere Windungen entfernt, bis endlich der unregelmässige Zahn in seine normale Stellung gebracht ist.

Sollten beide mittleren Schneidezähne auf diese Art unregelmässig gestellt sein, so soll der Operateur nur Einen zu derselben Zeit zurecht bringen, und einen hinlänglichen Zeitraum verstreichen lassen, damit der erstere in seiner Zelle früher fest werde, bevor der Versuch gemacht wird, den zweiten zurück zu bringen.

Häufig kommen Fälle vor, in welchen die zwei oberen mittleren Schneidezähne in dem Zahnbogen so weit zurückstehen, dass die unteren Zähne über die Vorderfläche derselben kommen, so oft die Kiefer geschlossen werden.

In der ersteren Zeit können auf diese Art schlecht gestellte Zähne leicht zurecht gebracht werden; wenn man es aber anstehen lässt, bis ihr Wachsthum vollendet ist, kann dieser Uebelstand nicht entfernt werden, ohne dass mechanische Mittel die schlecht gestellten Zähne an ihren gehörigen und regelmässigen Platz bringen helfen.

Um dies zu bewerkstelligen, wird eine Goldplatte den unteren Zähnen, und zwar den äusseren und inneren Flächen und den Kanten derselben, genau angepasst. An den oberen Rand dieser Platte wird ein anderes Stück Gold gelöthet, das eine schiefe Ebene darstellt, und so weit in den Mund hinein verlängert wird, dass es, wenn auch der Unterkiefer vorgeschoben wird, hinter die unregelmässigen Zähne zu stehen kömmt, wie es in folgender Abbildung dargestellt ist..

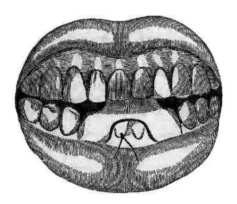

Es ist einleuchtend, dass durch diese mechanische Vorrichtung, wenn sie genau anpasst, jede Schliessung des Mundes einen beständigen und festen Druck gegen die unregelmässigen Zähne ausübe, so lange die Missstaltung durch Hinüberbringung der oberen Zähne über die untern entgegenwirkt. In jenen Fällen, wo beim Schlies—

4

sen des Mundes die vier Schneidezähne des Oberkiefers hinter die des Unterkiefers zu stehen kommen,
muss der Apparat so construirt werden, dass er sich bis
über den ersten Mahlzahn auf jeder Seite ausdehne, über
dessen Mahlfläche er in Gestalt einer Kappe derartig angebracht sein soll, dass er nicht nur die gewöhnliche
Annäherung der Kiefer hindere, sondern auch gegen Ver-
schiebung bei Schliessung des Mundes gesichert sei. Jedem unregelmässigen Zahne gegenüber wird an die Platte
ein Stück Gold gelöthet, welches die geneigte Ebene bildet, wie es in obiger Zeichnung ersichtlich ist.

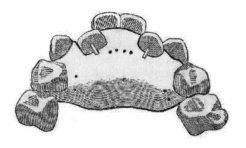

Hier gebe ich den Entwurf einer anderen Maschine,
ähnlich der zuerst (Seite 41) erwähnten, welche ich in
Fällen, wenn nur die zwei seitlichen Schneidezähne des
Oberkiefers im Zahnbogen nach einwärts stehen, mit bestem Erfolge in Anwendung bringe. Dieser Zahnapparat,
aus Hyppopotamus angefertigt, wird mittelst Schlingen
von Perlseide an die angrenzenden Zähne befestigt. Sind
die Zähne etwas nach auswärts gebracht, so wird der
hierdurch entstandene Zwischenraum dadurch ausgeglichen,

dass man gerade hinter den unregelmässigen Zähnen Löcher bohrt, und Stücke zusammengepressten amerikanischen Wallnussholzes jeden zweiten oder dritten Tag einschiebt, um den Druck so lange fortzusetzen, bis die Heilung bewirkt ist. Es ist nothwendig, in allen diesen Fällen einen oder mehrere der rückwärtigen Zähne kappenförmig einzuhüllen, um zu verhindern, dass die Kiefer in Berührung kommen.

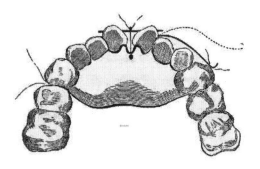

Zuweilen geschieht es, dass die zwei mittleren Schneidezähne des Oberkiefers sich in einer verdrehten Stellung zeigen, wie es hier oben abgebildet ist. Um diese hässliche Missbildung zu verbessern, wurde eine Goldplatte gemacht und an dem ersten Backenzahne an jeder Seite befestiget; gegen die inneren Winkel der unregelmässig gestellten Zähne befand sich eine Verlängerung, die einen bestimmten Punct abgab, von welchem der nöthige Gegendruck ausgeübt werden könne. Dabei musste man nun folgendermassen zu Werke gehen. Es wurde gerade hinter der Trennungsstelle zwischen den zwei mittlern Schnei-

4 *

dezähnen durch die Platte ein Loch gebohrt, eine Schlinge hindurch gezogen, und an eine elastische Goldstange, die vor den vorderen Flächen der Zähne hinlief, gebunden; diese Goldstange soll sich an beiden Seiten lieber etwas mehr über die Breite der Zähne erstrecken, die Schlinge aber so oft als nothwendig erneuert werden.

In weniger verwickelten Fällen dieser Art, können die Goldstangen so angebracht werden, dass sie sowohl auf die innere als äussere Fläche der unregelmässigen Zähne einen Druck ausüben, indem sie durch eine Schlinge, die zwischen ihnen hindurchgeht, fest gegen einander gezogen werden. Um aber zu verhindern, dass die innere Stange abgleite, ist es nöthig, ein kleines Stückchen Gold, das sich in eine leichte Krümmung verlängert, unter einem rechten Winkel anzulöthen, von wo aus eine Schlinge um den Hals eines jeden Zahnes befestiget wird. Auf diese Art kann es nicht fehlen, die Stangen in ihrer gehörigen Stellung zu erhalten.

Dieser Missbildung kann auch auf eine andere Art, die ebenfalls in obiger Zeichnung dargestellt ist, abgeholfen werden. Es wird nämlich dem unregelmässigen Zahne eine Goldplatte angepasst, die mit einer elastischen Stange in Verbindung ist, und zwar der Art, dass, wenn das freie Ende der Stange nicht fixirt wird, diese in einer Stellung sich befindet, wie es durch die punctirte Linie angezeigt ist. Die Stange, welche also einen elastischen Hebel bildet, wird durch Schlingen von starkem Perlseidenfaden an einem oder mehreren der Mahl- oder Backenzähne befestiget. Auf diese Weise kann nicht nur Ein unregelmässiger Zahn derselben Seite des Mundes nach und nach in seine gehörige Stellung gebracht werden, sondern, wenn es nothwendig ist, kann man auch zwei, drei, und selbst vier zu derselben Zeit regeln.

In ähnlichen Fällen könnte man auch, um eine Veränderung in der Stellung der Zähne hervorzubringen, statt des oben angeführten Vorschlages die Spiralfeder mit gutem Erfolge gebrauchen.

In Fällen, wenn die zwei mittleren Schneidezähne des Unterkiefers ausserhalb des Zahnbogens hervorgekommen waren, so dass die entsprechenden Zähne des Oberkiefers beim Schliessen des Mundes hinter dieselben zu stehen kamen, brächte ich eine Vorrichtung, die in folgender Abbildung dargestellt ist, mit gutem Erfolge in Anwendung.

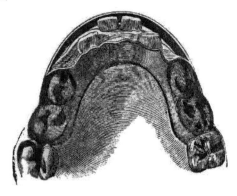

Man kann seinen Zweck in allen ähnlichen Fällen, sowohl im Ober- als Unterkiefer, vollkommen erreichen, wenn man statt der Stange eine flach oder zirkelförmig gewundene Spiralfeder anbringt. In diesem Falle wird jedes Ende der Feder an ein Stück Draht, das unter einem rechten Winkel umgebogen, und auf jeder Seite des Mundes an der äussern Fläche der Platte angelöthet ist, befestiget. Sobald die Zähne etwas nach einwärts gedrückt sind, muss die Feder abgekürzt werden, bis die unregelmässig hervorgestandenen Zähne hinter jene des andern Kiefers gebracht sind.

Es ist ganz unmöglich, alle verschiedenen Arten von unregelmässiger Stellung der Zähne, die Einem in der Praxis vorkommen, anzuführen, oder die Mechanismen zu beschreiben, durch welche in jedem einzelnen Falle die Regelung zu Stande gebracht wurde. Wir haben daher nur jener Fälle Erwähnung gethan, welche am häufigsten vorkommen, indem wir es dem Scharfsinne und Erfindungsgeiste jedes practischen Zahnarztes überlassen, seine Anordnungen den jedesmaligen Umständen des individuellen Falles angemessen zu treffen; und führen zum Schlusse nur noch an, dass wir selten einen Fall gesehen haben, der durch mechanische Mittel ganz und gar unverbesserlich gewesen wäre, vorausgesetzt, dass der gehörige Zeitraum zur Behandlung gestattet werden konnte. Das muss jedoch erinnert werden, dass die Länge der Behandlungsdauer nicht nur von der Grösse der Missbildung und der Schwierigkeit des Falles, sondern auch von der Lebenszeit, welche man vor dem Anfange der Behandlung verstreichen liess, abhänge.

Zwei Vorrichtungen zur Geradestellung schiefgewachsener Zähne, die wir ihrer schnellen und sicheren Wirkung wegen so gerne in Anwendung bringen, sind folgende:

Die eine derselben ist die hier abgebildete Welle, um welche sich ein Perlseidenfaden, der auch um den nach einwärts schiefstehenden Zahn geschlungen, und an der Welle befestiget ist, windet.

Mittelst eines Uhrschlüssels, in welchen der freistehende Zapfen der Welle passt, spannt man den Faden fest an, und dreht die Welle täglich (je nach der Nachgibigkeit des Zahnes) um eine oder zwei Zacken des an der Seite befindlichen Rädchens vorwärts. Eine, in die Zacken dieses Rädchens einspringende Feder hindert das Zurückdrehen desselben.

Die andere Vorrichtung, welche durch nachstehende Zeichnungen dargestellt ist, besteht in einer Schraube, mittelst welcher

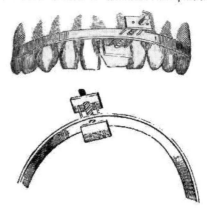

man durch tägliches Nachdrehen einen aus der Reihe vorste-
henden Zahn allmählig in die Reihe zurückzudrücken vermag.
Die Befestigung jeder dieser Vorrichtungen im Munde geschieht
(wie im erst abgehandelten Capitel erklärt wurde) an den fest-
stehenden Seitenzähnen mittelst Goldklammern, Seidenfaden,
kappenförmigen Hüllen etc., und zwar immer auf eine Art, dass
durch einen an den Seitentheilen der Vorrichtung angebrachten
Zwischenkörper das vollkommene Schliessen des Mundes während dem Tragen der Maschine gehindert wird.

A. F.

FÜNFTES CAPITEL.

VERHÜTUNG DER UNREGELMÄSSIGKEITEN DER ZÄHNE.

Die Erhaltung der ersten Zähne ist für die gehörige Entwicklung und Aneinanderreihung der zweiten so wesentlich, dass in keinem Falle die ersteren entfernt werden sollten, ohne den Rath eines Zahnarztes, dessen Sorge das Kind vom sechsten Jahre an überantwortet sein soll, eingeholt zu haben. Folgende Regeln werden bei Untersuchung des Mundes, in der Absicht Unregelmässigkeiten zu verhindern, von Nutzen sein.

Der Kieferbogen soll gehörig entwickelt sein; seine Winkel sollen halbkreisförmig sich darstellen, und die vorderen Milchzähne, welche ursprünglich gedrängt standen, etwas von einander entfernt sein, was eine allmählige Ausdehnung des Kiefers anzeigt; der erste bleibende Mahlzahn soll gut geformt, und von mässiger Grösse sein; hinter den Milchzähnen sollen noch keine Erhabenheiten des Zahnfleisches, als Beweis der Annäherung der bleibenden Zähne, sich vorfinden. Sind die Zähne eines Kindes jenen des Vaters oder der Mutter, deren Kieferbogen breit und

gut geformt, und deren Zähne von regelmässiger Bildung
sind, ähnlich, so kann dieser Umstand als eine gute Vor-
bedeutung für die Entwicklung einer regelrechten Reihe
von bleibenden Zähnen angesehen werden, und der Arzt
kann dem zu Folge eine günstige Vorhersage machen. Zugleich sollte er auch die Gefahr einer zu frühen Entfernung der Milchzähne, bevor nämlich die zweiten Zähne
hinlänglich entwickelt sind, um die Plätze jener einzunehmen, auseinandersetzen, und die grösste Aufmerksamkeit
und Reinlichkeit dringend empfehlen.

Es gibt manche Fälle, in welchen die Beihilfe eines
Zahnarztes unumgänglich erforderlich ist, und wo das
künftige Aussehen eines Patienten von der Geschicklichkeit
und Entscheidung desselben abhängt.

Es ereignet sich öfter, dass die bleibenden mittleren
Schneidezähne des Unterkiefers das Zahnfleisch hinter den
Milchzähnen durchbrechen, bevor noch eine entsprechende
Aufsaugung an diesen Statt gefunden hat.

In diesen Fällen wird es nothwendig sein, die davor-
stehenden Milchzähne zu entfernen, oder sollte auch dann
noch nicht Raum genug sein, selbst einen oder beide zur
Seite stehenden. Diese Operation jedoch soll, wenn es
ja möglich ist, so lange hinausgeschoben werden, bis man
sieht, dass die allmählige und natürliche Ausdehnung des
Kiefers das Uebel nicht zu verbessern vermag; denn die
zu frühe Entfernung der zur Seite stehenden Zähne be-
nimmt den bleibenden Centralschneidezähnen ihre natürliche Stütze, und die Folge davon ist eine hässliche

Trennung, welche zu ihrer Regelung viel Scharfsinn fordert.

Manchmal stehen die zwei mittleren Schneidezähne in jedem Kiefer einer über dem andern, was entweder von der zu gedrängten Stellung der Zähne selbst, oder von einem Mangel an Ausdehnung der Kiefer herrührt: in diesem Falle ist die Entfernung der seitlichen Milch-Schneidezähne an jeder Seite nothwendig, um den bleibenden Schneidezähnen Raum zu verschaffen, in die Reihe zu kommen.

Zuweilen legen sich die seitlichen Schneidezähne, die nämlich den mittleren zur Seite stehen, über die letzteren; in solchen Fällen sollen die Milchspitzzähne herausgezogen werden. Ist es aber wahrscheinlich, dass der Kiefer sich ausdehnen wird, was man bloss durch eine Untersuchung seines Bogens ermitteln kann, dann entfernt man die Zähne nicht, als erst in einer späteren Zeit, indem sie zur Erhaltung eines wohlgestalteten Zahnbogens beitragen.

Sehr häufig kommen Unregelmässigkeiten auch an den Spitzzähnen vor, welche unter den Vorderzähnen die letzten den Kiefer durchbrechen; und auf diese Unregelmässigkeiten wollte ich die Aufmerksamkeit um so mehr gerichtet haben, als von der Erhaltung und geregelten Entwicklung der Spitzzähne, die schöne Gestaltung des Gesichtes hauptsächlich abhängt. Die Spitz- (auch Hunds- oder Augen-) Zähne sind die Schlusssteine des Zahnbogens; entferne sie und du hast ein unvollkommenes, unsicheres und verschobenes Gebäude.

Die Spitzzähne sind, wie wir früher bemerkt haben,

die letzten, welche in der Reihe der vorderen Zähne erscheinen, und wenn alle andern schon gebildet und aneinander gereiht sind, liegen sie noch tief im Kiefer eingeschlossen, und können vermöge einer Erhabenheit des
Zahnfleisches auf jeder Seite des Mundes leicht gefühlt
werden.

Es geschieht zuweilen, dass die zweispitzigen (oder
Backen-) Zähne an der Seite der seitlichen Schneidezähne
hervorkommen, und keinen gehörigen Raum für die Spitz-
(oder Augen-) Zähne übrig lassen. In diesen Fällen sollen
wir nicht warten bis die Spitzzähne völlig entwickelt und
ober den andern hervorgebrochen sind, sondern sogleich
den ersten Zweispitzigen auf jeder Seite entfernen. Die
Spitzzähne selbst sollen kaum jemals entfernt werden; ja,
in einigen wenigen Fällen mag es sogar unumgänglich
nothwendig werden, die zwei seitlichen Schneidezähne
herauszuziehen, jedoch nicht ohne die sichere Voraussicht,
dass sonst die gehörige Einreihung der Spitzzähne nicht
möglich wäre. Es gibt jedoch eine Ausnahme von der
Regel bezüglich der Entfernung der Spitzzähne, nämlich,
wenn man diese Zähne so lange stehen liesse, dass sie sich
in ihrer schlechten Stellung zu sehr befestigten, und unter
einem rechten Winkel mit der Nase hervorragen. Aber
solche Fälle sind selten. Nichts kann daher den Akt der
Entfernung der Spitzzähne, wodurch die Schönheit der Gesichtszüge gestört wird, rechtfertigen, als die äusserste
Nothwendigkeit.

Die nächste Art von Unregelmässigkeit findet man an
den Backenzähnen (den Zweispitzigen) an der Seite des

Mundes; diese entsteht durch Mangel an Raum, und die Backenzähne brechen dann entweder innerhalb oder ausserhalb der von Natur aus ihnen angewiesenen Stelle durch. Um solche Fälle zurecht zu bringen, ist es nothwendig, die Milchbackenzähne zu entfernen, und, sollte hierdurch noch nicht hinlänglich Raum gegeben sein, dann auch die ersten bleibenden Mahlzähne, wenn sie von Caries angegriffen sind, und wenn nicht, so die zweiten Zweispitzigen, auf welche jedwede Art hinlänglich Platz gemacht wird für die ersten Zweispitzigen, dass sie ihre eigenthümliche Stellung einnehmen können.

Man möge jedoch nie vergessen, dass es besser ist, den zweiten Zweispitzigen zu opfern, als einen g e s u n d e n bleibenden Mahlzahn.

Die folgende Abbildung zeigt einen zweispitzigen Zahn zu einer Zeit und in einer Stellung, von welcher wir so eben sprachen.

Es gibt auch noch auf mancherlei andere Weise schlecht gestellte Zähne, welche Unregelmässigkeiten aber so selten vorkommen, dass es unnöthig ist, selbe zu beschreiben; zu ihrer Regelung ist allerdings die Geschicklichkeit eines Zahnarztes erforderlich, und dieser muss bei deren Behandlung wohl erwägen, dass die kleineren Uebel den grösseren vorzuziehen seien, dass die Natur nur durch Nachgiebigkeit besiegt werden könne, und dass man die Gesetze der thierischen Oekonomie zu Rathe zu ziehen und ihnen zu gehorchen, nicht aber selbe umzukehren habe.

SECHSTES CAPITEL.

NEUE INSTRUMENTE ZUR AUSDEHNUNG DER WINKEL DER KIEFER.

In Berücksichtigung der Ursachen der Unregelmässigkeiten der Zähne wird man finden, dass eine der hauptsächlichsten darin bestehe, dass die Winkel der Kiefer nicht hinlänglich ausgedehnt sind, um den zweiten Zähnen vermöge ihrer herangebildeten Gestalt gehörigen Raum zu geben. Dieses Umstandes wegen geschieht es häufig, dass bei einem tief ausgehöhlten Gaumen zwei, drei oder selbst vier der zweiten Zähne von den Zahnärzten geopfert wurden, um den übrig gebliebenen zu einer nur einigermassen regelmässigen Stellung Platz zu verschaffen. In einen solchen Kampf mit der Natur sollte man sich jedoch nur nothgedrungen begeben; denn er ist häufig mit widerwärtigen Ergebnissen vergesellschaftet, indem die zurückgelassenen Zähne nicht nur ihre natürliche Stütze verlieren, sondern auch in einigen Fällen zur Verrichtung der ihnen zukommenden Obliegenheiten untauglich gemacht werden.

Es ist in Bezug auf diesen Gegenstand merkwürdig, dass die Zahnärzte einem der wichtigsten Puncte der me-

chanisch–chirurgischen Zahnheilkunst bis jetzt keine Aufmerksamkeit zuwendeten. Deren, welche bei ihren Kunst-
forschungen theoretisch _zu Werke gingen, gibt es eine
grosse Zahl; noch fehlt es an solchen, die bezüglich der
Structur der Zähne, und der Ursachen der Caries, Hypo-
thesen erfanden : aber so lange als Theorien und Speku-
lationen Stoff zu Beweisen lieferten, wurde die practische
Zahnheilkunst sich selbst überlassen; und die Zahnärzte,
damit zufrieden, gewandte Theoretiker zu sein, vernachlässigten viel zu viel wesentliche Forschungen und Verbesserungen. Dies war der Fall in jedem Zweige unserer Kunst,
ganz vorzüglich aber in dem, der gerade der Gegenstand
unserer Betrachtung ist.

Die hier beigefügten Abbildungen zeigen zwei Vorrichtungen, durch die wir in Stand gesetzt werden, eine
regelmässige Zahnreihe herzustellen, und zwar in manchen
Fällen ohne auch nur Einen bleibenden Zahn, oder in den
meisten Fällen nur einen einzigen auf jeder Seite zu opfern.
Die erste Abbildung zeigt den Oberkiefer mit einer Platte,

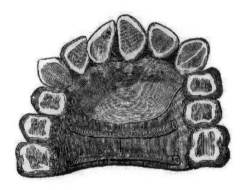

welche der Gaumenwölbung angepasst ist, und in deren
Mitte eine Scharniere sich befindet; an jeder Seite sind Oehrchen mit Spitzen, an welche schwache Spiralfedern befestiget sind, deren Stärke vermehrt oder vermindert wird,
je nachdem die Ausdehnung der Kieferwinkel es fordert.
Die zweite Abbildung zeigt den Unterkiefer, und die Wir-

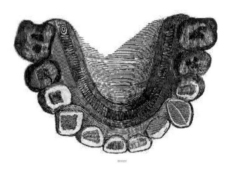

kung der hier dargestellten Vorrichtung ist jener der vorigen ähnlich, aber die Zusammensetzung ist eine verschiedene, in so ferne als die in Anwendung gebrachte Feder
flach ist, und die rückwärtigen Zähne kappenförmig eingehüllt sind. Die beste Zeit zur Anbringung dieser Vorrichtungen ist vom neunten bis zwölften Jahre; aber sie
können mit vielem, wenn auch nicht eben so grossem Nutzen
selbst bis zum sechzehnten oder siebzehnten Jahre in Gebrauch gezogen werden. In der ersterwähnten Periode jedoch, wenn der ganze Organismus sich dem Ausdehnungs-
processe unterzieht, unterstützt die Natur viel mehr unsere
mechanischen Mittel, und der bewerkstelligte Vortheil ist
viel grösser.

5

Die Abbildung der Vorrichtungen zeigt zugleich auch deren Wirkungs- und Anwendungsart. Es werden wohl gewiss Fälle vorkommen, welche eine Abänderung und Erweiterung dieser Grundidee erheischen, und die nothwendiger Weise dem Urtheile des diesfalls handelnden Zahnarztes überlassen werden müssen.

UNBEWEGLICHKEIT DES UNTERKIEFERS.

Es geschieht zuweilen, dass entweder vom Durchbruche der Weisheitszähne, vom Gebrauche des Merkurs, von der Wasserscheue, oder andern Ursachen, die Kinnlade festgestellt und unbeweglich wird, und so einen Tetanus oder geschlossenen Kiefer darstellt, der in einem solchen Grade bestehen kann, dass es unmöglich ist, Arzeneien oder Nahrungsmittel zu reichen, ausgenommen durch eine Oeffnung, die man durch das Ausziehen von Einem oder mehreren Vorderzähnen gemacht hat. Obschon nun in gewissen Fällen wenig Hoffnung zur Wiederherstellung geschöpft werden kann, so gibt es doch andere Fälle, in welchen, obschon ein vollständiges Festgeschlossensein des Kiefers vorhanden ist, einige Hilfe durch den Gebrauch des folgenden Instrumentes geleistet werden kann, mittelst welchem man den Mund hinreichend weit zu öffnen vermag, um feste Nahrung zu sich zu nehmen, bis die wirkliche Heilung des Uebels selbst bewerkstelligt werden kann.

Dieses Instrument wirkt nach den Grundsätzen der Schraube und des Hebels, und wird durch Anpassung zweier kleinen Platten von Stahl an ein gewöhnliche Tour-

niquet, das seiner Bänder entledigt ist, gebildet. Indem diese
Platten durch die Oeffnungen im unteren Theile des Tour-
niquet gesteckt sind, und ihre oberen umgebogenen Enden unter den Rollen der Brücke ruhen, und die anderen
Enden durch eine sanfte Krümmung mit einander in Berührung gebracht sind, darf man nur die Schraube drehen, um
die letzteren durch Bewirkung der erforderlichen Ausdehnung von einander zu trennen, was man ganz allmählig
thun kann.

Ein Blick auf die beigegebene Abbildung, welche die
Platten etwas von einander getrennt darstellt, wird die Beschreibung vollkommen verständlich machen.

5 *

SIEBENTES CAPITEL.

DIE FARBE DER ZÄHNE ALS ZEICHEN DER SCHWINDSUCHT etc.

Während des Wachsthums der Zähne gehen wichtige Veränderungen in ihrer Form und Wesenheit vor. Man wird im Allgemeinen finden, dass dieselben, wenn sie vollkommen entwickelt sind, den Zähnen der Eltern, mit welchen das Kind doch so viele Aehnlichkeitsbeziehungen hat, am meisten gleichen; und dies nicht allein hinsichtlich des Umfanges und der Anordnung derselben, sondern auch in Betreff der Farbe, der Dichtheit und der Widerstandsfähigkeit, oder der Neigung zum zeitlichen Ausfallen. Es gibt Familienähnlichkeiten in den Zähnen sowohl, als im Gesichte und der ganzen Person, und wir begegnen nicht bloss Familien, in welchen das zeitliche und allzufrühe Ausfallen dieser Organe erblich zu sein scheint, sondern auch andere, deren Zähne der Macht der Zeit zu spotten scheinen.

Es ist ein über allen Zweifel begründetes Factum, dass die Abzehrung, die Skrophelsucht und viele andere Krankheiten auch erblich sind, und dass, obgleich dieselben häufig durch mehrere Generationen in der Art schlummern, dass jede Vermuthung an eine solche Krankheit schwindet, doch irgend eine veranlassende Ursache sie plötzlich in's Leben ruft, und eine furchtbare Krankheit mit einem Male zum Vorschein kömmt. Dieses kann wohl in jeder Periode des Lebens geschehen, ereignet sich aber um so häufiger in dem Alter zwischen 14 und 25 Jahren, wo es öfter geschieht, dass das Uebel (ich spreche hier vorzüglich von der Phthisis) tödtliche Fortschritte gemacht hat, bevor man der Sache eine ernste Aufmerksamkeit schenkte, oder Massregeln ergriffen wurden, seiner Ausbildung in den Weg zu treten. Es bleibt in einem solchen Falle immer wahrscheinlich, dass, wenn man die Disposition einer solchen Krankheit früher kennt, das Uebel mit mehr Sorgfalt und Wachsamkeit beobachtet, die Krankheit früher entdeckt, und ein Heilverfahren unter bei weitem günstigern Umständen eingeleitet würde.

Dieser Gegenstand demnach, die F a r b e d e r Z ä h n e, a l s e i n K e n n z e i c h e n p h t h i s i s c h e r u n d s k r o - p h u l ö s e r A n l a g e, ist gewiss von höchster Wichtig- ·keit, obgleich man es auf den ersten Anblick wegen seiner Neuheit für hypothetisch erachten möchte.

Es ist ein sicheres Factum, dass gewisse Eigenthümlichkeiten in der chemischen Zusammensetzung der Knochen in einigen Fällen erblich sind, dass es ganze Familien gibt, die eine Neigung zur Knochenerweichung oder zur Nachgiebigkeit in selben haben, die von Mangel ihrer erdigen Bestandtheile herrühren, während in andern Familien die Knochen brüchig sind, gerade wegen einem Ueberwiegen dieser Grund-Elemente. Und wenn wir die Natur der Zähne, und die Zeit und Art ihrer Bildung betrachten, so ist es mehr als wahrscheinlich (wenn wir der Analogie nach urtheilen) dass sie einer Mannigfaltigkeit von Einflüssen nicht allein in Betreff ihrer Form und Stellung, sondern auch bezüglich ihrer chemischen Bestandtheile ausgesetzt sind, und dass sie daher als schätzbare Kriterien sowohl von einer krankhaften Beschaffenheit der Säfte, als auch constitutionellen Anlagen und Neigungen zu benützen sind.

Bei Thieren, die nicht dem Einflusse von Verderbniss oder Krankheit ausgesetzt sind, findet man wenig Verschiedenheit in dem Erscheinen der Zähne, indem sie bei Thieren derselben Classe (bei gleichem Alter) von derselben Stärke und Dichtheit sind. Bei den Menschen verhält sich die Sache anders, und so wie die Absonderungen des Körpers nach verschiedenen Verhältnissen der Gesundheit und Diät sich ändern, so haben wir auch jegliche Verschiedenheit nicht allein in der Form und Stellung, sondern in der Dichte und Farbe der Zahnorgane. Der natürliche Schluss, den man sich daraus erlauben darf, ist der, dass, indem die phthisische Säftemischung stets denselben Einfluss auf die Absonderungen des Körpers übt, und gewisse Eigenthümlichkeiten auf die Nachkommen dieser Unglücklichen übergehen, sie auch in derselben Weise auf die Zähne wirken wird, welche demnach schätzbare Kennzeichen bei Krankheiten abgeben mögen. Und dieses findet nicht allein bei der Abzehrung, sondern auch bei vielen andern erblichen Krankheiten Statt. Wenn der Gegenstand wissenschaftlich behandelt wird, und die Aerzte vom Berufe ihre Kenntniss und Erfahrung zur Förderung dieses wichtigen diagnostischen Behelfes benützen, so mag die Zeit nicht ferne

sein, wo die obigen Indicationen bei Zeiten auf die Gefahr und ihre Abwehr hinweisen, und viele Fälle der Lungenschwindsucht einer glücklichen Behandlung entgegenge-
führt werden, die jetzt als unheilbar angesehen werden:
ja, was noch mehr ist, da keine wichtige Untersuchung
angestellt werden kann, ohne ihre damit verbundenen Vortheile zu haben, so wird auch der hinzutretende Nutzen,
den die Medicin als Wissenschaft davon haben wird, von
Wichtigkeit sein.

Und hier glaube ich mit Recht bemerken zu dürfen,
dass meine Ansichten über diesen Gegenstand, obgleich für
die Welt noch neu, doch auf genaue Beobachtung und auf
unumstössliche Facta gegründet sind, welche mir meine
ausgebreitete Praxis an die Hand gab. Andere, deren Aufmerksamkeit jetzt zuerst auf diesen Gegenstand hingelenkt
ist, werden ohne Zweifel reichliche Gelegenheit haben,
ihre Richtigkeit durch eigene Erfahrung zu bestätigen.

Es wurde von mehreren Schriftstellern, die über Zähne
geschrieben haben, vorzüglich von Dr. C. Harris in Baltimore beobachtet, dass die Zähne der Schwindsüchtigen
und Skrophulösen entweder ein schönes krystallinisches Aussehen haben, und entweder Alabasterweisse oder einen hellen,
perlenmutterartigen Charakter, mit einem leichten Stich des
Zahnschmelzes ins Bläuliche zeigen, oder häufig auch, besonders in der früheren Periode der Krankheit, sehr blass-
gelb oder orange gefärbt sind. Wie die Krankheit vorwärts schreitet, ändert sich die Farbe der Zähne, und das
Gefüge des Zahnbeines wird weicher und dunkler, indem
es eine dunkelgelbe Färbung annimmt; noch später wieder,

wenn schon der Tod nahe ist, ist das Gefüge der Zähne
sowohl in Betreff der Farbe als Dichtheit neuerdings verändert. In denjenigen Fällen, wo ich Gelegenheit hatte, frisch
ausgezogene Zähne von Personen zu untersuchen, die an
Phthisis gestorben waren, und dieselben zerspaltete, fand
ich sie eigenthümlich charakteristisch, und gänzlich von den
Zähnen solcher Personen verschieden, die an andern Krankheiten gestorben waren, in so fern als eine vollständige
Erweichung eingetreten war, und der Knochen in seinem
Gefüge einem verfaulten Schwamme ähnelte, und dunkel
orangenfärbig sich darstellte, während bei den Zähnen der
Nichtphthisiker das Bein lichtgrau war, ohne dass irgend
eine Veränderung in der Dichtheit des Gefüges eingetreten
wäre. Es wurden jedoch bis jetzt noch keine Beobachtungen gemacht, bevor die Krankheit vollkommen entwickelt war, und der Kranke keine Hoffnung auf Genesung
hatte, obwohl wir der festen Ueberzeugung leben, dass
die Zahnsymptome als Mittel gebraucht werden mögen, die
verborgenen Keime von Phthisis und Skrophelsucht aufzu-
finden *).

---

*) „Die Zähne geben verlässliche charakteristische Zeichen der
Skrophelkrankheit an die Hand; denn entweder sind sie in
ihren äussern Umrissen missbildet, ihre Oberfläche rissig und
missfärbig, oder wenn sie anders gut gebildet sind, ist ihr
Schmelz sehr dünn und unnatürlich weiss, und die Zwischenräume zwischen denselben ungewöhnlich weit. Ich halte es
für vernünftig, die Zähne der Ammen zu untersuchen; denn
ich würde immer die Tauglichkeit einer Säugamme mit einem
schlechten Gebisse in Zweifel ziehen, wenn auch andere

In allen Fällen, wo ich die obigen Symptome an den
Zähnen der Kinder traf (indem ich zur grösseren Sicherheit der Beobachtung das Licht durch sie fallen liess) fand
ich bei genauerer Erkundigung, dass manchmal mehrere
Generationen zurück in der Familie des Vaters oder der
Mutter solcher Kinder Phthisis oder Skropheln geherrscht
haben, und dies ist es, was mich zuerst auf die Betrachtung führte, dass gewisse Zeichen an den Zähnen schät-
zenswerthe diagnostische Behelfe in den obigen gefährlichen Krankheiten abgeben. Seit dem wurden meine Vermuthungen nur zu oft durch die Krankheiten selbst bestätigt, die in den verdächtigen Fällen zum Ausbruch kamen, indem sie bald nach einer veranlassenden Ursache *)
bald ohne dieselbe auftraten; denn wir Alle wissen, dass
die Lungensucht häufig als eine genuine idiopathische
Krankheit auftrete.

Es wurde von D e l a b a r r e bei der Gelegenheit, wo er
von den physikalischen charakteristischen Zeichen der Zäh-

Umstände zu ihren Gunsten sprächen.“ (Betrachtung über
die Organe der Ernährung von Thomas H a r e , Seite 228.
London 1821.)

*) „Setzen wir zum Beispiel den Fall, dass die Lungen eines
Kindes schwach seien, und dass es unter gewöhnlichen
Umständen während der Dentition einen Husten bekäme; so
wird es, wenn es während des Zahndurchbruches der Käl-
te ausgesetzt würde, zu einer solchen Zeit nicht nur mehr
geneigt sein, einen Katarrh zu bekommen, sondern es wird
auch das Fieber dem bei einer Lungenentzündung vorhan-
denen vielmehr ähnlich sein, als unter gewöhnlichen Umständen. Hier also wirkt die Dentition als eine bedeutende
prädisponirende Ursache der Krankheit.“ (H a y d e n , über
die Krankheiten der Kinder, S. 47, London 1819.)

ne spricht, mit Recht bemerkt, dass praktische Aerzte
aus dieser Quelle sehr nützliche Andeutungen schöpfen
können, um die häusliche Diätetik der Kinder darnach
folgerecht einzuleiten. „Kann der Arzt,“ sagt Dela-
barre, „irgend eine Diagnose mit Sicherheit aufstellen?
Muss ihm nicht so viel als möglich daran liegen, die an-
geborne Constitution jedes Kranken, der seiner Sorge anvertraut ist, zu kennen, um in Stand gesetzt zu sein, ihm
eine Nahrung vorzuschreiben, welche mit der Stärke seiner Organe im Einklange steht? Wird er sich bloss mit einer oberflächlichen Untersuchung des Gesichtes, der Haut-
farbe, und anderer solcher Dinge, welche sehr veränder-
lich sind, begnügen? Wird er nicht die Völle oder Ma-
gerkeit des Individuums, die Beschaffenheit seines Pulses
und derlei mehr berücksichtigen? Sicherlich wird er aus
allen diesen Dingen gute Schlüsse ziehen, aber die sorg-
fältige und ins Kleinste gehende Untersuchung des Mundes
wird ihm ohne Zweifel Mittel an die Hand geben, sein
Urtheil zu bestätigen, denn nebst dem was wir bereits von
den Zähnen wissen, so verdankt auch die Schleimhaut der
Mundhöhle ihre Farbe dem Blute, und variirt nach dem
verschiedenen Zustande dieses Lebenssaftes.“

Dies ist die Ansicht des ersten Zahnpathologen Europa's, und sie bestätiget, dass das Aussehen der Zähne bei
der Bestimmung des allgemeinen Gesundheitszustandes
wichtige Data an die Hand gibt, und wenn dem so ist, ist
es nicht unvernünftig anzunehmen (was auch wirklich
durch die Erfahrung bestätigt wird), dass wir in diesen
Organen die Zeichen von Skropheln und Phthisis viel frü-

her zu erkennen vermögen, bevor sie einen absoluten
Charakter angenommen haben, und zu Krankheiten heran-
gereift sind, die jeder ärztlichen Kunst spotten.

Wir würden daher den Eltern auf das gewissenhafte-
ste zur Pflicht machen, die Zähne ihrer Kinder von sieben bis zehn Jahren, wenn anders der geringste Verdacht
sich ergibt, der Untersuchung eines Zahnarztes von Zeit
zu Zeit zu unterziehen, so dass, wenn die Zähne jene
krankhafte Farbe und andere Zeichen, die wir eben beschrieben haben, zeigen, keine Zeit wegen der ärztlichen Hilfe
verloren würde, so lange selbe noch etwas leisten kann;
indem Berücksichtigung des Klima's, der Diät und anderer
ähnlicher Verhältnisse für die Gesundheit das leisten kann,
was die Medicin in einer spätern Periode vergebens versuchen würde.

Es ist merkwürdig, dass die Farbe der zerstörten
Zahngebilde bei Personen von phthisischem Habitus beträchtlich von jener der gewöhnlichen Caries verschieden
ist *). So bemerkt man in einigen Fällen eine gänzliche
und höchst eigenthümliche Erweichung des Zahnbeines,

---

*) „Die Farbe der Zahncaries ist jedoch in vielen Fällen zwei-
felsohne durch ganz andere Umstände bedingt, aber welche
es sind, ich muss es gestehen, weiss ich selbst nicht. Sie
mögen vielleicht in einer eigenthümlichen Modification jener
Einflüsse bedingt sein, die durch ihre chemische Wirkung
auf die Organe die Krankheit eigentlich begründen, aber
dies ist blosse Vermuthung, und die Lösung dieses Räthsels
bleibt erst künftiger Forschung vorbehalten.“ (Dr. C. Harris. Ueber die Charakteristik der Zähne und des Zahnfleisches, Seite 50. 1845.)

die sich über den krankhaft ergriffenen Theil ausdehnt, und
mit einer mehr oder weniger blass orange oder gelben
Farbe auftritt; aber diese Erweichung entsteht nicht, wie
man sich's manchmal vorstellte, aus der scharfen Beschaffenheit des Speichels, der chemisch zersetzend auf den
kalkartigen Antheil des Zahnes wirkt, und bloss die gal-
lertartigen Bestandtheile übrig lässt ; denn in diesen Fällen gibt die Analyse dasselbe Verhältniss von
erdigen Salzen und gallertartiger Substanz, wie bei Zähnen, die unter dem Einflusse irgend einer andern Krankheit, in welcher eine scharfe Beschaffenheit in den Absonderungen des Mundes nicht vorhanden ist, zerstört werden. In andern Fällen fanden wir die erdige Ablagerung,
d. i. den sogenannten Zahnstein, ganz eigens in dieser
Krankheit gefärbt *).

Wie wir schon früher bemerkten, soll die aus Vorsicht eingeleitete Untersuchung der Zähne zwischen dem
siebenten und zehnten Jahre nicht vernachlässiget werden;
denn während dieser Zwischenzeit ist das Erscheinen der
zweiten Zähne in so weit vollendet, dass ihr physikali-
scher Charakter genau angegeben werden kann. Es wurde genug gesagt, um zu zeigen, dass die in der Art er-
worbene Kenntniss von grosser Wichtigkeit ist, schon

---

*) „Die Farbe, Consistenz und Menge des Zahnsteines ist in ver-
schiedenen Temperamenten verschieden, und ... der allgemeine Gesundheitszustand übt einen grossen Einfluss (auf selbe).
Sie liefern daher diagnostische Zeichen, die sowohl für den
Arzt als den Zahnchirurgen vom Fache wichtig sind." (Derselbe. Seite 87.)

wegen dem Lichte, welches sie, abgesehen von jeder mechanischen Betrachtung, auf die Gesundheit des ganzen
Organismus wirft.

Indem wir mit diesem Gegenstande zu Ende eilen,
wollen wir bemerken, dass, wenn wir für die Zähne ei-
nen nicht unbedeutenden Rang unter den diagnostischen
Zeichen eingeräumt haben wollen, wir uns nur auf ana-
loge Zugeständnisse berufen, welche die medicinische Welt
bereits andern niedrig gestellten Organen eingeräumt hat.
So sind in vieler Beziehung die Nägel und die Haare den
Zähnen sehr ähnlich, indem sie einen niedrigen Grad von
Lebenskraft besitzen, und äusserlich in der allgemeinen
Decke wurzeln. Und es ist wohl bekannt, dass die Nägel
lange Zeit Kennzeichen abgaben, aus welchen man die
Neigung zur Lungenschwindsucht erkannte, und dass das
Haar den Körperszustand besonders repräsentirt, und wie
derselbe sich verändert, auch seine eigenen Veränderungen
eingeht. Überdies sind die Zähne im Munde gelagert, in
welcher äussern Höhle alle die Theile bloss liegen, und wo
jedes Organ, da sich das Blut in Betreff der Menge und
Farbe durch die dünnen Schichten der Schleimhaut-Ober-
fläche durchdrängt, zum anzeigenden Moment für den Zustand des ganzen Organismus wird. So zeigen die Lippen
durch ihre Farbe, durch ihre Feuchtigkeit und derlei mehr
deutlich die allgemeine Gesundheit und Kraft an. Die Zunge leistet durch eine grosse Menge von Zeichen ganz dasselbe. Und als ob die ganze Mundregion dazu beitrüge,
aufzuklären, was in andern Körpertheilen versteckt ist, ist
selbst die Stimme eines der verlässlichsten Zeichen von
Stärke oder Schwäche, Gesundheit oder Krankheit.

Indem wir so die Zähne den andern Organen des
Mundes als Repräsentanten der allgemeinen Körperbeschaffenheit anreihen, wie es auch der Beobachtung und Erfahrung entspricht, thun wir nichts Anderes, als was sich
schon aus der blossen Induction, die doch die Quelle alles
unseres Wissens ist, von vorhinein ergibt.

Die beigefügten Zeichnungen stellen die verschiedenen
Farben und Stadien, die die Krankheiten der Zähne begleiten, in einem zur Phthisis und Skrophelsucht geneig-
ten Individuum dar. A. Die Anlage; B. das erste Stadium; C. das zweite Stadium; D. das dritte und letzte;
F. die innere Structur nach dem Tode; E. nach dem Tode
von irgend einer andern Ursache.

ZEIGEN DIE ZÄHNE DAS ALTER AN?

Diese Frage zog durch einige Zeit die Aufmerksamkeit von Saunders auf sich, der den Mund von 1046
Kindern untersuchte, um sich Gewissheit zu verschaffen,
ob irgend welche Merkmale, die die Zähne uns an die Hand
geben, uns eine sichere und genügende Kenntniss vom
Alter des Individuums verschaffen können. Er wurde über
diesen Gegenstand vor einem Comité des Hauses der Gemeinen bei Gelegenheit von Lord Ashley's „Fabriks-
Bill“ vernommen, und das Resultat seiner Untersuchungen
ist in einem Werke von Charles Wing, unter dem Titel „das Fabrik-System“ niedergelegt.

Ob die statistischen Data dieses Werkes von den Phil-
anthropen, die sich in Angelegenheit der Fabriken beson-

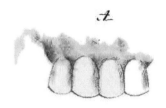

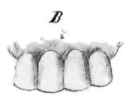

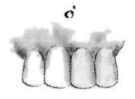

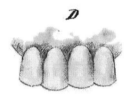

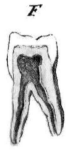

DIE FARBE DER ZÄHNE ALS ZEICHEN DER SCHWINDSUCHT.

Lith bei J Rath.

104

ders interessiren, für genügend erachtet wurden, kann ich nicht wissen; aber was mich betrifft, kann ich versichern, dass der fragliche Punct darin keineswegs als bestätigt betrachtet werden kann. Die Entwicklung der Zähne hängt von einer Mannigfaltigkeit von Umständen, wie Constitution, Gewohnheiten, Lebensart und Gesundheit überhaupt ab. Dies macht uns in Bezug unserer Fähigkeit, aus den Zähnen unfehlbare Schlüsse auf das Alter ihres Besitzers zu machen, sehr skeptisch; und die endlose Verschiedenheit von Fällen, die uns sowohl in öffentlicher als in der Privatpraxis vorkommen, bekräftigen uns in unserem Unglauben über diesen Gegenstand.

Saunders behauptet zwar das Gegentheil, wozu er durch Vergleichung der Entwicklung der Menschenzähne mit jener der Thierzähne verleitet wurde; aber er schien vergessen zu haben, dass die wilden Thiere im Vergleiche zum Menschen in einem viel natürlicheren Zustande leben, und dass dem zu Folge ihre ganze Organisation viel bestimmteren Regeln unterworfen sei, als der menschliche Körper, der, wie es in der That ist, von einer Menge von Einflüssen bestimmt wird, welche (ob sie nun von den gesellschaftlichen Verhältnissen, vom Gemüthszustande, oder von der Aussenwelt herrühren) sich bei seiner organischen und physischen Ausbildung vielseitig betheiligen.

So wird das Alter des Pferdes, bis zu einem gewissen Zeitabschnitte, aus gewissen Merkmalen an den Zähnen erkannt, und wenn diese Kennzeichen einmal verschwunden oder, wie man sich technisch ausdrückt, ausgefüllt sind, sagt man, das Thier sei alt; und nach dieser Zeit kann auf das Alter nicht mehr weiter aus den Zähnen richtig geschlossen werden.

Um dies zu erläutern, wollen wir nun die anatomische Beschaffenheit eines Pferdezahnes beschreiben. Hier unten ist ein Längendurchschnitt eines Schneidezahnes, bevor selber noch durch den Gebrauch abgenützt ist, dargestellt.

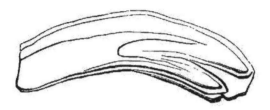

Man wird hier sehen, dass die Schneide zweitheilig ist, und eine vordere und hintere Wand darstellt. Diese beiden Wände sind durch eine tiefe Spalte getrennt, welche mit dem Cemente (Kitt), das sich beiläufig einen Zoll tief oder in manchen Fällen auch tiefer in den Zahn hinein erstreckt, ausgefüttert und theilweise ausgefüllt ist; die Zahnsubstanz oder das Zahnbein behauptet durchaus ein gleichförmiges Aussehen. In der Zeit nun, in welcher der Zahn so weit abgenützt wird, bis das Merkmal (die Bohne), welches durch das Dazwischenliegen des Cementes gebildet wird, vernichtet ist, kann man von den Zähnen auf das Alter des Pferdes schliessen; später aber ist dies nicht der Fall, wie wir oben erwähnt haben.

Das Merkmal verschwindet von den Pferdezähnen in der Ordnung ihrer ursprünglichen Bildung; zuerst also

von den mittleren, dann von den seitlichen, und endlich
von den hinteren Schneidezähnen; so dass im siebenten
Jahre die verschiedenen Zähne eine augenscheinliche Verschiedenheit zeigen, indem das Merkmal an einigen
vernichtet, an anderen noch; vorhanden ist.

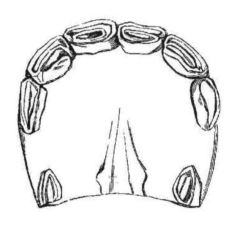

Dies Merkmal wird, um zu betrügen, zuweilen durch
Einbrennen in die Mitte der Oberfläche des Zahnes, nach-
geahmt; wer jedoch weiss, dass, wo das Merkmal natürlich ist, das Email, welches dasselbe ausfüttert, immer gefühlt werden kann, wird nicht so leicht durch diesen Kunst-
griff hintergangen werden.

Die Gestalt und Stellung der Ueberreste der Spitzzähne werden auch nebenbei als Beweise für das Alter der
Pferde benützt. Dieser Zahn ist ursprünglich kegelförmig,
hört jedoch immer mehr auf es zu sein, je mehr er
abgenützt wird. Die conische Form wird manchmal durch

6

Feilen wieder hergestellt, jedoch der Unterschied zwischen
der natürlichen und künstlichen Kegelform kann durch
Fühlen nach der unbedeutenden Längenaushöhlung an
deren inneren Fläche entdeckt werden. Ueberdies wird
die Annäherung der Spitzzahnüberreste an die Schneidezähne, von welchen sie anfangs durch einen beträchtlichen
Zwischenraum getrennt sind, von den Kennern als ein
sicheres Alterszeichen angenommen.

Nichts desto weniger aber sind die oben erwähnten
Merkmale, so wie bei dem Pferde, auch bei den niedri-
geren Thieren, welche eine dem Naturzustande ganz nahe
angrenzende Lebensweise führen, keine unumstösslichen
Anzeichen. Wie viel weniger können die Zähne Zeugen-
schaft abgeben über das Alter der Menschen, die da, wie
wir früher bemerkten, so vielen Wechselwirkungen, sowohl in körperlicher, geistiger als gesellschaftlicher Beziehung, ausgesetzt sind. Es ist jedoch nicht unsere Absicht zu läugnen, dass aus den Zähnen, wenn auch nicht
ganz sichere, doch einige allgemeine Folgerungen auf
das Alter gemacht werden können, und dass dem zu Folge
diese Organe im Durchschnitte von vielen Fällen wahr-
scheinliche und ergänzende Anzeichen abzugeben vermögen;
dennoch aber können wir die Giltigkeit dieser Anzeichen
in jedem einzelnen Falle nicht zugeben; und da eine practische Wissenschaft auf einzelne Fälle Anwendung findet,
würde es uns leid thun zu sehen, dass ein gerichtlicher
Beweis auf einen so unsicheren Grund, wie es der ist, den
die Zähne in Bezug auf das Alter des Individuums abgeben, sich stützet.

ACHTES CAPITEL.

DIE URSACHE DES BEINFRASSES (CARIES).

Diese Krankheit der Zähne, welche frühzeitige Zerstörung derselben herbeiführt, und zuweilen von bedeutenden Schmerzen begleitet wird, ist an kein Alter und kein Geschlecht gebunden. Im Allgemeinen befällt sie zwar junge Individuen, und entsteht selten nach einem Alter von sechzig Jahren; dies ist jedoch keineswegs eine ganz unabänderliche Norm.

Die Meinungen über die Ursache dieser Krankheit sind beinahe eben so zahlreich als die Autoren, welche darüber geschrieben haben; so reich wir demnach an solchen Meinungen sind, so ist die Frage doch noch eben so ein Gegenstand des Zweifels, als da Hunter zuerst seine Ansichten über diesen Gegenstand bekannt gab. Zu des Lesers Belehrung, oder Unterhaltung, werden wir einige Behauptungen prüfen, wie sie aus dem Munde der Ausgezeichnetsten, welche die Welt mit ihren Ansichten beschenkten, flossen.

„Wer soll entscheiden, wenn Doctoren uneinig sind?"

Hunter (1778) sagt: „Diese Krankheit scheint nicht so ganz vom Zufalle herzurühren, als man sich etwa ein-

6 *

84 DIE URSACHE

bilden mag: zuweilen ergreift sie die Zähne paarweise, in
welchem Falle wir wohl voraussetzen können, sie stammen
von einer angebornen Ursache, die zu ihrer bestimmten
Zeit in Wirksamkeit tritt, und die gleichen Zähne paaren
sich dann eben so in Bezug auf Krankheit, als sie es nach
ihrer Lage, Gestaltung etc. sind."

Er sagt ferner: „Ueber diese Krankheit ist bisher
noch keine Rechenschaft gegeben: fände man sie immer an
der inneren Seite der Zahnhöhle, so könnte man vermu-
then, sie entstünde aus einem Mangel an Ernährung, von
irgend einem Fehler im Gefässsysteme; da sie aber gewöhnlich äusserlich entsteht, an einem Theile, wo der
Zahn in seinem gesundesten Zustande wenig oder gar
keine Ernährung erhält, so können wir sie mit dieser Ursache in keinen Zusammenhang bringen; wir können daher
vernünftiger Weise voraussetzen, dass sie eine Krankheit sei,
die ursprünglich im Zahne selbst entsteht."

Ruspini (1784): „Verschieden sind die Arten der
Caries; fast jeder Theil des Zahnes kann davon befallen
werden, und sowohl äussere als innere Ursachen können
dieselbe hervorrufen. Die Caries kann eingetheilt werden,
in eine weiche, eine oberflächliche, eine tiefeindringende,
eine trockene: sie befällt die Wurzel, den Hals, oder
die Krone der Zähne. Die Caries, die von einer inneren
Ursache herkömmt, nämlich von Scorbut etc., ergreift gewöhnlich die Wurzel des Zahnes, oft die innere Oberfläche, zuweilen die äussere, und selbst auch die innere
Höhle des Körpers (des Zahnes)."

Gerbeaux in Paris (1802) sagt: „dass die Krank-

heiten der Zähne bei sehr vielen Individuen in der körperlichen Disposition, welche von den Eltern auf die Kinder
übergegangen sein kann, ihren Grund finden."

Nach F o x (1813) „scheint die nächste Ursache der
Caries eine Entzündung im Zahnbeine der Krone zu sein,
die wegen der eigenthümlichen Structur in ein Absterben
endiget. Die hauptsächlichste Voranlage zu dieser Krankheit besteht in einer fehlerhaften Bildung, entweder des
Emails, oder der Beinsubstanz der Zähne . . ."

„Es liegt nicht in unserer Macht, die Gesetze der
Natur zu ändern, oder die von der Natur dem Menschen
gegebene Beschaffenheit umzuwandeln ; wir können nur
den Uebeln entgegentreten, indem wir die Ursachen, aus
denen sie entspringen, beachten ; und auf diese Art werden
wir, und zwar in hohem Grade, die Zähne vor Krankheit
verwahren."

H e r t z (1815) beobachtet : „Hitze wirkt bei einem
gewissen Grade sehr schädlich auf die Lebenskraft der
Zähne ; daher finden wir, dass jene Thiere, welche hauptsächlich von heisser Nahrung leben, meistens der Caries
der Zähne unterworfen sind. Vermehrter Blutumlauf im
Zahnfleische, entweder Wirkung des Merkurs oder einer
Fieberkrankheit ist unheilbringend für die Zähne; und
daher ist Caries der Zähne eine gewöhnliche Folge des
Speichelflusses oder eines Entzündungsfiebers."

B e w (1819) : „Jenen, die nur oberflächlich einen
Blick auf die Zähne (sie mögen Wechsel- oder bleibende
Zähne sein) werfen, und bemerken, dass diese, bei einem
gesunden Zahnfleische, fest aneinander gereiht in ihren

Zellen, zum Kauen geeignet, dastehen, und sie auch noch
durch das Gesicht und Gefühl in ihrer Ueberzeugung be-
kräftiget werden, dass diese die härteste Substanz in unserem Organismus seien, wie unerklärbar und wie un-
glaubwürdig muss es ihnen erscheinen, dass diese s e h r
h a r t e n Körper, mit ihrer k i e s e l a r t i g e n H ü l l e ihre
Zerstörung von ihrer innigen Berührung herleiten, indem
sie s e i t l i c h e i n e n s t a r k e n D r u c k g e g e u e i n-
a n d e r a u s ü b e n.‟

Parmly (1820): „Das allzufrühe Verderben der Zähne ist die Folge der Unreinlichkeit, welche auf dieselben
in der Art, wie auf andere Theile wirkt, nämlich durch
Untergraben und Aufzehren der Lebenskraft, und dadurch
herbeigeführte Fäulniss.‟

Clarke (1829) sagt, dass „die Caries oder Fäulniss der Zähne in jedem Falle von aussen entsteht, und
dass äusserliche Mittel dieselbe, wenn nicht verhüten, so
doch zum Stillstand bringen. Wenn Einkerbungen oder
dergleichen Unebenheiten auf der Oberfläche der Zähne
vorkommen, bleiben in denselben die verschiedenen Säfte
des Mundes zurück, verändern ihre Eigenschaften, und
üben einen verderblichen Einfluss aus, der noch durch die
faulenden Theile von animalischen und vegetabilischen
Substanzen, die sich nothwendiger Weise ebenfalls daselbst ablagern, vermehrt wird.‟

Bell, im Jahre 1835, behauptet, dass die wahr-
scheinlichste Ursache der Zahncaries eine Entzündung ist,
welche nach seiner Ansicht folgendermassen aufzutreten
scheint: „Wenn von Erkältung, oder von irgend einer

andern Ursache ein Zahn entzündet wird, ist jener Theil, der am meisten leidet, vermöge seinem vergleichungsweise zu geringen Grade von Lebenskraft, nicht im Stande, sich von den Wirkungen der Entzündung zu erholen, und ein Absterben dieses Theiles ist die Folge davon. Die Stelle, auf welcher der Brand unabänderlich zum Vorschein kömmt, nämlich unmittelbar unter dem Emaile, über der Oberfläche des Zahnbeines, ist, glaube ich, nur durch die Ansicht, welche ich von dem Gefüge der Zähne, und der Natur dieser Krankheit habe, erklärbar. Da die Gefässe und Nerven, welche das Zahnbein versehen, hauptsächlich von der inneren Membrane herkommen, so ist der Schluss natürlich, dass bei einem so dichten Gefüge die Organisation in jenen Theilen, welche von ihrem Bildungsherde am weitesten entfernt sind, weniger vollkommen sein wird."

Saunders (1837) sagt: „Diese sehr verbreitete und traurige Krankheit der Zähne, welche allgemein unter der Benennung Caries, oder Beinfrass bekannt ist, kann auf zwei genau geschiedene Reihen von Ursachen zurückgeführt werden; die einen derselben nennt man die constitutionellen oder disponirenden, und die anderen die entwickelnden oder erregenden Ursachen. Zu den ersteren gehören alle jene erblichen Krankheitsanlagen, welche zuweilen an einem gewissen Zahne, oder Classe von Zähnen, an gewissen Familiengliedern beobachtet werden.... Diese Organe werden durch irgend eine Störung oder Aufregung im Organismus, die während der Bildung derselben auftritt, zu Krankheiten geneigt gemacht. Zu dieser Classe gehören alle jene Schmerzen und Krankheiten, wel-

che in dem Verzeichnisse der Kinderkrankheiten vorkommen, und welche, indem sie eine unregelmässige oder
fehlerhafte Beschaffenheit der Absonderungen herbeiführen, mehr oder weniger auf das Wirken jener Theile, die
bei der Hervorbringung und Bildung der Zähne betheiligt
sind, Einfluss üben. Die hervorrufenden oder entwickelnden Krankheits-Ursachen bestehen darin, dass man die
Zähne zu gewaltsamen und widernatürlichen Kraftäusse-
rungen verwendet, als da sind: Aufknaken von Nüssen,
Beissen harter Substanzen, etc."

Robertson (1840): „Bei gehöriger Untersuchung
wird man finden, dass in dem Emaile der Zähne Spalten,
in Folge der unregelmässigen Vertheilung dieser Substanz
über der Oberfläche sich befinden, und dass es auch Zwischenräume gibt, durch die gedrängte Stellung der Zähne
und die Unregelmässigkeit ihrer Gestaltung hervorgebracht.
Bei dieser Lage der Dinge werden leicht Speisentheilchen
zurückgehalten, welche einen Zersetzungsprocess einge-
hen, und die Eigenschaft erlangen die Zahnsubstanz zu
corrodiren, zu trennen, und so die erdigen und thierischen
Bestandtheile, aus denen die Zähne zusammengesetzt sind,
zu zerstören. Dies ist die Ursache der Zerstörung der Zähne, die man gemeiniglich Caries nennt, und sie ist nicht
die Folge von Entzündung weder in der Membrane des
Zahnes noch in seiner Beinsubstanz."

White (1844): „Die vorzügliche und unmittelbare
Ursache der Caries ist die ätzende Einwirkung äusserer
Einflüsse, und unter diesen ist zweifelsohne die Säure,
welche im Munde durch Zersetzung der Nahrungsstoffe ge-

bildet wird, eine der vorzüglichern. In den Furchen an den Mahlflächen der Mahlzähne finden die Speisen eine Ablagerungsstelle, und dieses nimmt von Tag zu Tag zu, bis die Säure gebildet ist, und auf das Email, welches häufig an diesen Theilen unvollkommen ist, eingewirkt hat."

Harris (1845): „Wenn die Verderbniss der Zähne nicht von einer Entzündung ihres Knochengefüges abzuleiten ist, welcher Ursache kann sie zugeschrieben werden? Die Folgerung ist, dass sie das Ergebniss der Einwirkung chemischer Agentien sei, und wenn wir in Betrachtung ziehen, dass die Flüssigkeiten des Mundes, wenn sie von krankhafter Beschaffenheit sind, die Fähigkeit besitzen das Email zu zersetzen, wenn es nicht von mehr als gewöhnlicher Dichtheit ist, und dass die Krankheit häufig von der äusseren Bedeckung ihren Anfang nimmt, so ist die Schlussfolgerung wohl unfehlbar . . . . . Wie ich früher bemerkte, besteht die Caries immer an den äusseren Flächen, zuweilen auf dem Emaile, am häufigsten aber auf der Beinsubstanz innerhalb der Einkerbungen an den Mahlflächen der Backen- und Mahlzähne, und an den sich berührenden Seiten der Zähne, wo die äussere Decke durch den Druck, der auf sie ausgeübt wird, häufig so gesprungen ist, dass die Säfte des Mundes zu dem darunterliegenden Knochengewebe leicht Zugang finden. Die Zerstörung der Organe mag hier wohl durch Monate und selbst durch Jahre nach und nach Statt finden, ohne irgend ein bemerkbares Zeichen ihres Bestehens; und der Anfang der Krankheit an diesen Stellen hat Viele verleitet

zu muthmassen, dass sie innerhalb des Knochengefüges
ihren Anfang nehme . . . . Unter den mittelbaren Ursachen der Caries können daher folgende aufgezählt wer-
den·: — Faulende Theilchen von Pflanzen- und Thierstof-
fen zwischen den Zähnen; Ablagerung von Zahnstein; ein
fieberhafter oder aufgeregter Zustand des Körpers; die
merkurielle Säfteentmischung des ganzen Organismus; künstliche Zähne, ungeschickt eingesetzt, oder von schlechtem
Stoffe; Zahnwurzeln; Unregelmässigkeit in der Aneinanderreihung der Zähne; zu grosser Druck der Zähne gegen
einander; und, kurz, Alles was eine Reizung in den Häuten der Zahnzellen und Zähne, oder im Zahnfleische hervorzubringen vermag."

Die oben angeführten Auszüge sind wohl hinreichend
zu zeigen, wie wenig in der That über die Ursachen der
Caries bekannt ist. Und nun, da ich die Meinungen anderer angeführt habe, erwartet man vielleicht, dass ich meine eigene angebe. Das Feld der Speculation ist jedoch
auch ohnedies hinlänglich bestellt; und überdies würde
jede Ansicht in practischer Beziehung werthlos sein, wenn
sie uns nicht in Stand setzt, die Desorganisation der Zähne vorauszusehen, was wir jetzt noch nicht können. Ich
für meinen Theil will nichts desto weniger bemerken, dass
die chemische Theorie des Parmly, die er im Jahre 1820
veröffentlichte, und die von Dr. C. A. Harris in seinem
letzten Werke beibehalten wurde, der Wahrheit am nächsten zu kommen scheint. Aber selbst diese Theorie erfordert eine Ergänzung. Die Bemühungen der neueren Pa-
thologen scheinen zu beweisen, dass von den Drüsen des

Zahnfleisches nahe am Halse der Zähne eine saure Flüssigkeit abgesondert wird, deren Einwirkung auf die Zähne zuweilen jene Caries zuzuschreiben ist, eine Ansicht, die den Umstand für sich hat, dass die unteren Schneidezähne, welche beständig von den alkalinischen Secreten des Mundes bespült werden, weit weniger der Caries unterworfen sind, als die oberen. Diese sauern Secrete erlangen in jenen Krankheiten, die den Magen mit ins Spiel ziehen, eine erhöhte Kraft und Wirksamkeit; und daher kömmt es vielleicht, dass in solchen Fällen die Zähne häufig mit Caries behaftet sind, insbesondere, wo die Krankheit von langer Dauer ist, und die Function der Verdauung ernstlich ergriffen hat. Die Thatsache, dass cariöse Zähne die Begleitung eines schwachen Magens oder fehlerhafter Verdauung sind, und, wo der Magen stark und gesund ist, selten gefunden werden, ist hinlänglich begründet, und kann zur Bekräftigung der chemischen Theorie dienen.

Nichts desto weniger muss man bei allen chemischen Schlussfolgerungen in Anwendung auf den lebenden Körper wohl in Erwägung ziehen, dass, wo der ganze Organismus, oder ein Theil desselben, kräftig ist, seine Lebenskraft ihn fähig macht, den chemischen Einwirkungen zu widerstehen, und dass nach Massgabe, in wie fern letztere ihn beherrschen, das Verschwinden des Wohlbefindens und der Gesundheit bestimmt wird. Das auffallendste Beispiel davon sehen wir in dem Unterschiede zwischen einem lebenden und todten Körper. Der erstere wird von gasförmigen Zusammensetzungen umspült, die eine mächtige Nei-

gung besitzen auf ihn einzuwirken; aber seine Lebenskraft
schränkt sie ein, und ihre chemischen Verwandtschaften
werden überwacht. Auf den todten Körper andererseits
übt die umgebende Atmosphäre, Feuchtigkeit etc. plötzlich
ihre eigenthümliche Kraft aus, und Zersetzung ist die Folge
davon. Daher scheint es uns, dass die chemischen Einwirkungen des Speichels auf die Zähne verminderte Lebenskraft
in diesen Organen voraussetzen, denn sonst werden dergleichen Einwirkungen beschränkt ; und aus diesem Grunde
erachten wir selbst die chemische Theorie in Bezug auf Caries weniger als zur Hälfte für wahr.

URSACHEN UND BEHANDLUNG DES ZAHNSCHMERZES.

Zahnschmerz, Zahnweh, ist ein Ausdruck, der im gewöhnlichen Gespräche auf alle Schmerzen, welche die Zähne
und Kiefer befallen, ohne Unterschied angewandt wird. Dieser Schmerz kann jedoch von sehr verschiedenen Ursachen
entstehen ; als vom Blossliegen des Zahnnerven, von
schwammiger Entartung des Nervenknotens, von Eiter, der
in der Zahnhöhle eingeschlossen ist, von einer Krankheit
der Membrane, welche die Wurzel umgibt (Beinhaut, *perio-
steum*), von Sympathie etc. Wenn ein Zahn gesund ist,
wird sein Nerve von einer dicken knöchernen Hülle um-
schlossen, welche ihn gegen äussere Unbilden schützt. Oft
aber wird durch Krankheit der Nerve den Einwirkungen
der Luft, der Flüssigkeiten, der Speisen, oder Reizungen
irgend einer Art ausgesetzt, und bei solcher Gelegenheit
kann, im Verhältnisse zu dem Grade der Nervenverletzung,

der heftigste Schmerz entstehen. Wenn der Zahnschmerz von einer Entzündung des inneren Nerveuknotens, hervor-gerufen durch irgend eine der oben erwähnten Ursachen, herstammt, ist der Schmerz schneidend, reissend und klopfend, und wird durch Druck auf den ergriffenen Theil nicht vermehrt.

Zuweilen findet Entzündung in der Höhle des Zahnes Statt, und der Nerve geht in Eiter über. Schmerzempfindung kann Monate lang vor dem Eintritte der Eiterung da sein, obschon letztere viel häufiger schon bei dem ersten oder zweiten Schmerzanfalle beginnt. Ganz sicher aber geht die Krone des Zahnes früher oder später zu Grunde, und der Nerve wird völlig entblösst.

Zunächst nach dem Zahnschmerze, der von Entblössung der Nerven herkömmt, ist der, welcher von dem in der Zahnhöhle eingeschlossenen Eiter abhängt, der häufigste. Im Beginne dieser Fälle wird der Schmerz nur gefühlt, wenn heisse oder kalte Flüssigkeit den ergriffenen Zahn bespült, aber nach und nach kömmt ein beständig nagender Schmerz hinzu, der Zahn wird empfindlich und schmerzhaft, und scheint ein wenig locker und länger als die übrigen, und der Schmerz fährt schnell längst der Nerven hin gegen die Schläfen, gegen das Ohr, gegen die ganze Kopfseite und die Nachbarzähne in beiden Kiefern. Wenn die Schmerzen in einem Zahne auf diese Art grösser zu werden beginnen, ist der Zeitpunct der Eiterung da; wenn der Zahn aber länger zu sein scheint als die übrigen, locker, und im hohen Grade schmerzhaft ist, ist der Nerve schon in Eiter übergegangen, und der Eiter fliesst am Ende der Wurzel,

wo die Gefässe und Nerven in den Zahn treten, ab. Wenn
die Backe zu schwellen beginnt, ist dies ein Zeichen, dass
sich der Eiter zwischen dem Zahnfächer und der ihn um-
hüllenden Membrane ausbreitet; bei dieser Gelegenheit fühlt
man den klopfenden Schmerz während der Bildung eines
Zahnfächer-Abscesses.

Auf dieselbe Weise entsteht, wenn die Wurzel des
erkrankten Zahnes nahe an der Kieferhöhle ist, ein wahr-
hafter Abscess dieser Höhle.

Es kann jedoch Schmerz da sein, der Nerve kann in
Eiter übergehen, und das Gesicht schwellen, und beides,
der Schmerz und die Geschwulst, wieder aufhören, ohne
dass ein Abscess sich bildet; in diesem Falle ergiesst sich
der Eiter zwischen das Ende der Wurzel und deren häutigen Hülle, und bildet daselbst einen Sack, beiläufig von der
Grösse einer Erbse, oder ein wenig grösser. Im Laufe der
Zeit berstet dieser Sack, und entleert seinen Eiter zwischen
der Wurzel und dem Zahnzellen-Fortsatze.

Beim Zahnweh, das von einer Entzündung und Anschwellung der häutigen Hülle der Wurzelspitze entsteht,
und Eiterbildung zur Folge hat, ist der Schmerz auf den
Zahn beschränkt, dessen Nerve eiterte und den Abscess
hervorbrachte. In diesen Fällen ist immer die Eiterung des
Nerven und die Bildung eines Abscesses die ursprüngliche
Ursache der Krankheit. Der Schmerz ist gewöhnlich dumpf
und drückend; der Zahn wird etwas empfindlich und locker;
unmittelbar über oder längs der Wurzel ist das Zahnfleisch
stark entzündet und von bläulicher Färbung. Wenn der
Schmerz klopfend wird, ist der Eiter in der Bildung be-

griffen, füllt theilweise den Zahnfächerfortsatz aus, und bildet, was man einen Zahnfleischabscess nennt. In manchen Fällen dieser Art wird, wenn man sie ungehindert ihren Fortgang nehmen lässt, ein Theil des Zahnfächerfortsatzes aufgesogen, und es bildet sich eine Fistelöffnung an der Aussenseite der Backe.

Der Schwamm des Zahnmarkes ist eine kleine Geschwulst von dunkelrother Farbe, und befindet sich entweder in dem Wurzelkanale — in welchem Falle er so klein ist, dass er oft für den Nerv selbst gehalten wird — oder in der Höhle der Krone, welche er gewöhnlich ausfüllt, wenn er daselbst zugegen ist. Er ist sehr weich, blutet leicht bei der leisesten Berührung, und ist verschieden gross, von der Grösse eines Stecknadelkopfes bis zu der einer grossen Erbse. Zuweilen ist er ganz unempfindlich, in anderen Fällen wieder in hohem Grade empfindlich; der Schmerz aber, den er verursacht, ist nicht von jenem Stechen und Klopfen begleitet, das die eigenthümlichen Nerven-Affectionen charakterisirt. Keine andere Krankheit des Mundes macht den Athem so übelriechend, als der Schwamm, von dem wir gerade sprechen.

Alle oben erwähnten Arten des Zahnschmerzes, mit Ausnahme des letzten (des sympathetischen Zahnwehs) sind entzündlichen Charakters, und müssen mit entzündungswidrigen Mitteln behandelt werden Am besten wird kaltes Wasser dagegen in Anwendung gebracht, und dieses wird, wenn die Krone des Zahnes ergriffen ist, gewöhnlich unmittelbare Abhilfe leisten. Wenn im Gegentheile die Entzündung tiefer ihren Sitz hat, wird das kalte Wasser zuerst den Schmerz vermehren, wenn man aber beharrlich damit fortfährt, wird es einen günstigen Erfolg herbeiführen. Wo die Entzündung einen hohen Grad erreicht, und der Schmerz sehr heftig wird, wird es nothwendig sein, zu einer wirksameren Behandlung seine Zuflucht zu nehmen; Blutegel sollen reichlich am Zahnfleische gesetzt, ein schnell wirkendes Abführmittel gereicht, und eine schmale Diät auf das nachdrücklichste empfohlen werden. Sollte es unmöglich scheinen, die Eiterung zu verhindern, und sollte der Patient sich der Entfernung des Zahnes zu der Zeit widersetzen, so sind warme Bähungen, die etwas Opium oder Bilsenkraut enthalten, an den leidenden Theilen anzuwenden, und sobald als der Eiter gebildet ist, soll der Zahn allsogleich herausgezogen werden.

Die Ursache des eigenthümlichen Schmerzes beim Zahnweh scheint darin zu bestehen, dass die Zahngefässe und Nerven in einem knöchernen·Kanale eingeschlossen sind, der während der Entzündung keinen Säftezufluss in den Gefässen zulässt, ohne einen starken Druck auf die Nervenfasern auszuüben. Auf diese Art können wir uns die Thatsache erklären, dass Verhältnisse, unter welchen die Gefässthätigkeit im Organismus vermehrt wird, sehr geeignet sind, Zahnschmerz hervorzurufen. Es ist wohl bekannt, dass das Blut während der Schwangerschaft, wenn man zur Ader lässt, die charakteristische röthlich gelbe Entzündungshaut darbietet; daher ist Zahnweh ein gewöhnliches Uebel während der Schwangerschaft. In Bezug auf die Ursache des Schmerzes folgen die Zähne demselben Gesetze, wie viele andere Organe, — wie das Ohr, die Knochen

überhaupt etc. — in welchen das Leiden beinahe immer mit
der unnachgiebigen Natur der ringsherum gelegenen Gebilde
in einem genauern Verhältnisse steht. Auf diese Weise geschieht es, dass Gewebe, welche im gesunden Zustande
sehr wenig Leben und Empfindung besitzen, während der
Entzündung der Sitz der heftigsten Schmerzen werden, indem die Entzündung diese Theile nach den Gesetzen des
Flüssigkeits-Druckes, der, wie bekannt, sehr gross ist, gewaltig auszudehnen strebt.

Die Behandlung des Zahnschmerzes von Blosslegung
des Nerven muss einfach l i n d e r n d (palliativ) sein. Die äthe-
rischen Oehle, mineralischen Säuren, das Creosot, und
verschiedene andere Reizmittel sind mit mehr oder weniger Erfolg angewandt worden, die Empfindlichkeit des
kranken Theiles zu betäuben oder zu vernichten. Es ist jedoch nicht gut, selbe ohne Unterschied in Anwendung zu
bringen, denn in manchen Fällen könnten sie Unheil anrich-
ten. Nach unserer Erfahrung ist ein sehr nützliches Mittel
das Terchlorid von Carbogen mit Morphium, oder eine
Mischung von Creosot und Morphium mit feingepulvertem Ma-
stixharze zu einem Teige angemacht und auf einem kleinen Charpiebäuschchen auf den Nerven gebracht. Das Chlor-
zink, das Tannin und die Galläpfeltinktur wurden auch gegen diese Zahnschmerzen in Gebrauch gezogen, aber sie
sind in ihrer Wirkung weniger sicher, als die früher erwähnten Substanzen, und daher fühlen wir uns selten bewogen sie anzuwenden.

Wir gehören nicht zu den Vertheidigern einer Behandlungsweise, welche als radical bezeichnet wurde, und im

7

Ausbohren oder Ausbrennen des Nerven besteht, was nach
dem Dafürhalten einiger Schriftsteller eine schmerzlose oder
gar eine angenehme Operation sein soll. Darüber erwähnen
wir weiter nichts. Früher oder später vollendet die Natur
die Cur, indem sie den Nerven, wo er bloss liegt, und immer
in Berührung mit äussern Dingen kömmt, durch Eiterung
entfernt. Bis dies eintritt, schliesst die palliative Behandlungsweise Alles in sich, was man mit Klugheit zu unternehmen vermag.

Der Schwamm des Zahnmarkes wird durch den Höl-
lenstein entfernt, der, wenn er zu wiederhollen Malen angewendet wird, den kranken Theil zerstört, während man
dadurch, dass man den Schwamm ansticht und ihn reichlich
bluten lässt, zeitweilige Erleichterung verschafft. Das Herausziehen des Zahnes aber ist die einzige bleibende Abhilfe; denn so lange der Zahn im Munde bleibt, kehrt die
Krankheit, was man immer dagegen thun mag, gewöhnlich
nach dem Verlaufe einiger Monate zurück.

Wenn sich Eiter in der inneren Höhle des Zahnes an-
gesammelt hat, wenn das Gesicht geschwollen ist, und
klopfender Schmerz sich daselbst einstellt, muss der Zahn
entfernt werden. In einer früheren Periode kann der Zahn
trepanirt oder angebohrt, und so der Eiter herausgelassen
werden; ein Unternehmen, das in manchen Fällen, selbst
wo der Eiter an der Wurzelspitze abzufliessen beginnt,
erfolgreich sein kann.

Zahnweh, das von einem Kranksein der Beinhaut oder
der auskleidenden Membrane der Wurzel herrührt, findet
gewöhnlich Hilfe, durch Ansetzen von Blutegeln am Zahn-

fleische, und besänftigende Mittel innerlich gereicht; oder
durch einen Einschnitt in das Zahnfleisch nach der ganzen
Länge der Wurzel, und nachheriges Auflegen einer abgekochten Feige oder zerstossenen Rosine.

Es bleibt uns nun noch übrig des sympathischen
Zahnschmerzes zu erwähnen, ein Leiden, das aus dem
innigen Zusammenhange des Nervensystems, in welchem
alle Theile in wechselseitiger Verbindung mit einander
sind, entsteht.

Während der Bildung eines Zahnfächerabscesses, um
ein Beispiel dieser Art anzuführen, sind häufig die angrenzenden Theile von Schmerz und Entzündung befallen;
alle Zähne leiden der Reihe nach, obschon doch gewöhnlich nur ein einziger der ursprüngliche Sitz der Krankheit ist.

Der sympathische Zahnschmerz stellt sich sehr häufig
während der Schwangerschaft ein, und kann von vermehrter oder verminderter Thätigkeit des ganzen Organismus entstehen. Zuweilen kömmt er von einem schon
kranken Zahne her, und, wo dieser die Ursache ist, sollte
er, wenn möglich, gleich entfernt werden. Wir müssen
jedoch in diesem Falle mit unserem Urtheile vorsichtig
sein, denn das Leiden von einem auf diese Art schmer-
zenden Zahne kann gewöhnlich durch geeignete Mittel be-
seitiget werden. Ja, wir haben Hunderte von Fällen kennen
gelernt, in welchen Zahn nach Zahn entfernt wurde, ohne
eine Hilfe bewirkt zu haben; und erst dann, wenn die
Zähne des Patienten und der Ruf des Zahnarztes geopfert
waren, vermuthete man richtig den Grund der Krankheit nicht
im Munde, sondern im allgemeinen Zustande des Organismus.

7 *

NEUNTES CAPITEL.

DAS AUSFÜLLEN (PLOMBIREN).

Diese Operation, wenn sie bei Zeiten unternommen, und gut vollführt wird, ist eine der werthvollsten in der Zahnchirurgie.

Um den Erfolg dieser Operation zu sichern, muss sie unternommen werden, wenn die Caries erst im Beginne, und noch bevor selbe so weit vorgedrungen ist, dass sie den Nerven in Mitleidenschaft zieht. Aus diesem Grunde sollen jene, die ihre Zähne zu erhalten wünschen, zeitweise beim Zahnarzte sich einfinden; denn in manchen Fällen schreitet der Beinfrass sehr schnell vorwärts, ja er ist oft nur durch ein kleines Fleckchen im Emaile bezeichnet; die Krankheit fährt fort das Email zu untergraben, bis diese Substanz, ihrer natürlichen Stütze beraubt, plötzlich einbricht, und eine weite Höhle zur Schau stellt, obschon der Zahn gar nicht im Verdachte stand, dass er cariös sei.

Wie oft hören wir Patienten erzählen, dass sie an einem bestimmten Zahne durch Jahre einen Fleck hatten, auf den sie, da er mit keinem Schmerze vergesellschaftet war, kein Gewicht legten, indem sie der irrigen Meinung

waren, es sei eine blosse Missfärbung. Der günstige Zeitpunct zum Plombiren ist in der That im Beginne der Caries,
wenn sich zuerst ein Fleck an der Oberfläche des Emails
zeigt, oder eine Missfärbung zwischen den Zähnen an der
Aussenseite bemerkbar wird. Obschon dieses die beste
Zeit für die Operation ist, kann sie doch auch mit aller
Wahrscheinlichkeit von gutem Erfolge in einer späteren
Periode unternommen werden, selbst wenn der Zahn so
weit verdorben ist, dass der Nerve blossliegt und beträcht-
liche Schmerzen macht. In dergleichen vernachlässigten
Fällen muss mit gehöriger Umsicht die früher erwähnte
palliative Behandlungsweise eingeleitet, und die Reizbar-
keit des blossgelegten Nerven herabgestimmt werden, bevor
das Plombiren versucht wird. Man kann diesen Zweck erreichen, selbst wenn der Patient schon viele Schmerzan-
fälle erlitten hat, und auf diese Art wird der Zahn fähig
gemacht, jeden zu dieser Operation nöthigen Druck ohne
Nachtheil zu ertragen.

Wir können mit Sicherheit behaupten, dass es verhältnissmässig wenige Fälle gibt (vorausgesetzt, dass die
umgebenden Theile gesund sind) in welchen diese Operation nicht mit Vortheil unternommen, und dadurch das
Herausziehen verhütet, und die Dienstleistung eines brauch-
baren Zahnes für Jahre gesichert wird.

Die Extraction wird so häufig ausgeführt, nicht weil
sie unumgänglich nothwendig, sondern weil sie schneller
und kürzer ist als das Plombiren; daher können wir jene
Practiker nicht loben, die sich durch solchen Tausch ihre
Mühe erleichtern.

Auch ist es durchaus nicht zu empfehlen, Zähne bloss deshalb auszuziehen, weil sie cariös und schmerzhaft sind, ohne alle Nebenumstände des gegebenen Falles zu berücksichtigen. Was würden wir von einem Chirurgen denken, der ein erkranktes Glied amputirte, ohne erst versucht zu haben, selbes zu heilen, und so zu des Patienten Frommen zu erhalten? Und was werden wir von einem Zahnarzte denken, der in jedem Falle sich allsogleich beeilt das letzte Mittel, die Extraction, zu ergreifen, und Zähne entfernt, die bei einer umsichtigen Behandlung für die Kauverrichtung und zur Erhaltung der Wohlgestalt des Mundes noch durch Jahre dienlich gewesen wären?

Nun werden wir die Operation des Plombirens beschreiben.

Wenn wir uns versichert haben, dass der Zahn nicht schmerzhaft ist, und dass er den nöthigen Druck ertragen werde, ohne Schmerz zu verursachen, muss die Höhlung, welche wir auszufüllen wünschen, durch geeignete scharfe Instrumente gut gereiniget werden, bis jede Spur von Caries entfernt, und die Höhlung von solcher Gestalt ist, dass sie das Ausfüllungsmateriale nicht nur aufnehmen, sondern auch zurückhalten könne. Von der gehörigen Verrichtung dieses Operationsactes hängt der nachherige Erfolg der ganzen Operation sehr viel ab.

Die erwähnten scharfen Instrumente, deren man sich zu dem nicht genug zu empfehlenden Voracte des Plombirens, nämlich zum Entfernen der im Zahne befindlichen Caries bedient, kann

sich jeder Zahnarzt mit verschiedenttich gekrümmten Enden, um nach jeder Richtung hin die Wände der durch Caries gebildeten Höhle rein machen zu können, anfertigen lassen. Es ist sogar rathsam, dass man mehrere dergleichen Instrumente aus nicht gehärtetem Stahle angefertigt, vorräthig ha-
be, deren Enden man
sich unmittelbar vor
der Operation dem in-
dividuellen Falle, an-
passend selbst krüm-
men kann. Die neben-
stehenden Zeichnun-
gen zeigen nur drei der
vorzüglichsten Krüm-
mungen dieser Instru-
mente. So wie die er-
wähnten Krümmungen
verschieden sein müs-
sen, so sollen auch die
Durchmesser der En-
den und die Breiten der
Schneiden verschieden
sein. Man soll insbe-
sondere einige dieser

Instrumente von gehöriger Zartheit besitzen, um auch aus den kleinsten Höhlen die Caries entfernen zu können.

A. F.

Nach den mikroskopischen Untersuchungen jener ausgezeichneten Odontologen Retzius, Frankel, Müller
und Owen, ist ein Zahn in der That ein Bündel von parallel neben einander befindlichen Röhrchen, welche unor-
ganische Ablagerungen von Kalksalzen enthalten. Owen
behauptet, dass bei Herausschaffung der cariösen Zahn-

portion die oberwähnten Röhrchen getheilt werden, und dass sie, nachdem das Plomb hineingebracht ist, eine dünne feste Schichte von kalkiger Masse ausscheiden, welche zwischen das zum Ausfüllen der Höhlung verwendete Materiale und die blossgelegten Enden der Röhrchenöffnungen tritt.

Während der Hinwegnahme der cariösen Theile soll die Höhlung häufig mit warmen Wasser ausgespritzt werden, um jedes kleine Theilchen des erkrankten Beines zu entfernen; und bevor das Plomb hineingebracht wird, soll dieselbe Höhlung mit etwas köllnischem Wasser oder einer andern geistigen Flüssigkeit sorgfältig ausgespült, und dann mit einem kleinen Charpiebäuschchen oder Baumwolle getrocknet werden. Wenn man die geringste Feuchtigkeit zurücklässt, verhindert selbe nicht nur das genaue Anschliessen der Ausfüllungsmasse, sondern wird auch häufig das Herausfallen derselben verursachen.

Die zum Plombiren gebräuchlichen Instrumente sind an Grösse und Gestalt sehr verschieden, je nach dem Belieben des Operateurs, der selbe nach solcher Art verfertigt besitzt, dass er sie an jedem Theile eines Zahnes mit Leichtigkeit in Anwendung zu bringen vermag. Es ist unnöthig mehr darüber zu sagen, als, dass jeder Zahnarzt mit hinlänglich verschiedenen Instrumenten versehen sein soll, um in jedem möglichen Falle auszureichen.

Alle verschiedenen Formen von Plombireisen können auf die Grundformen der, durch die nebenstehenden Zeichnungen dargestellten Instrumente reducirt werden. An dergleichen Eisen kön-

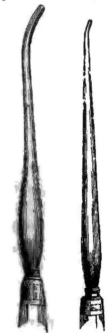

nen nun die Enden
nach Bedarf die ver-
schiedensten Krüm-
mungen und Dicken-
durchmesser besitzen.
Manche Operateure
gingen wohl zu weit,
indem sie sich eine
zahllose Menge von
Plombir-Instrumenten
anfertigen liessen. Es
ist nicht zu überse-
hen, dass das Gelin-
gen der Operation
nicht im Instrumente
allein liege, sondern
auch von einer gehö-
rigen Vorbereitung der
Höhle durch Entfer-
nung aller Caries,
vom Plombirstoffe etc.
und auch von einem
gewissen Grade von

Geduld und einer geeigneten Fingerfertigkeit des Operateurs
abhänge.

A. F.

___

Ist die Höhle gut vorbereitet, so wird ein Goldblatt in
Streifen von verschiedener Breite von einem halben bis zu
Einem Zoll geschnitten. Einer dieser Streifen wird nun locker
gefaltet, und das Ende desselben durch ein geeignetes Instrument auf den Grund der Höhlung gebracht. Hierauf wird der
Ueberrest des Goldes ausserhalb der Höhlung gegen das vorhergehende gefaltet, und gegen jene Seite der Höhlung ge-

bracht, von woher die Einpferchung beginnen soll, und
so fort immer gegen dieselbe Seite, indem man Sorge
trägt, dass jede Falte, so wie man sie hineindrückt, mit
dem Grunde und mit dem Metalle, welches vorher und dar-
auffolgend hinein gebracht wird, in enge Berührung kömmt.
Der letzte Theil einer jeden Falte soll etwas höher gelassen
werden, als der äussere Rand der Oeffnung oder Höhlung.
Auf diese Art muss mit dem Einpferchen fortgefahren werden, bis jeder Theil der Höhlung vollkommen ausgefüllt
ist, worauf man dann ein Instrument, welches beinahe die
Grösse der Öffnung hat, anwendet, um dem Ganzen Festigkeit zu geben, indem man dasselbe fest gegen den Grund
drückt. Hierauf muss man ein kleines, rundes, scharfes Instrument anwenden, um die Kanten des Plombes in enge
Berührung mit den Kanten der Oeffnung zu bringen. Wenn
man mehr Gold als nöthig verwendete, kann das Ueber-
flüssige mit dem Emaile des Zahnes gleich hoch abgekratzt
oder weggefeilt werden. Zuletzt muss die Oberfläche mit
einem Polirstahle recht glatt polirt werden.

Im Oberkiefer sind die Seitenkanten der Vorderzähne
häufig mit Caries behaftet. Es ist da nothwendig, diese
Zähne gleich im Anfange der Krankheit mit Gold zu obturi-
ren, ohne jedoch die Feile zu Hilfe zu nehmen, um die
Zwischenräume zwischen den Zähnen zu erweitern, wie man
es häufig thut, um seine Instrumente leichter in Anwendung
bringen zu können. Bei jungen Personen von zehn bis achtzehn Jahren sollte der Gebrauch der Feile wo möglich vermieden werden; denn die Reibung, welche durch dieselbe
hervorgebracht wird, kann nichts Anderes als eine bedeu-

tende Unordnung in einem so zart organisirtem Gefüge, als es ein Zahn ist, hervorbringen, und in manchen Fällen kann selbst ihre Zerstörung der Erfolg sein.

Wo es bei jungen Leuten nothwendig ist, die Vorder- zähne zu plombiren, ist es am besten selbe mittelst eines dünnen Stückes Kautschuk zu trennen, welches man bis auf das Äusserste ausdehnt, in diesem Zustande zwischen die Zähne hineinschiebt, und dann zusammenfallen lässt. Indem man dieses eine Woche hindurch jeden zweiten Tag erneuert, wird man finden, dass man einen weiten Raum gewonnen hat, vermöge welchem der Operateur die Zähne ohne Schwierigkeit plombiren kann. Wenn die Operation vollendet ist, werden die Zähne in einigen Stunden in ihre natürliche Lage zurückkehren, ohne die geringste Unbild erlitten zu haben.

Es ist bekannt, dass gut plombirte Zähne auch durch vierzig · Jahre ausdauerten und Dienste leisteten, ohne Schmerz oder irgend eine Unbequemlichkeit zu verur- sachen.

Es ist Regel, dass die Operation nicht unternommen werden darf, so lange auch nur eine Spur von Schmerz vorhanden ist. Sobald als eine innerliche Entzündung da ist, muss vorläufig immer eine palliative Behandlung einge- schlagen werden.

DIE ZUM PLOMBIREN GEBRÄUCHLICHEN STOFFE.

Viel wurde in Bezug auf die Stoffe, die zum Ausfüllen der Zähne geeignet sind, geschrieben, und jene Practiker wurden gewöhnlich getadelt, die zu diesem Zwecke irgend etwas Anderes als Gold verwendeten. Insbesondere wurden die Kitte als unpassende Stoffe betrachtet. Die amerikanischen Zahnärzte sind in allem Ernste so weit gegangen, dass sie Jeden aus ihrer Gesellschaft ausschlossen, der den Kitt als Plombirmittel gebrauchte.

Dass ein Blatt reines Gold nicht nur der beste, sondern auch der einzige Stoff sei, der in der Regel zu dieser Operation verwendet werden soll, sind wir selbst ausser allem Zweifel. Seine Zähigkeit und Dehnbarkeit, die Geschmeidigkeit, mit welcher es in den Zahn sich hineinfügt, und insbesondere die edle Eigenschaft desselben, der Oxydation und den chemischen Einwirkungen der Salze des Speichels zu widerstehen, — alle diese Umstände bezeichnen es als vorzüglich geeignet zum Ausfüllen der Zähne. Es ist kaum nöthig zu bemerken, dass, wenn man ein Goldblatt in Gebrauch zieht, das Blatt seiner Substanz nach in einem gewissen Verhältnisse zu der Grösse der auszufüllenden Höhle stehen soll; dass es nämlich verhältnissmässig dick bei einer weiten Höhlung, und dünner bei einer kleinen genommen werden soll.

Ungeachtet der auffallenden Vorzüglichkeit des Goldes, werden doch auch einige andere Stoffe zum Ausfül-

len verwendet, welche vermöge ihrer Wohlfeilheit, und
der Leichtigkeit, mit welcher sie in die Zähne gebracht
werden können, viele Vertheidiger unter den Zahnärzten
(wohl nicht zum Vortheile des Publikums) gefunden haben. Die meisten dieser Stoffe erleiden durch den Speichel chemische Veränderungen, und werden dann nachtheilig für die Zähne und die Gesundheit im Allgemeinen.
R e i n e s Platin kann man s i c h e r anwenden. Aber
das im Handel vorkommende Platin ist oft mit andern Metallen gemischt; und in jedem Falle ist es so viel weniger
dehnbar und geschmeidig als Gold, dass es selten oder
nie mit Nutzen gebraucht werden kann.

Zinn unterliegt auch einer, jedoch geringen Veränderung im Munde, und kann daher mit einiger Sicherheit
angewendet werden; aber das Blei (welches manchmal in
Gebrauch gezogen wird) greift der Speichel sehr bald an
und es wird schädlich. Dieselbe Bemerkung ist auch vom
Silberblatte zu machen. Die Salze des Mundes wirken auf
dasselbe ein, und verwandeln es in Silberprotoxyd.

Von den vielen Compositionen, die als Plombirstoffe
bekannt gegeben wurden, sind alle gleich nachtheilig und
verwerflich. Ihre Wohlfeilheit ist ihre einzige Empfehlung,
und die ist oft sehr in Zweifel zu ziehen, wenn man be-
denkt, dass durch ihre Anwendung die Gesundheit ernstlich benachtheiligt werden kann. Unter diesen tadelnswer-
then Stoffen haben wir den m i n e r a l i s c h e n K i t t, oder
Sir I s a a c N e w t o n's schmelzbares Metall, womit die
Tändelei, genannt der Zauberlöffel, gemacht wird. Dieses
Metall, eine Zusammensetzung von Wismuth, Blei und

Zinn, wird geschmolzen, indem man es in einem Löffel einige Secunden über einem Kerzenlichte oder einer Weingeistlampe hält, und dann in flüssigem Zustande in den Zahn bringt. Die Temperatur, die erfordert wird, dieses Metall zu schmelzen, ist die des siedenden Wassers, und diese Hitze ist hinreichend, um eine Entzündung im Zahne und seinen Häuten hervorzubringen. Ueberdies zieht sich das Metall beim Erkalten zusammen, und gestattet den Flüssigkeiten des Mundes den Eintritt in die Höhlung des Zahnes ringsherum.

Das schmelzbare Metall oder Kitt ist dem mineralischen Kitte ähnlich, ausgenommen, dass es zwei Theile Blei und eine kleinere Menge Wismuth und Zink enthält.

Den ersterwähnten Massen ähnlich ist Darcet's Composition, bestehend aus: Wismuth 8 Theile, Blei 5 Theile, und Zinn 3 Theile; so wie auch jene Regnart's aus 10 Theilen Darcet's Masse und 1 Theile Quecksilber; jede dieser Massen wurde granulirt. Wollte man damit einen Zahn plombiren, so wurden in die sorgfältig ausgetrocknete Zahnhöhlung ein Paar oder mehrere Körner (so viele nämlich die Höhlung ausfüllen konnten) dieser Masse gelegt, und dann durch ein über einer Weingeistflamme erwärmtes Plombireisen zum Zerfliessen gebracht, und an der Oberfläche und den Rändern der Höhlung nett verstrichen. Der oben erwähnten Uebelstände wegen ist diese Plombirmethode wenig mehr im Gebrauche.

A. F.

Das Mineral - Marmoret, das mineralische Succedaneum, und das mineralische Petroleum sind ein und das-

selbe Ding unter verschiedenen Namen, nämlich: Silber-
feilung mit Quecksilber zu einem Amalgame angemacht.
Diese Zusammensetzung besitzt alle jene Nachtheile, auf
die wir aufmerksam machten, als wir vom Blei und Silber
sprachen.

Der erdig-metallige Kitt wird zusammenge-
setzt aus drei Theilen schwefelsaurem Kalk (Gips) und einem
Theile Rost (Eisenoxyd), und wird in Gestalt eines Teiges
in den Zahn gebracht; dieser erhärtet bald, und in einigen Stunden ist er getrocknet, zerbröckelt und fällt heraus.

Der berühmte schmerzstillende Kitt ist dem
obigen ähnlich, nur mit Zugabe einer kleinen Quantität
Morphium.

Die vegetabilischen Kitte sind zusammengesetzt aus
Mastix-, Ammoniak-, Sandarak-Harz etc., in Weingeist aufgelöst, und bis zur gehörigen Consistenz abgedampft.
Ein kleines Stück dieses Rückstandes wird in den Zahn
gebracht, muss jedoch alle zwei oder drei Wochen erneuert werden.

Nach dem eben Gesagten ist es klar, dass das Gold
die einzige Substanz ist, die als Stoff zum Ausfüllen der
Zähne von allem Vorwurfe frei ist. Nichts desto weniger
gibt es doch Fälle, in welchen der Gebrauch eines anderen
Stoffes gerechtfertiget ist; als z. B. jener aus vegetabilischen Harzen zusammengesetzten, welche vornehmlich
nützlich sind als zeitweilige Ausfüllungsstoffe, bis
nämlich die Beschaffenheit des Zahnes die Anwendung des
Goldes zulässt.

ASBEST - PLOMB.

Diese sonderbare Substanz, die ihren Namen *) daher
hat, weil sie der Macht des Feuers widersteht, wird von
den stärksten Säuren, vegetabilischen oder mineralischen,
nicht angegriffen; ja, bei dem gegenwärtigen Standpunc-
te der Chemie ist kein Lösungsmittel für dieselbe bekannt.
Des Asbestes unveränderliche Beschaffenheit bei chemischen
Einwirkungen bezeichnet ihn als vorzüglich geeignet zum
Plombiren, und er wurde zu diesem Zwecke um so mehr
verwendet, als er ein schlechter Wärmeleiter ist.
Diese letztere Eigenschaft macht ihn besonders in jenen
Fällen von Caries nutzbar, wo die Höhlung gross ist,
und wo, wenn Metall allein gebraucht wurde, dessen
schnelles Ausdehnen und Zusammenziehen, und dessen Eigenschaft die Wärme zu sammeln und zu leiten, häufig
grosse Unbequemlichkeiten verursacht. Denn es ist eine
wohlbekannte Thatsache, dass, wenn eine weite Höhlung
mit nichts Anderem als mit Metall ausgefüllt ist, zuweilen
bedeutende Schmerzen entstehen, wenn man Flüssigkeiten zu sich nimmt, die entweder über oder unter der natürlichen Wärme des Körpers sind. In solchen Fällen sollte immer ein Nichtleiter der Wärme zwischen den untern
Theil der Höhlung und das Metall gelegt werden, wodurch
nicht nur die Menge des letzteren vermindert, sondern auch
seine Berührung mit dem Zahne abgeschnitten wird. Wenn
man diesen Wink beachtet, wird die Operation des Aus-

---

*) Von dem Griechischen α, nicht, und σβεννυ,ιt, ich lösche aus.

füllens grosser Höhlungen viel öfter erfolgreich sein als bisher. Diese Bemerkung lehrt uns unsere eigene Erfahrung. Bei kleinen Höhlungen jedoch ist die Anwendung des Asbestes nicht nothwendig, weil die Ausdehnung des Metallplombes zu gering ist, als dass es einen Schmerz zur Folge haben könnte.

8

ZEHNTES CAPITEL.

ZAHNFÄCHER-ABSCESS UND ZAHNFLEISCH-GESCHWÜR.

Von allen Krankheiten, denen die Zähne und das Zahnfleisch ausgesetzt sind, ist keine schmerzhafter, oder,
wenn man dieselbe sich selbst überlässt, nachtheiliger für
die umgebenden Theile, als ein Zahnfächerabscess. Dieser
beginnt gewöhnlich an dem Ende der Wurzel, zuweilen
aber auch an der innern Seite des Gaumens. Es können
verschiedene Ursachen denselben hervorbringen, aber die
häufigste derselben ist eine Reizung und Lokalentzündung,
die von der Wurzel eines cariösen Zahnes herkömmt. Jedoch auch gesunde Zähne können davon ergriffen werden,
entweder in Folge von Verkühlung oder mechanischer Gewalt, welche häufig Entzündung und Verdickung der häutigen Hüllen der Wurzel hervorbringen. Was immer jedoch die Ursache davon sein mag, so soll der Entzündung so schnell als möglich entgegen gewirkt werden,
denn sonst kann sie sich vergrössern und auf die benachbarten Theile ausdehnen, Eiterung hervorbringen, und
Aufsaugung und Abblätterung des Knochens zur Folge ha-

ben. In letzterem Falle ist der ganze Organismus vom
Schmerze ergriffen, und die Materie fliesst entweder äusserlich oder innerlich unter beständiger Absonderung einer übelriechenden Jauche aus.

Die Behandlung soll man beginnen, gleich wenn man
beim Schliessen des Mundes Empfindlichkeit im Zahne oder
im Zahnfleische fühlt, und soll im Ansetzen eines Blut-
egels am Zahnfleische, und in Darreichung eines salzigen
Abführmittels, oder purgirender Pillen, zusammengesetzt
aus sechs Gran Colocynthen-Extract, drei Gran Calomel,
und drei Tropfen Kümmel-Oel, über Nacht zu verbrauchen,
bestehen.

Wenn die Entzündung durch diese Mittel beseitigt
wurde, und weder Schmerz noch Empfindlichkeit zurückblieben, und der Zahn im Vergleiche zu früher fest geworden ist, kann nun ein zusammenziehendes Mundwasser, wie nachstehend angegeben, in Anwendung gebracht
werden, um ihn zu befestigen: man löse eine Drachme
Alaun in einem Medicinalpfund Wasser auf, dazu gebe
man eine Unze Ratanhia-Tinctur, und drei Drachmen Ber-
tram-Tinctur. Dieses Mundwasser verdünne man mit warmem Wasser, und wasche damit den Mund drei oder vier-
mal des Tags aus.

— Wenn andererseits die Krankheit schon weiter vorgeschritten ist, ohne dass man zu passenden Heilmitteln seine Zuflucht nahm, oder dass man sie gar durch unpassende Mittel, als Creosot, Gewürznelkenöl, oder irgend ein
anderes starkes Reizmittel irritirt und vermehrt hat, dann
ist es unumgänglich nothwendig die erregende Ursache,

8 *

nämlich den cariösen Zahn oder Stumpf, zu entfernen.
Hierauf wird die Anwendung einer abgekochten Feige
oder warmen Wassers gewöhnlich hinreichen, die Cur zu
vollenden.

Das Vorhandensein eines Zahnstumpfes, wo die Krone durch Caries zerstört, oder mit Gewalt bei beabsich-
tigter Extraction abgebrochen wurde, kann im Allgemeinen als die Ursache dieser Krankheit betrachtet werden.

Aus vielen Fällen, welche sowohl im Metropolitan-
Hospitale, als auch in der Privatpraxis in unsere Behandlung gekommen waren, wählen wir nur die folgenden,
die dazu dienen werden, die Nothwendigkeit einer frühen
Behandlung dieser Krankheit klar zu zeigen.

John Ward, 27 Jahre alt, ein Bäcker von Profes-
sion, suchte Hilfe im oberwähnten Krankenhause. Er hatte eine Oeffnung in der rechten Backe, dem ersten Mahlzahne gegenüber, aus welcher die letzten fünf Jahre hindurch in Zwischenräumen ein übelriechender Eiter
ausfloss. Sobald der Ausfluss aufhörte, wurde heftiger
Schmerz im Gesichte, von Geschwulst und Entstellung der
Gesichtszüge begleitet, verspürt. Seine ganze Constitution
war so herabgekommen, dass er häufig genöthiget war,
sein Geschäft zu unterbrechen. Sein Körper war abgema-
gert, sein Appetit schlecht, seine Eingeweide verstopft,
und sein Schlaf unruhig und gestört.

In einigen Spitälern und Ambulatorien wurde er als
an einer Speichelfistel leidend behandelt, und man war
mit Einspritzungen und Aetzmitteln sehr freigebig. In der
That rechtfertigte der Schein diese Behandlungsart; denn

keine Spur von einem Zahnstumpfe konnte entdeckt werden; auch war keiner der Nachbarzähne mit Caries, oder mit Entzündung der Wurzelhaut behaftet.

Ich fragte ihn, ob ihm niemals ein Zahn im Kiefer abgebrochen wurde, und er sagte, dass dieses vor zehn Jahren bei dem Versuche einer Extraction sich ereignet habe; aber das Zahnfleisch hatte sich über diesen Theil geschlossen, und er fühlte nichts mehr davon. Durch Einführung einer kleinen gebogenen Silbersonde in die äussere Oeffnung fand ich, dass selbe die Richtung gegen den Zahnfächerfortsatz nahm, und daselbst mit einer harten Substanz in Berührung kam, die beim Drucke heftigen Schmerz bewirkte. Nun war kein Zweifel mehr über die Ursache der Krankheit.

Einige Bedenklichkeiten walteten ob, bezüglich der besten Art den so tief verborgenen Zahnstumpf zu entfernen, ohne eine bleibende Missstaltung hervor zu bringen. Zuerst wurden die Bedeckungen sorgfältig getrennt, und beiläufig ein Viertelzoll der äusseren Wand des Zahnfächerfortsatzes entfernt. Dies gestattete das Einführen eines stark gekrümmten und spitzigen Hebels Behufs der Extraction des Zahnstumpfes, und diese wurde so, obschon keineswegs leicht, vollführt. Hierauf wurde in die Oeffnung eine Auflösung von zwei Gran Zinkvitriol in zwei Unzen Rosenwasser eingespritzt. Bei gehöriger Aufmerksamkeit auf den Gesundheitszustand im Allgemeinen — bei dem Gebrauche von tonischen und eröffnenden Mitteln, und einer zweckmässigen Diät — schloss sich die Oeffnung in drei Wochen, und der Patient war seitdem frei von seinem schmerzlichen Uebel.

Der folgende Fall ereignete sich in der Privatpraxis:
der Gegenstand desselben war eine interessante, junge Dame
von 17 Jahren. Sie consultirte mich wegen einem übelriechenden Ausflusse, der beständig aus einer kleinen Oeffnung
unmittelbar unter dem Kinne hervorkam, und der nun durch
drei Jahre bestand. Die Krankheit hinderte sie während dieser
Zeit in Gesellschaft zu erscheinen, und war von schneidenden Schmerzen, die sich auf beiden Seiten längs des Kiefers bis zu den Ohren und den Brüsten erstreckten, begleitet. Es wurden Ärzte zu Rathe gezogen, und die Fistel-
mündung zu wiederholten Malen geätzt, und erweichende
Umschläge aufgelegt, jedoch ohne den Schmerz zu lindern,
oder den kranken Theil zu heilen.

Eine gekrümmte Sonde, die in die Oeffnung eingeführt
wurde, ging deutlich zu den Wurzeln der zwei mittleren Schneidezähne im Unterkiefer, die allem Anscheine
nach vollkommen gesund waren; aber nichts desto weniger empfand die Kranke, wenn die Wurzeln mit der
Sonde berührt wurden, einen Schmerzanfall ähnlich jenem, den sie im Laufe der Krankheit zu fühlen pflegte.

Sie erinnerte sich nun, dass sie zwei Jahre vor dem
Beginne des Ausflusses diese zwei mittleren Zähne aus-
stiess, als sie mit ihrer Schwester spielte. Dieser Unfall
verursachte damals einigen Schmerz, aber der war bald
gestillt, und es wurde der Umstand weiter nicht beachtet.
In der Folge zeigte sich ein kleines, aber schmerzhaftes
Knötchen unter dem Kinne, es brach bei Gelegenheit auf,
und bildete die schon beschriebene Oeffnung.

Sie fügte sich sogleich darein, die oben erwähnten Zähne

herausziehen zu lassen. Die Theile wurden dann täglich
mit warmem Wasser ausgespritzt, und bei gehöriger Aufmerksamkeit auf ihr allgemeines Befinden unter der Obsor-
ge ihres Arztes, genas sie vollkommen; und ich hatte
das Vergnügen zu hören, dass sie einige Zeit nachher auf
das Land zurückgekehrt sei, und nicht Einen Rückfall
von Schmerz oder Uebelbefinden mehr gehabt habe.

Die folgende Abbildung stellt einen Fall von Zahnfächerabscess mit Abblätterung dar, die aus der Entzündung
entstand.

In manchen Fällen, besonders wenn mit der Behandlung gezögert wurde, oder unpassende Mittel in Anwendung
kamen, findet die Abblätterung Statt, und kann einen bedeutenden Substanzverlust zur Folge haben. Die folgende
Abbildung zeigt einen derartigen Fall, der an einem Kinde

vorkam, wo der Zahnfächerfortsatz des vorderen Milch-
backenzahnes und des linken bleibenden Schneidezahnes
sich abgeblättert hatte.

Wenn man Schmerz oder Empfindlichkeit in Einem
oder mehreren Zähnen (Symptome, die jenen früher erwähnten ähnlich sind) fühlt, sollte der Patient keine Zeit verlieren, sich mit einem Zahnarzte zu berathen, welcher sogleich die Zähne sorgfältig prüfen und untersuchen wird,
um sich von der Beschaffenheit der Krankheit zu überzeugen, bevor es noch zu spät ist. Sollte es der Fall sein,
dass man die Hilfe eines Zahnarztes nicht in Anspruch nehmen kann, so können die oben beschriebenen Heilmittel
mit aller Aussicht auf guten Erfolg gebraucht werden.

Wenn die Krankheit, von der wir sprechen, im Oberkiefer besteht, so kann sie eine sehr ernsthafte Gestalt annehmen, besonders wenn sie durch Entzündung an einem
cariösen Zahne, welcher der Kieferhöhle gegenüber steht,
verursacht wird. Wenn man einen derartigen Fall in seinem Fortschreiten nicht hemmt, so können Zerstörungen
des Gesichtes und die übelsten Folgen daraus entstehen *).

---

*) „Die Bildung eines Abscesses in dieser Höhle kann jedoch
fast in jedem Falle durch frühzeitige Einleitung einer ange-
messenen Behandlung verhütet werden. Bei dem Vorkommen
von heftigen, tiefsitzenden und klopfenden Schmerzen in dem
oberen Theile des Zahnfächerfortsatzes, oder gerade darüber
in der Gegend der Kieferhöhle, so wie selbe die Bildung
eines Abscesses in dieser Höhle, oder in der Zahnzelle eines
oberen Mahlzahnes begleiten; oder wenn ein Zahn gerade
unter der Stelle, wo der Schmerz zuerst gefühlt wurde, be-

Wiederholt dringend machen wir also auf die Nothwendigkeit einer unmittelbaren Besorgung dieser Krankheit aufmerksam, welche, obschon sie auf den ersten Blick
unbedeutend erscheint, doch durch eine selbst geringe Ver-
nachlässigung furchtbar gefährlich und verheerend werden kann.

DAS FEILEN.

Das Feilen ist eine Operation, die der practische Zahnarzt zu vollführen fast täglich in die Gelegenheit kömmt,
und von welcher, wenn sie mit Verstand und Wirksamkeit
im Beginne der Krankheit unternommen wird, die wohlthä-
tigsten Erfolge erwartet werden können.

In Folge eines zusammengedrängten Zustandes des
Mundes, einer zu frühen Entwicklung der Zähne, bevor noch

---

deutend cariös, oder dessen einhüllende Membrane blossgelegt ist; oder wenn er abgestorben, locker, oder seine Zelle
sehr erkrankt ist, soll er allsogleich herausgezogen werden.
Durch diese einfache Operation kann die Bildung eines Abscesses nicht nur in der Zelle des Zahnes, sondern auch in
der Kieferhöhle fast in jedem Falle verhütet werden. Wenn
jedoch hierauf kein unmittelbares Nachlassen des Schmerzes
folgt, sollen Blutegel an das Zahnfleisch gesetzt, und Bähungen auf der Backe angewendet werden. Ist der Patient voll-
blütig, und sind allgemeine Fiebersymptome zugegen, so können salzige Purganzen mit Erfolg in Anwendung gebracht
werden. Aber in der Mehrzahl der Fälle wird es die Extraction
des Zahnes allein sein, was erfordert wird, den Fortschritt
der Krankheit zu hemmen." (Dr. C. A. Harris, über die
Krankheiten der Kieferhöhle; Seite 463.)

der Kieferbogen weit genug ist, oder auch in Folge von
Unreinlichkeit verderben häufig schon früh die bleibenden
mittleren und seitlichen Schneidezähne des Oberkiefers an
ihren Seitenkanten; und daher geschieht es, dass diese, so
wie auch mit ihnen die Augenzähne in demselben Kiefer,
häufiger den Gebrauch der Feile fordern als andere Zähne.
Jedoch auch an den Backen- und Mahlzähnen sowohl des
Ober- als Unterkiefers kann diese Operation mit Erfolg in
Ausführung gebracht werden.

Wenn man die Caries, sie mag von was immer für
einer oben erwähnten Ursache abstammen, über eine gewisse Grenze sich ausdehnen liess, so macht dies die Operation des Plombirens schwierig für den Operateur, und
gewagt für den Zahn, in Folge des beschränkten Raumes,
innerhalb dessen die Plombirinstrumente gebraucht werden müssen. Diese Schwierigkeit kömmt häufig vor, besonders wo die Krankheit bis an die schneidige Kante des Zahnes vorgerückt ist; und dieses veranlasst die Unmöglich-
keit, eine Höhlung von geeigneter Grösse und Gestalt zu
bilden, die das Metall zurückhielte. Und sollte selbst diese
Schwierigkeit zu des Operateurs Befriedigung überwunden
sein, so werden die Wände der Höhlung bei dem Versuche des Ausfüllens höchst wahrscheinlich einbrechen, oder
das Plomb wird nach dem Verlaufe weniger Monate wieder herausfallen.

In Fällen, die den Gebrauch der Feile erfordern, soll
der Zahnarzt nach unserem Dafürhalten nicht zufrieden sein,
die Zähne bloss getrennt zu haben, sondern soll die Operation so lange fortsetzen, bis die ganze Krankheit aus-

gerottet ist , und der betreffende Zahn eine so weisse und
glatte Fläche hat, als seine gesunden Nachbarn. Wo man
die Operation zu unternehmen vermag kann ein beträchtlicher Theil eines Zahnes (besonders von dem rückwärtigen Theile) ohne wahrnehmbare Verunstaltung, und ohne
im Munde ein grösseres Uebel hervorzubringen , hinweg-
gefeilt werden. Wir vertheidigen durchaus nicht die Entfernung des Emails, welches die natürliche Hülle der Zähne
ist; dennoch aber zwingt uns häufig die Nothwendigkeit,
unsere Zuflucht dazu , als dem einzigen Mittel der Erhaltung, zu nehmen. Nicht in allen Fällen ist es erforderlich,
die Feile zu gebrauchen , in einigen kann das Kranke einfach w e g g e s c h a b t werden.

Die Zähne sind in jungen Individuen höher organisirt
als in alten , und daher kömmt es , dass die ersteren
beim Feilen in der Regel mehr Schmerzen ausgesetzt sind.
Wo dieses der Fall ist, kann die Operation für einige Tage
aufgeschoben, und die Theile in der Art behandelt werden,
wie wir später angeben werden.

Am besten geeignet für den Gebrauch der Feile finden
wir die vier Schneidezähne, die Eckzähne, und die Backenzähne ; die Mahlzähne nur , wenn ihre Lage günstig genug
ist. Bei den letzteren jedoch ist die Caries meistentheils,
bevor sie der Patient entdeckt, schon zu tief gedrungen,
um für die Feile geeignet zu sein. Jedoch fordert es die
Klugheit, die Behandlung mit der Feile, wenn auch der
Erfolg sehr ungewiss ist, zu versuchen; sollte dies aber
fehlschlagen, so können die Zähne dennoch durch Plombiren erhalten werden.

Die Art und Weise, wie die beginnende Caries zwischen den mittleren und seitlichen Schneidezähnen mit möglichst geringer Verunstaltung der Vorderansicht der Zähne entfernt werden kann, ist folgende : Zuerst mache man mit einer mässig dicken Feile eine deutliche Trennung bis ans Zahnfleisch; dann entferne man die Caries von dem rückwärtigen Theile des Zahnes mit einem gebogenen Schabinstrumente; und während dem stütze und halte man die Zähne mit dem Zeigefinger und Daumen der linken Hand.

Ist die Caries entfernt, so muss·der Zahnarzt demnächst eine feine Feile in Gebrauch ziehen, um jede Rauheit, die durch die erste Feile zurückgelassen wurde, hinwegzunehmen, um dadurch zu verhüten, dass sich fremde Körper dort aufhalten; dann ist eine dritte noch feinere Feile anzuwenden, und endlich die gefeilte Fläche mittelst eines Stückes von gewöhnlichem Rohre mit Kreide und feingepulvertem Bimssteine zu poliren. Wenn sich während der Operation Schmerz einstellt, soll man sogleich davon abstehen, und selbe um einige Tage verschieben, und die Irritation dadurch zu lindern trachten , dass man bisweilen eine Mischung von Weingeist und Morphium anwendet, nach folgender Vorschrift :

> Rp. Spirit. Vini. rect. dr. 3
> Acet. morph. gr. 3
> Misc.

Nach vollendeter Operation versehen wir jedesmal unsere Patienten mit einem Stücke Rohr, das von seiner Rinde befreit ist und dessen Gestalt die folgende Abbildung zeigt.

Dieses ersuchen wir ihn des Abends und Morgens zu gebrauchen, um die dem Zahne gegebene Politur zu erhalten, und fremde Stoffe von der gefeilten Zahnfläche zu entfernen; weil sonst dergleichen Stoffe eine Rückkehr der Krankheit veranlassen können.

Bei aller Vorsicht jedoch wird die Caries ihren Angriff auf denselben Zahn manchmal erneuern, aber gewöhnlich in einem anderen Theile, als dem einmal in Behandlung gewesenen. Wo dieses sich ereignet, ist es einer im Allgemeinen·fehlerhaften Bildung des Zahnes zuzuschreiben.

Oft entdeckt man bei der Trennung eines Zahnes vom andern eine weite Höhlung nahe an der Schneide, welche Höhlung zu entfernen unmöglich ist, ohne den Zahn grösstentheils zu zerstören, und den Patienten zu verunstalten. In diesen Fällen soll man Mastixgummi, der früher in warmes Wasser getaucht wurde, einfügen; er erhält sich in der Höhlung durch Monate, und kann von dem Patienten selbst nach Belieben erneuert werden. In vielen Beispielen der Art haben wir gefunden, wenn wir die Zähne drei oder vier Jahre später untersuchten, dass solche Höhlungen frei von aller Krankheit waren.

EILFTES CAPITEL.

DER ZAHNSTEIN (WEINSTEIN DER ZÄHNE).

Der Z a h n s t e i n ist eine eigenthümliche erdige Ablagerung, die man fast allgemein an den Zähnen der Menschen jedes Standes, Alters und Körpersbeschaffenheit findet. Einige Physiologen behaupten, er sei ein eigenthümliches Ausscheidungsprodukt; unter diesen ragt S e r r e s hervor, welcher das Vorhandensein eigener Ausscheidungsdrüsen in Vertheidigung nahm. J o u r d a i n glaubt, dass der Zahnstein aus Drüsen, die über der Beinhaut der Zähne zerstreut liegen, ausgesondert werde. Andere behaupten, er sei nichts Anderes als Theile von Speisen, die vorerst im Speichel aufgelöst, und nachher an den Zähnen und andern unbeweglichen Theilen (entweder natürlichen, oder künstlichen) in der Mundhöhle abgelagert werden, indem er sich an das Gold, Elfenbein etc., das zur Verfertigung künstlicher Zähne gebraucht wurde, fest anlegt. Er kömmt jedoch häufiger an jenen Theilen vor, die in der Nähe von Speichelgängen liegen, als: hinter den untern Schneidezähnen, und an der äussern Fläche der oberen Mahlzähne.

Der Zahnstein, welcher hauptsächlich aus phosphor-
saurem Kalke besteht, ist ursprünglich über die ganze
Oberfläche der Zähne gleichförmig abgelagert, nachher
aber wird er durch die Einwirkung der Zunge und der
Lippen von den vorragenden Theilen abgerieben. Er wurde oft chemisch untersucht. Die Resultate waren verschieden, ohne Zweifel zu Folge einer Verschiedenheit im Charakter der Ablagerung selbst.

Nach Vauquelin und Lanquor ist der Zahnstein
zusammengesetzt aus:

Wasser	7·0
Speichelschleim	13·0
Phosphorsaurem Kalke mit einer Spur von Magnesia	66·0
Kohlensaurem Kalke	9·0
Thierischer Substanz, in Salzsäure löslich	5·0
	100·0

Berzelius gibt folgende Analyse an:

Speichelstoff	1·0
Speichelschleim	12·5
Phosphorsaurer Kalk und Magnesia	79·0
Thierische Substanz, in Salzsäure löslich	7·5
	100·0.

Unter dem Mikroskope zeigt sich der Zahnstein aus
zahllosen versteinerten Thierchen bestehend, die in den
erdigen phosphorigen und andern Stoffen, aus denen der
Zahnstein gebildet wird, gelagert und mit denselben un-
termischt sind.

Wird ein Stück Zahnstein aus dem Munde einer Person, die einige Zeit nichts gegessen hat, und von dem
Theile eines Zahnhalses, der von dem Zahnfleische umfan-
gen wird, genommen und unter das Mikroskop gelegt,

so wird man eine grosse Anzahl dieser Thierchen entdecken, deren Ueberbleibsel nicht nur dazu beitragen, den
Zahnstein hervorzubringen, sondern auch den unangenehmen Geruch veranlassen, der so oft eine grosse Anhäufung dieser Substanz begleitet. Es gibt jedoch einige Arten von Zahnstein, die sich von einander nicht nur durch
die Farbe, Dichtheit und chemischen Bestandtheile, sondern auch durch ihre Wirkung auf die Zähne und andere
Theile des Mundes, mit denen sie in Berührung kommen,
unterscheiden.

So gibt es einen weichen Zahnstein von kreidenartiger
Consistenz und lichtbrauner Farbe, welchen man gewöhnlich als Begleiter jener Zartheit des Körperbaues und der
Haut, die eine skrophulöse und schwindsüchtige Anlage
bezeichnen, findet.

Eine andere Art trifft man an, die von dunkler Farbe, dem Schwarz sich nähernd, viel härter an Consistenz
als die frühere ist, und welche sehr fest an den Zähnen
anhängt; sie lagert sich viel langsamer ab, und erlangt
mit der Zeit einen fast krystallinischen Charakter.

Es gibt auch eine dritte Art, die weniger gewöhnlich,
als die vorhergehenden, aber weit mehr verderblich in
ihren Wirkungen ist. Der Zahnstein dieser Gattung ist von
dunkelgrüner Farbe und geringer Menge, aber er verursacht ein Anfressen und Abblättern des Emails.

Der Speichel selbst nimmt zuweilen einen sauern Charakter an, und bringt ein langsames und allmähliges Verderben der Zähne hervor. Es geschieht zuweilen, dass
nur die Zähne Einer Seite des Mundes als Opfer dieser Ca-

ries fallen, und in vielen Fällen sind selbst die Elfenbein-
platten einer künstlichen Zahnreihe auf der Einen Seite
mehr angegriffen als auf der andern. Dies entsteht ohne
Zweifel daher, dass das Secret der Einen Ohrspeichel-
drüse krankhaft ist, während das der Drüse der entgegengesetzten Seite fortwährend gesund blieb.

Die acht oder zehn verschiedenen Arten von Zahnstein,
wie sie von einigen Schriftstellern beschrieben und indi-
vidualisirt wurden, sind nur Modificationen der drei oben
erwähnten, und sind entweder durch die Wirkung von
Medicamenten, oder durch den beständigen Gebrauch des
Tabakes, oder durch den übermässigen Genuss des Porter
oder anderer Weine hervorgebracht, wodurch eine Verschiedenheit der Farbe und der Erscheinung dieser Substanz bewirkt wird.

Die erste Art Zahnstein kann man daher beschreiben
als eine kreidenartige Masse, die einen schwachen alkali-
schen Geschmack hat, und in der Farbe variirt, je nach der
Krankheitsanlage der Person, in deren Munde sie gefunden wird.

Die zweite ist hart und fest, von beträchtlicher
Dichtheit und dunkler Farbe, und hängt den Zähnen mit
grosser Festigkeit an.

Die dritte Art ist ein dünner Anflug eines Stoffes
von grünlicher Farbe und sehr saurem Charakter.

Was die Zähne anbelangt, ist die erste Art vollkommen unschädlich, denn nach deren Entfernung wird man
das Email unversehrt finden.

Der Zahnstein wird zuerst als ein weicher, erdiger

9

Stoff abgelagert, der durch die Einwirkung des Schlei-
mes und Speichels zusammenklebt, und in jene Winkel,
die durch den Rand des Zahnfleisches und die Zahnhälse
gebildet werden, sich hineinlegt. Wenn man ihn dort verweilen lässt, wird er bald hart, und ist ein beständiger
Gegenstand der Reizung für das Zahnfleisch, dessen Ränder sich nach und nach entzünden und verdicken, und so
eine Wulst für eine grössere Menge dieser Ablagerung
bilden. Diese häuft sich in jeder Richtung an, aufwärts
gegen die Kronen der Zähne, abwärts gegen das Zahnfleisch, so wie auch zwischen dem Zahnfleische und den
Zähnen.

In manchen Fällen' findet die Anhäufung in einer solchen Ausdehnung Statt, dass die Wurzeln der Zähne blossgelegt, und die Zähne nur dadurch an ihren Plätzen erhalten werden, dass sie durch den Zahnstein an die angrenzenden Zähne gekittet sind, und dass am Ende der
Wurzel die Gefässe, welche mehr vergrössert sind, ein
starkes und zähes Band bilden.

Es ist daher einleuchtend, dass der Zahnstein, obschon in mancher Beziehung unschädlich, doch niemals
ohne Nachtheil liegen gelassen werden kann, weil seine
mechanische Einwirkung, und die dadurch im Zahnfleische
und im Zahnfächerfortsatze gesetzte Entzündung, die Zähne früher oder später vernichtet.

Einige Patienten widersetzen sich der Entfernung dieser Substanz, obschon sie ein Gegenstand der Unbequemlichkeit und Beschwerlichkeit für sie selbst, und der Wi-
derlichkeit für Andere, wegen dem üblen Geruche, welchen

sie dem Athem mittheilt, ist. Solchen werden wir bemerken, dass die Operation der Entfernung des Zahnsteines so einfach und unschädlich, als nur denkbar, sei, und von keinem Schmerze begleitet werde, indem sie in der That nichts Anderes sei, als die Entfernung fremder Substanzen, welche die Zahnbürste nicht zu entfernen vermag, durch geeignete Instrumente. Darüber werden wir jedoch gleich sprechen.

Die dritte Art Zahnstein erscheint ursprünglich als ein missfärbiger Bogen um die Vorderseiten der Zähne, nahe am Rande des Zahnfleisches. Dieser Zahnstein soll alsbald entfernt, und das darunter gelegene Email wohl geglättet werden, um das Wiederanlegen desselben zu verhüten; sonst erneuert er seine schädliche Einwirkung auf das Email, und entblösst die Zähne völlig, indem er das krystallinische Ansehen des Emails zerstört, wodurch die darunter liegende Beinsubstanz leidet, und bald cariös wird.

Die folgende Abbildung stellt den Verlust der vier Schneidezähne des Unterkiefers durch Anhäufung von Zahnstein dar.

Das nächste Bild zeigt die Zähne des Unterkiefers in Zahnstein völlig eingehüllt. Es ist einem Mädchen von

9 *

achtzehn Jahren entnommen, das im Metropolitan-Hospitale Hilfe suchte.

Wenn Zahnstein zugegen ist, ist auch mehr oder weniger Congestion und Anschwellung des Zahnfleisches da, was sehr nachtheilig auf die Zähne einwirkt.

DAS ENTFERNEN DES ZAHNSTEINS.

Wenn sich Zahnstein an den Zähnen angehäuft hat, ist es, wie wir früher erwähnten, höchst nothwendig, dass er alsbald entfernt werde. Die Operation des Entfernens muss mit grosser Sorgfalt, und ohne irgend einer Gewalt unternommen werden, denn sonst kann das Email eingeschnitten oder verletzt werden, und ein frühzeitiges Verderben der Zähne daraus folgen. In der Regel soll der Patient während der Operation keinen Schmerz fühlen.

Die Anwendungsart der Zahnreinigungs-Instrumente wird dem Operateur durch Berücksichtigung ihrer Form schnell einleuchten.

Die nebenstehend abgebildeten drei Instrumente sind hinreichend, die Opera-
tion des Reinigens der
Zähne vom Zahnstei-
ne zu vollführen.
Das gerade Instru-
ment (Zahnsteinmes-
ser) dient zur Ope-
ration an der Vorder-
fläche, die beiden ge-
krümmten(Zahnstein-
haken) an der Hin-
terfläche der Zähne.
Die Beschaffenheit des
Zahnsteines gestattet
es zuweilen, dass man
das Instrument nur
zwischen dem Zahn-
fleische und Zahnstei-
ne, an dessen tiefster
Stelle ansetze, und
bei geeignetem Dru-
cke springt der Zahn-
stein in Stücken ab;
manchmal aber hängt

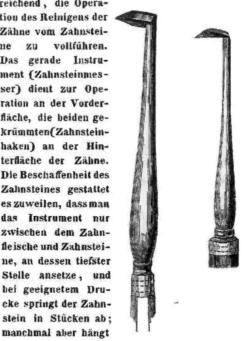

er den Zähnen auf eine Art an, dass er nur nach und nach mit
den Instrumenten abgeschabt werden kann.

A. F.

Wenn durch deren allmählige Anwendung aller Zahnstein entfernt wurde, sollen die Zähne mit einem Stückchen Rohr, das von seiner Rinde befreit, und in Zahnpulver getaucht wurde, sanft gerieben werden. Dies ist zur
Entfernung der jedesmal zurückbleibenden Rauheit nothwendig. Denn es entgehen den Instrumenten fast immer
kleine Stückchen Zahnstein, welche als Kern für neue

ähnliche Ablagerungen dienen würden, wenn man sie nicht
entfernte, und überdies würden sie der Zunge eine sehr
unangenehme Empfindung verursachen.

In Fällen, wo die Anhäufung des Zahnsteins so gross
ist, dass sie Entzündung und Anschwellung des Zahnfleisches, mit Lockerheit der Zähne verursacht, ist es gut,
nur einen Theil in einer Sitzung zu entfernen (und dies
mit mehr als gewöhnlicher Sorgfalt); und dann einige
Tage zu warten, bis die Zähne und das Zahnfleisch sich
von der ersten Operation erholt haben. In der Zwischenzeit wird der Gebrauch des folgenden zusammenziehenden
Mundwassers von wohlthätiger Wirkung sein:

Rp. Tincturae Ratanh. unc. 2.

Alum. drachm. $\frac{1}{2}$

Tinctur. Pyrethri unc. $\frac{1}{2}$

Aqu. Coloniens. unc. 2.

Man gebe einen Theelöffel voll von dieser Mischung in
einen halben Becher Wasser, und bürste die Zähne und das
Zahnfleisch zwei- oder dreimal des Tags damit.

Wenn nach der Entfernung des Zahnsteins das Zahnfleisch empfindlich und schwammig ist, kann der Gebrauch
dieses Mundwassers fortgesetzt werden. Ja, in allen Fällen,
wo der Zahnstein entfernt wurde, ist es dienlich, oberwähn-
tes Mundwasser anzuwenden, so gut als man ein Zahnpulver (das keine Säure enthält) des Morgens und Abends
jeden Tages gebrauchen soll.

Es ist zu bedauern, dass es Leute gibt, die sich Zahnärzte nennen, welche die Gewohnheit haben, irgend eine
verdünnte mineralische Säure anzuwenden, um die Zahn-
steinentfernung zu erleichtern, wie sie sich auszudrücken

pflegen. Dieses unzweckmässige Verfahren löset das Email und die erdigen Theile der Zähne auf, und macht sie schön und weiss für einige Tage auf Kosten ihres gänzlichen Ruins in weniger als zwölf Monaten.

Die Entfernung des Zahnsteins mit Instrumenten allein ist für den beabsichtigten Zweck hinreichend.

DAS SCHÜTZEN DER ZÄHNE GEGEN SAURE MEDICA-MENTE.

Wir haben so eben auf die nachtheiligen Wirkungen angespielt, welche verdünnte mineralische Säuren auf die Zähne ausüben können. Diese Säuren nun werden öfter innerlich als Arzneien gereicht, und sind häufig Bestandtheile von Gurgel- und Mundwässern. Aber es ist aus dem bereits Angeführten ersichtlich, dass sie nicht lange gebraucht werden können, ohne grossen und oft bleibenden Nachtheil für die Zähne zu bringen. Um dies zu verhüten, wird zuweilen die Dosis, die beiläufig zu nehmen ist, in eine Glasröhre gegeben, welche dann ganz rückwärts im Munde ihres Inhaltes entledigt wird. Dies ist jedoch ein unsicheres Verfahren, denn die Röhre kann brechen, und die nahe liegenden Theile verwunden; auch entspricht es nicht vollkommen dem Zwecke, weil etwas von der Säure sich immer mit dem Speichel vermischt, und so über den ganzen Mund und alle Zähne sich verbreitet.

Die beste Methode, die schädlichen Folgen, die aus der Darreichung dieser Säuren entspringen, zu verhüten, ist, wenige Minuten vor dem Nehmen der Arznei einige Stückchen arabischen Gummi, oder einige Jujube in den Mund zu nehmen, und den Schleim mittelst der Zunge über die Zähne zu vertheilen, dann die Arznei schnell zu verschlucken, und alsogleich den Mund mit Wasser, in welchem eine geringe Menge kohlensaurer Soda oder Kali aufgelöst ist, auszuspülen. Bei diesem Verfahren hüllt der vegetabilische Schleim die Zähne ein, so dass die Säuren nicht auf selbe einwirken können; hierauf neutralisirt das Alkali (Soda oder Kali) jede geringe Quantität von Säure, die im Munde etwa zurückbleiben konnte, und die sonst, wenn der Schleim weggespült wird, das Email angreifen würde.

ZWÖLFTES CAPITEL.

DIE EXTRACTION (DAS HERAUSZIEHEN DER ZÄHNE) UND DIE INSTRUMENTE DAZU.

Die Operation des Herausziehens soll nie in einem frühen Stadium der Caries unternommen werden, oder bis nicht alle andern Mittel fehlgeschlagen haben, oder die umgebenden Theile so erkrankt sind, dass es gewagt und nutzlos sein würde, darauf zu beharren den Zahn zu feilen, in der Aussicht ihn zu künftigem Gebrauche tauglich zu machen. Wir müssen leider annehmen, dass schon eine Anzahl von Zähnen ohne gehörigen Vorbedacht herausgezogen wurde. Der Zahnarzt soll aber innigst von der Verantwortlichkeit seines Berufes durchdrungen sein, und immer zu dem Glauben sich hinneigen, dass die Zähne, so wie alle übrigen Theile des Körpers, das ganze Leben hindurch zu dauern bestimmt seien, dass aber Luxus, schädliche Arzneien, oder Mangel an Reinlichkeitspflege diese Absicht der Natur vereiteln. Um keinen Preis soll der Erhalter der Zähne seine Kunst so weit herabsetzen, dass er sie einzig und allein zur gewandten Handhaberin des Schlüssels oder der Zange macht.

Es gibt jedoch viele Fälle, in welchen die Extraction
ganz und gar nothwendig ist, und in welchen es die
Pflicht des Zahnarztes fordert, sich für jenes Instrument zu
entscheiden, welches zur Entfernung des Zahnes das ge-
eignetste, und das am wenigsten Schmerz und Gefahr für
den Patienten verursachende ist. Denn, was man auch
immer dagegen sagen mag, die Verschiedenheit der Fälle
erfordert eine Verschiedenheit der Instrumente.

Es war eine Streitfrage, die mit vielem Eifer ver-
fochten wurde, nämlich in Bezug der Erfindung der verbesserten Zange. Wir hören von der einen Seite
von verschiedenen Parteien behaupten, dass sie selbst die
Erfinder dieses Instrumentes seien; von der anderen Seite
gibt es wieder Solche, die beweisen, dass die Zange in
den Tagen unserer Altvordern gewöhnlich im Gebrauche
war. Dieser Gegenstand ist jedoch für uns von geringem
Interesse. Wichtiger aber ist, dass beide oberwähnte Parteien darin übereinstimmen, dass sie ausser der Zange alle
andern Instrumente verwerfen, und im Lobe der Zange
diese allein für passend halten, Zähne, von was immer für
einer Beschaffenheit, herauszuziehen. Und obschon die
Zange, wie jedes andere Instrument, nur für gewisse Fälle geeignet ist, so behaupten doch viele junge Practiker,
durch das Beispiel einiger ihrer älteren Kunstgenossen er-
muthigt, dass sie alle ihre Extractionen mit diesem Instrumente vollführen. Mit der Statistik ihrer Operationen versehen sie uns nicht, obschon dieses beitragen könnte, die
Streitfrage zwischen ihnen und uns klar zu Ende zu
führen.

Dass viel Scharfsinn bei der Construction der Zange ausgeübt wurde, wollen wir nicht läugnen. Ihr Nutzen jedoch ist beschränkt, so wie es ihre Anwendung sein sollte, auf jene Fälle, in welchen die Caries nur die innere Membrane des Zahnes blossgelegt, und hinlängliche Knochensubstanz zurückgelassen hat, um dem Drucke der Zange zu widerstehen. Wenn aber im Gegentheile die Krone stark cariös ist, wird die blosse Bemühung den Zahn zu trennen, und der Druck, der nöthig ist, um das Abgleiten des Instrumentes zu verhüten, grösser sein, als die zurückgebliebene Substanz, ohne zu brechen, auszuhalten vermag. Aus diesem Grunde ist es uns immer verdächtig, wenn wir sagen hören, dass die Zange allein in jedem Falle in Gebrauch gezogen werde. Sicherlich muss entweder die Extraction unternommen werden, wo der Zahn noch durch Plombiren erhalten werden könnte; oder die Operateure müssen mit ihren Patienten besonders glücklich sein; oder es muss jeder eine reichhaltige Sammlung abgebrochener Zähne besitzen.

Die Zangen sind daher, wie wir früher bemerkten, nur dort zulässig, wo genug Knochensubstanz übrig ist, damit der Zahn dem Anfassen derselben Widerstand leisten könne. Und ist dieses der Fall, so sollen die Zangen so gebaut sein, dass sie dem Halse des betreffenden Zahnes anpassen; die inneren Flächen der Zangenblätter sollen hinlänglich ausgedehnt sein, dass sie den Zahn fassen, ohne einen Druck auf die Krone auszuüben; auch sollen die Zangen von solcher Grösse sein, dass sie von der Hand des Operateurs bequem gehalten werden können. Jeder

Zahnarzt sollte wenigstens mit acht Zangenpaaren von verschiedener Grösse und Gestalt, je nach der verschiedenen
Grösse und Stellung der Zähne, versehen sein.

Zum Herausziehen der oberen Schneide- und Augenzähne, ist nur ein Zangenpaar nothwendig, nach folgendem Bilde.

Zur Entfernung der zweispitzigen Zähne im Oberkiefer sollen die Blätter der Zange gekrümmt, und die Rinne
des inneren Blattes enger, als die des äusseren sein, wie
hier dargestellt ist.

Für die ersten Mahlzähne kann das Instrument entweder leicht gekrümmt oder gerade sein; wie folgt:

Für die zweiten Mahlzähne soll die Zange beträchtlich gekrümmt sein. Die nachstehenden Abbildungen geben
eine Vorder- und eine Seitenansicht der erforderlichen
Gestalt.

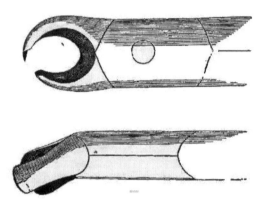

Die Weisheitszähne des Oberkiefers erfordern zu ihrer
Extraction ein Instrument, das ober dem Gelenke so gebogen ist, dass es zwei rechte Winkel bildet, wie hier
unten:

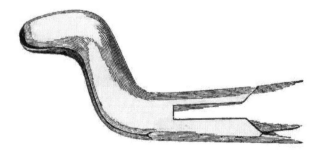

Zur Entfernung der Schneide-, Eck- und Backenzähne
des Unterkiefers ist die Habichtschnabel-Zange nöthig.

Die ersten und zweiten Mahlzähne werden durch eine
Art gekrümmte Zange herausgezogen.

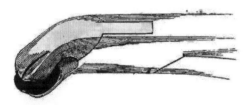

Zur Extraction der Weisheitszähne im Unterkiefer
soll die Zange etwas gekrümmt und mit einer Oeffnung
der Blätter, wie sie hier dargestellt ist, versehen sein.

Die nächste Abbildung stellt eine Zange dar, die zur
Entfernung von Zahnstumpfen im Oberkiefer bestimmt ist.

Für den Unterkiefer ist es in den meisten Fällen nothwendig eine Zange zu haben, die eine Krümmung nahe
an einem rechten Winkel besitzt, wie die folgende:

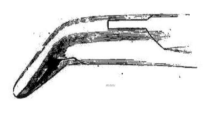

Eine von mir ersonnene Krümmung der Zange, wie sie
diese Zeichnung darstellt, fand ich zum Herausziehen der Schnei-

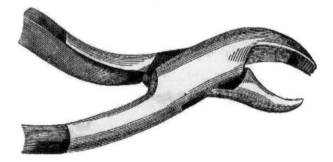

de-, Eck- und Backenzähne des Unterkiefers besonders geeignet,
weil der gegenüberstehende Kiefer der Zange vermöge dieser
Krümmung beim Fassen nicht in den Weg tritt, und man die
Operation weiterhin wie mit einer geraden Zange vollführt. Sie
unterscheidet sich von der oben vom Verfasser zum Herausziehen
der benannten Zähne angegebenen Zange in der Form des Schnabels nicht; wohl aber in der Biegung der Arme, durch welche
ein senkrechtes Herausziehen des Zahnes leichter gemacht ist.

A. F.

Wenn in einem gegebenen Falle eine Zange zum Gebrauche gewählt wurde, soll man Sorge tragen, dass sie
nur den Hals des Zahnes, und zwar so weit als der Zahnfächerfortsatz oder ein grösserer Verlust dieses Knochens
es zulässt, umfasse, weil, wenn die Krone selbst fest gefasst wird, der Zahn durch den Druck, der zu dessen Entfernung angewendet wird, aller Wahrscheinlichkeit nach
zusammengedrückt würde. Ist die Zange recht fest angelegt, so lässt man abwechselnde Seitenbewegungen, in
Verbindung mit dem Zuge in perpendiculärer Richtung, in
kurzen Zwischenräumen auf einander folgen. Die eine Bewegung (die Seitenbewegung) ist bestimmt den Zahn von
seiner Verbindung mit der Zelle zu trennen, die andere
(der perpendiculäre Zug) ihn aus derselben herauszuziehen.

Diese Bemerkungen gelten für alle Zähne in beiden
Kiefern, die obern Schneidezähne ausgenommen, zu deren
Extraction die Ausführung einer halb rotirenden Bewegung,
statt der abwechselnden Seitenbewegung, von der wir oben
sprachen, nothwendig ist. •

Die folgende Abbildung zeigt einen jener Fälle, die
sich bei der Anwendung der Zange ereignen können, wo

entweder vom Gebrauche eines zu breiten Instrumentes,
und vom Anfassen des Zahnfächerfortsatzes, oder vom Ergreifen zweier Zähne auf einmal, ein beträchtliches Stück
vom Zahnfächerfortsatze mit abgerissen wurde.

Hat die Caries die Substanz des Zahnes so weit zerstört, dass sie nur die Wände oder die Schale des Emails
an einer der beiden Seiten stehen liess, so ist die Anwendung des Schlüssels angezeigt.

Der Stützpunkt dieses Instrumentes (der Bart) ist oval
und mit Kautschuk umhüllt, worüber ein Charpiebäuschchen

10

gewickelt wird, um einen zu grossen Druck auf die Weich-
theile zu verhüten. Der Haken soll lang genug sein, um
leicht über die Krone des Zahnes bis auf die entgegengesetzte Seite zu reichen. Um den Haken mit Bequemlichkeit
auf eine von beiden Seiten versetzen zu können, ist der
obere Theil der Stange hohl, und enthält eine Spiralfeder
in sich, die mit einem runden Bolzen versehen ist, der
durch das Ende des Hakens und den oberen Theil des
Bartes hindurchgeht; am Ende desselben ist ein kleiner
Knopf A, und wenn man an diesem zieht, wird die Spiralfeder zusammengedrückt und der Haken leicht entfernt.
Die Stelle, wo man den Bart ansetzt, hängt immer von der
Beschaffenheit und Lage des cariösen Theiles des Zahnes
ab; der Haken aber soll immer so angelegt werden, dass
er an den Hals des Zahnes, ganz nahe am Rande des Zahnfächerfortsatzes und parallel mit dem obern Theile des
Bartes zu stehen komme, so dass das den Zahn fassende
Ende des Hakens und der am Zahnfleische aufliegende Theil
der Stütze in einer horizontalen Ebene liegen.

  Hat der Operateur das Instrument der oben erwähnten
Anleitung gemäss gehörig angelegt, so wird er zunächst
die Handhabe nicht mit Ungestüm, jedoch mit Kraft (indem
er während dem wohl beachtet, dass nicht der Haken
oder der Bart abgleite) umdrehen. Und so bewirkt er,
dass der obere Theil des Zahnes als mächtiger Hebel zur
Bewegung des unteren Theiles und zur Erweiterung des
entsprechenden Theiles der Zahnzelle diene. Diese macht
dann durch ihre seitliche Ausdehnung Platz, auf dass der
Zahn mit Kraft aus seiner Stellung im Munde gehoben werde.

Es ist wahr, dass durch ungeschickten Gebrauch des Schlüssels Unheil angerichtet werden kann, und schon manchmal angerichtet worden ist, so gut als mit der Zange, was wohl von jedem chirurgischen Instrumente gesagt werden kann. Dieser Vorwurf trifft jedoch, das ist klar, nicht ein Instrument mehr als ein anderes.

Nachstehend ist eine der schlimmsten Arten von sorgloser Anwendung des Schlüssels abgebildet.

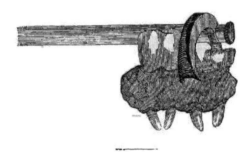

Ist ein Zahn durch Caries so weit zerstört, dass nur eine kleine Wand der Krone, oder ein ausgehöhlter Theil des Zahnhalses von dem Alveolus vorsteht, unter welchen Umständen der Zahn durch das Fassen mit einer Zange zusammengedrückt würde, so kann man sich zum Losemachen eines solchen Stumpfes der Ueberwurfzange mit Vortheil bedienen, deren Ansicht diese Zeichnung liefert:

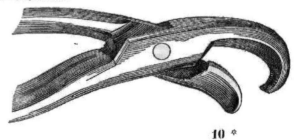

10 *

Der hakenförmige Theil des Schnabels dieses Instrumentes wird (wie der Haken des Schlüssels) an dem innern Theile des Zahnes ganz nahe am Alveolarrande angesetzt; der abgerundete, und entweder mit einem Tuche umwickelte, oder mit einer Kautschukhülle versehene Theil des Schnabels aber wird nach aussen auf das Zahnfleisch gestützt, und sofort durch geeignetes Neigen des Instrumentes die Hebelwirkung hervorgebracht. Ist die Zahnzelle etwas erweitert, und der Zahn ein wenig gehoben, so kann man, indem man den Stützpunkt höher bis über das Zahnfleisch an den Zahn selbst verrückt, den nun schon gelockerten und etwas gehobenen Zahn mit demselben Instrumente wie mit einer krummen Zange, gänzlich entfernen.

Der hier im verkleinerten Massstabe abgebildete Pelikan

dient, wo nebenstehende Zähne da sind, auf welche man ihn stützen kann, zum Herausziehen der Mahl- und Backenzähne. Der Haken wird an der innern Seite des auszuziehenden Zahnes angesetzt; das obere Ende der Stange (die Krone genannt) ist mit einem rechtwinkligen Ausschnitte (Schirme) versehen, wird mit einem Tuche umwickelt, und nun so auf die Stützzähne gelegt, dass diese mit ihren Schneiden oder Oberflächen in den erwähnten Ausschnitt hineinzuliegen kommen. Hierauf zieht man den vom Haken gefassten Zahn heraus, indem man mit der Krone des Instrumentes die Stützzähne gegen den Grund ihrer Zelle drückt. Der Haken (man muss einen nach rechts und einen nach links gekrümmten besitzen) kann durch eine im Griffe befindliche Schraube vor der Operation nach Bedarf verlängert oder verkürzt werden.   A. F.

DIE EXTRACTION DER ZAHNSTÜMPFE.

Zur Entfernung tiefliegender Zahnstümpfe rückwärts im Kiefer, ob nun diese Stümpfe durch Krankheit hervorgebracht wurden, oder nach einer ungeschickten oder erfolglosen Anwendung der Zange oder des Schlüssels zurückblieben, wurde von Bell ein bewunderungswürdiges Instrument ersonnen, nach dessen Principe Folgendes eine Nachbildung ist.

Dieses Instrument wird ein Hebel genannt. Es ist sehr einfach in seiner Construction und nicht schwierig in seiner Anwendung.

Die Spitze des Instrumentes wird zwischen den Stumpf und den Zahnfächerfortsatz eingeführt, und dann der erstere durch ein allmähliges aber festes Herabdrücken der Handhabe herausgehoben; aber es ist viel Sorgfalt und Erfahrung nöthig, damit man verhüte, dass der Hebel abgleite und den Mund des Patienten verletze.

Die hier beigefügte Abbildung zeigt eine Modification des Endtheiles des Hebels, die darin besteht, dass die Stange rund ist, um die Lippen nicht zu verletzen, und dass beim Uebergange des kantigen in den runden Theil eine kleine ring-

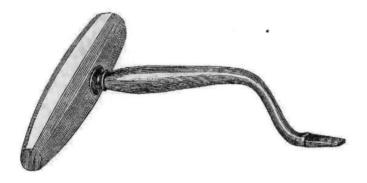

förmige Erhabenheit vorhanden ist, um zu verhüten, dass das Instrument zwischen zwei Zähnen gegen die Zunge gleite. Die Krümmung der Stange (wie sie obige Zeichnung weiset) ist dienlich, um mit dem Instrumente leicht weit zurück in den Mund zu kommen, ohne die Lippen zu zerren. Man kömmt häufig in Gelegenheit, den Hebel weit rückwärts im Munde anzuwenden, da dieses Instrument zum Herausziehen der Weisheitszähne oft angezeigt ist. Operirt man weiter vorne im Munde, so kann man sich eines Hebels mit gerader Stange bedienen. Die Handhabe dieses Instrumentes besteht aus einem Querhefte, das mit den Flächen des Endtheiles parallel steht.

A. F.

Die sechs vorderen Zähne des Oberkiefers sind zuweilen so sehr durch Caries ausgehöhlt, dass dadurch der Erfolg einer Operation, die deren Entfernung zum Zwecke hat, sehr zweifelhaft gemacht wird, indem die äusseren Wände des Stumpfes vermöge ihrer Dünne unfähig sind, den Druck der Zange oder des Hebels auszuhalten. Für diese sonst aufgegebenen Fälle wurde von Dr. S. P. Hullihen in Amerika ein unschätzbares Instrument erfunden, dessen Abbildung wir hier beifügen.

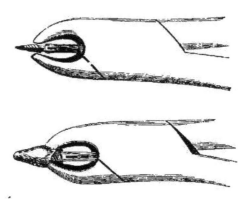

Die Anwendungsart dieses Instrumentes ist folgende: Zuerst fasst man das obere Ende der Schraube zwischen den Blättern der Zange, und dreht die Handhabe des Instrumentes sanft um, so dass die Schraube so weit als möglich in die Zahnwurzel getrieben werde; nun werden die Zangenblätter geöffnet und an der Wurzel vorwärts geschoben, welche gefasst und auf die gewöhnliche Weise herausgezogen wird. Die Vortheile, welche dieses Instrument vor jedem andern für diesen Zweck bestimmten hat, setzt Dr. H. ganz gerecht auseinander, „es verhütet, dass die Wurzel zusammengedrückt werde; es wirkt als ein mächtiger Hebel bei Vollführung der Seitenbewegungen, und ist ebenso dienlich bei Ausübung der rotirenden Bewegung. Es verhütet, dass die Zange abgleite oder ihre Wirkung verloren gehe, selbst wenn eine Seite der Wurzel während dem Acte der Operation abginge; auch wird es mit gleich gutem Erfolge angewandt, wo Eine Seite der Wurzel ganz fehlt."

Wir hatten in unserer eigenen Praxis vielfache Gelegenheit, die Verdienste dieser Erfindung, so neu sie auch ist, zu erproben, und wir können sicher behaupten, dass sie unter die werthvollsten Behelfe gehört, die je in die wissenschaftliche Praxis der Zahnchirurgie eingeführt wurden.

Die beiden, dieses Instrument bildenden Theile, nämlich die Schraube und die Zange, waren seit lange einzeln und zusammen, jedoch nur nicht in Ein Instrument vereinigt in Gebrauch gezogen worden. Die Schraube des Serre, nach einer Verbesserung mit einem stärkeren abgerundeten Hefte versehen, wurde, um die stark ausgehöhlte Wurzel eines der oberen sechs Vorderzähne zu entfernen, in selbe hineingedreht, und die Extraction so vollzogen. Sehr oft aber, besonders wenn die Wurzel in ihrer Aushöhlung so erweichte Wände darbot, dass die Schraube beim Extractionsversuche erfolglos herauskommen musste, nahm man, wenn die Schraube in die Wurzel gedreht und das Heft entfernt war, die gerade Zange, und konnte nun die mit der Schraube ausgefüllte Wurzel gut fassen und entfernen.

A. F.

DREIZEHNTES CAPITEL.

NERVENAFFECTIONEN IM GESICHTE, DIE OFT FÄLSCHLICH FÜR NEURALGIE ODER TIC DOULOUREUX GEHALTEN WERDEN.

Ein Rückblick auf das Titelkupfer des gegenwärtigen Werkes wird die innige Verbindung zeigen, die zwischen den Nerven der Zähne und jenen des Kopfes, des Halses, des Gehirnes etc. besteht. Wenn wir nun diese Verbindung betrachten, wird es kaum mehr überraschend sein, dass Nervenaffectionen des Gesichtes oft in ihrem Charakter verkannt, und so behandelt wurden, als seien sie allgemeine und nicht örtliche Krankheiten. Es ist Thatsache, dass verhältnissmässig wenige Fälle von constitutioneller Neuralgie vorkommen, obschon Tausende als solche behandelt werden, von welchen man jedoch, wenn man die Zähne genau untersucht, finden würde, dass sie von tiefgelegenen Stümpfen herrühren, die möglicher Weise Jahre hindurch unter dem Zahnfleische verborgen gelegen, und dort der Aufmerksamkeit des Patienten sowohl als des Arztes entgangen sein können. Ueberdies verursacht oft ein cariöser Zahn einen neuralgischen Anfall, etwa im

Gesichte, oder am Halse, oder in einer beträchtlichen Entfernung von der Quelle, nämlich dem kranken Zahne, der
zu derselben Zeit vom Schmerze selbst frei sein kann. Unordnungen in den Verdauungswerkzeugen können, und zwar
zweifelsohne oft, Anlass zu Nervenaffectionen geben; jedoch
in neun und neunzig Fällen von hundert gründen sich solche
Affectionen auf den Reizungszustand eines kranken Zahnes, entweder durch Blosslegung des Nerven, oder des
oberen Theiles des Zahnes selbst, durch Zurückziehen des
Zahnfleisches, oder durch eine kranke Wurzel hervorgebracht; und sie sind ihrem Charakter nach anfänglich rein
örtlich. Nach einer Zeit stellen sich wirklich allgemeine
Symptome ein, aber selbst dann wird die Entfernung des
kranken Zahnes oder eine geeignete Behandlung der Wurzel
dem Schmerzanfalle ein Ende machen, und seine Rückkehr
verhüten.

Medicinische Schriftsteller behaupten, dass der eigentliche Nervenschmerz durch das periodische Erscheinen seiner Anfälle erkannt werden kann; aber dies, wie so vieles
andere Verallgemeinen lenkte den Geist von nutzbringen-
den Beobachtungen ab, und verursachte, dass die Aerzte
jene kranken Organe unbeachtet liessen, die häufig die hervorrufenden und augenscheinlichen Quellen jener Nerven-
affectionen sind, die wir jetzt betrachten. Dem zu Folge
vernachlässigen practische Aerzte zu oft die Berücksichtigung der Zähne in Fällen, wo durch eine gehörige Untersuchung, die früher angestellt wurde, bevor noch die Krankheit einen bösartigen Charakter angenommen hat, der Patient von seinem Leiden mit Einem frei geworden wäre,

wenn man ihn auf die Entfernung der Ursache desselben hingewiesen hätte.

Um die Nothwendigkeit zu zeigen, dass in Fällen von Gesichtsschmerz eine Untersuchung der Zähne von einem Zahnarzte unternommen werde, bevor man sich für irgend eine Behandlungsweise entschieden hat, führen wir hier zwei Fälle an, die in der Privatpraxis uns zur Behandlung zukamen, und welche, wie wir hoffen, den Leser von dem practischen Grunde der Wechselseiligkeit, die zwischen den verschiedenen Theilen des Nervensystems besteht, überzeugen werden.

Erster Fall. Es consultirte uns eine Dame von beiläufig zwei und zwanzig Jahren, welche durch acht Monate an einem Schmerze in den Aesten der oberen und unteren Kiefernerven litt, welcher Schmerz anfänglich in unregelmässigen Anfällen kam, zuletzt aber deutlich periodisch, und zwar unabänderlich um 9 Uhr Morgens und um 7 Uhr Abends beginnend, erschien. Die Heftigkeit der Anfälle dauerte gewöhnlich durch beiläufig eine Stunde. Sie kamen selten zu einer audern Zeit als der oben erwähnten, ausser die Patientin litt an einer sonstigen Unpässlichkeit oder einer Gemüthsaufregung. In der früheren Zeit ihres Leidens wurde sie überredet, Branntwein und Salz mit Senfteigen etc. anzuwenden, diese hatten aber keine gute Wirkung. Hierauf berieth sie sich mit einem ausgezeichneten Arzte, welcher verschiedene Eisenpräparate in Verbindung mit Chinin verordnete, welche Medicamente durch zwei Monate ohne die mindeste Erleichterung fortgesetzt wurden. Belladonna wurde zunächst versucht, indem man mit Einem Grane Morgens und Abends, eine Stunde vor dem Anfalle, begann.

Blutegel und Blasenpflaster wurden an den Schläfen appli-
cirt, mit Bähungen aus Mohnköpfen und Chamille, und die
Dosis der Belladonna wurde um einen halben Gran jedesmal vergrössert, bis zuletzt drei Grane zweimal des Tags
genommen wurden. Sie wurde nun so sehr von Mattigkeit,
Schwindel, Schwäche des Gesichtes etc. befallen, dass diese
Behandlung unterbrochen, und hydrojodsaures Kali mit
dem äusserlichen Gebrauche von Veratrin an deren Stelle
gesetzt wurde.

Diese Behandlungsweise wurde ohne Erfolg durch sechs
Wochen beibehalten, bis von einem Arzte die Vermuthung
aufgestellt wurde, dass das Uebel möglicher Weise von
einem kranken Zahne herrühren könne, und auf diese Angabe hin wurden wir bei diesem Falle zu Rathe gezogen.

Bei der Untersuchung fand sich's nun, dass alle Zähne
des Unterkiefers, vom Eckzahne bis zum Weisheitszahne,
cariös waren, und dasselbe auch mit den ersten und zweiten Mahlzähnen des Oberkiefers der Fall war. Es war einleuchtend, dass diese Masse von Caries eine grosse Reizung in den umgebenden Gebilden hervorbringen musste.

Wurden die kranken Zähne mit einer stählernen Sonde
untersucht, so kehrte der Schmerzanfall mit seiner gewöhnlichen Heftigkeit zurück. Wir entfernten alsogleich
die zwei Backen- und zwei Mahlzähne des Unterkiefers,
und verordneten Folgendes :

> Essigsaures Morphium ¼ Gran
>
> Camphermixtur 1½ Unze.

Auf einen Schluck zu nehmen.

Auch folgendes Abführmittel:

Zusammengesetztes Colocynthenextract 6 Gran

Calomel 2 Gran.

Mache zwei Pillen daraus; vor dem Schlafengehen zu nehmen.

Diese Mittel bewirkten eine bedeutende Erleichterung, und im Verlaufe einer Woche war die Patientin von den Folgen der Operation so weit wieder hergestellt, dass die andern kranken Zähne, nämlich die Weisheitszähne des Unterkiefers und die ersten und zweiten Mahlzähne des Oberkiefers entfernt werden konnten.

Der Morphiumtrank wurde durch einige Tage fortgesetzt, und seitdem hatte die Patientin keinen Rückfall von Schmerz mehr gehabt. Einige Monate später hatten wir die Befriedigung, zu hören, dass sie vollkommen hergestellt war, und seit der letzten Operation nicht die geringste unangenehme Empfindung im Kiefer mehr verspürt hatte.

Der folgende Fall wurde dem Autor vom Herrn A. Kay zugeschickt, und zeigt einen etwas verschiedenen Charakter, obschon es bemerkenswerth ist, dass auch er fälschlich für Neuralgie gehalten wurde. Die Folgen unserer örtlichen Behandlung sind in dem Briefe, den wir von dem Gemahle der Patientin empfingen, hinlänglich dargestellt.

„Herr —. Meine Frau versprach, Ihnen wissen zu lassen, welchen Erfolg die von Ihnen an ihr vollführte Operation, die Extraction von zehn kranken Zähnen, und das Oeffnen eines darunter gebildeten Abscesses, hatte: und dies war in der That eine fürchterliche Operation für eine Person mit ihrem schwachen Gesundheitszustande. Bald nach ihrer

Ankunft hier verspürte sie bedeutenden Schmerz und Empfindlichkeit in ihrem Munde, was ich ihrer Reise bei kaltem Wetter zuschrieb. In Folge dessen war sie etwas
verstimmt. In einigen Tagen jedoch verminderten sich nach
und nach die heftigen Anfälle, an denen sie bisher gelitten hatte, und sie ist im gegenwärtigen Augenblicke von
allem Schmerze frei. Ihr Gesundheitszustand im Allgemeinen hat sich bedeutend verbessert, und sie fühlt sich
nun zufrieden, die geeigneten Schritte gethan zu haben,
da sie, obschon sie ihre Zähne verloren hat, doch gewann, was sie viel höher schätzt als diese, nämlich Ruhe, Behaglichkeit und Gesundheit. Das Zahnfleisch ist noch
nicht ganz geheilt, erscheint aber vollkommen frei von
aller Krankheit, mit Ausnahme der Umgebung der beiden
Vorderzähne, die sehr cariös sind, und von denen Sie sagten, dass sie müssten herausgezogen werden, wenn irgend
ein Schmerz oder unangenehme Empfindung im Gesichte
zurückkehren würde. Indem ich Ihnen für Ihre Güte und
Aufmerksamkeit danke

bin ich Ihr etc.

B. W h i t e.

Chapelstreet, Halstead, Essex,

den 7. April 1845".

Im October befand sich die Dame wohl, und hatte
keinen Rückfall von Schmerz verspürt.

BERATHUNG MIT PRACTISCHEN ÄRZTEN.

Den Zahnärzten begegnen oft Fälle von so verwickelter Natur, und so abhängig von dem allgemeinen Gesund-

heitszustande, dass es sehr fraglich ist, ob die Krankheit
der Zähne das allgemeine Unwohlsein, oder umgekehrt,
verursachte; und ob dem zu Folge der Fall dem Zahnarzte
oder dem Arzte angehöre. Andere Fälle wieder sind von
gemischter Art, so dass sie die Dienste beider Kunstverständigen in gleichem Masse zu einer und derselben Zeit
erfordern.

In allen diesen Fällen soll man wohl eingedenk sein,
dass, wer einen einzelnen Zweig der Kunst zur besonderen Ausübung wählt, weislich handelt, wenn er, so gross
auch seine Talente und seine Bildung sein mögen, sich
nicht mit der Medicin in ihrer ganzen Ausdehnung befasst,
sondern sich auf jene Specialität beschränkt, die er sich
besonders eigen gemacht hat. Denn wenn man von einem
Zahnarzte voraussetzt, dass er ein mehr vollendeter Practiker in seiner Kunst ist, wenn er seine ganze Mühewal-
tung auf dieselbe beschränkt, so muss er, einem gleichen
Schlusse zu Folge, in seinem Rufe verlieren, wenn er seine eigenthümliche Bahn überschreitet, und sich mit den
Geschäften eines Arztes oder Wundarztes befasst.

In allgemeinen Krankheiten also, und vorzüglich in
jenen, die in Verbindung mit dem ersten Zahnen auftre-
ten, das oft Unordnungen des ganzen Organismus im Gefolge hat, soll der Zahnarzt die Nothwendigkeit einer Con-
sultation mit einem Arzte dringend ans Herz legen. Jemand, der mit den näheren Umständen in dieser Sache
weniger vertraut ist, würde sich kaum einbilden, welche
Vortheile der Patient aus dieser Massregel ziehen könne,
oder wie sehr die zwei Practiker einen den anderen in Auf-

stellung einer richtigen Diagnose zu unterstützen vermögen. Und obschon es in jedem Stande Einige gibt, die ein
gelehrter Arzt „die allmächtigen Practiker" treffend be-
nannte, so wird doch die Welt eine geringe Meinung über
die Erfahrenheit im zahnärztlichen Fache von Demjenigen
haben, an dem sie findet, dass er für jede Art von Leiden,
denen der menschliche Körper ausgesetzt ist, und bei allen
Gelegenheiten, die über die Kunst hinaus sind, zu deren
Ausübung er sich bekennt, Vorschriften ertheilt.

„Ne sutor ultra crepidam" ist daher ein vortreffliches
Motto, das wir allen unseren Kunstgenossen empfehlen, in
der sichern Voraussetzung, dass das Festhalten an eine
bestimmte Vertheilung der Fächer, auf welche die ganze
Zahnkunde gegründet ist, und von welcher ihr Fortschritt
in jüngster Zeit abhängt, wesentlich zum künftigen Gedei-
hen unserer Kunst und ihrer Jünger beitrage. Denn die
Wissenschaft und die öffentliche Meinung sowohl, als auch
eine wohlberechnete Politik, welche die Beziehungen zwischen der Zahnkunde und den ihr verwandten Zweigen
berücksichtiget, fordert dieses auf das bestimmteste.

VIERZEHNTES CAPITEL.

WERTH UND WICHTIGKEIT DER ZÄHNE IN BE-
ZUG AUF GESUNDHEIT etc.

Nachdem wir so bündig als möglich die verschiedenen Krankheiten der Zähne und deren Behandlungsart auseinandergesetzt haben, werden wir nun einen kurzen In-
begriff von den Beziehungen geben, in welchen diese Organe und ihre Verrichtungen zur Gesundheit, Annehmlichkeit, persönlichen Erscheinung und Aussprache stehen.

Den ersten Blick werfen wir auf die Gesundheit. Ehe
die Speise in den Magen kömmt, ist es nothwendig, dass
sie verkleinert und mit dem Speichel vermengt werde, damit sie nachher regelrecht und vollkommen der Einwirkung des Magensaftes ausgesetzt werde *). Da sind nun

----

*) „Man schätzt die Menge Speichel, welche während einer
Mahlzeit abgesondert wird, beiläufig auf sechs Unzen. Er
fliesst in grösserer Menge, wenn die Speise scharf und rei-
zend ist. Er vermischt sich mit dem Schleime, der von den
Drüsen in grosser Menge ausgeschieden wird, und mit den
serösen Flüssigkeiten, die von den aushauchenden Arterien
des Mundes ausgehaucht werden. Es kann kein Zweifel
sein, dass der Speichel, indem er sich durch die Bewegung

11

die Zähne die Werkzeuge, durch welche diese Verkleinerung vollführt wird. Wir können die Wichtigkeit dieses
Vorganges nicht besser beleuchten, als durch Vergleichung
der Menschenzähne mit jenen der verschiedenen Thierclas-
sen, die sich von vegetabilischen Stoffen ernähren, und
entweder grasfressende oder kräuterfressende oder beide
sind. Nehmen wir zu diesem Zwecke die Kuh als Beispiel an.

Dieses Thier frisst hastig, und um diesen Umstand in's
Gleichgewicht zu bringen, hat die Natur dasselbe mit mehr
als einem einzigen Magen oder Speisebehälter versehen.
Der Magen, in welchen die Nahrung zuerst kömmt, besitzt
das Vermögen, dieselbe in das Maul zurückzubringen, um
daselbst einer zweiten und vollständigeren Zermalmung
unterzogen zu werden, die man Rumination, oder in der
gewöhnlichen Sprache das Wiederkäuen, nennt. Dann ist
die Masse für den wahren Magen tauglich, wo deren Um-
wandlung in Nährstoff beginnt.

Bei den Thieren dieser Classe sind die Schneidezähne
dünn und scharf, wodurch sie geeignet sind das kürzeste
Gras abzupflücken, und den Magen schnell zu füllen;
während die Mahlzähne breite Oberflächen haben, um die
Nahrung, wenn sie ihrer Wirkung unterzogen wird, gehörig zu zermahlen.

---

der Kiefer mit der Speise vermischt, Oxygen aufnimmt, und
mit den Nahrungsstoffen eine Menge dieses Gases vermischt,
welches geeignet ist, jene Veränderung hervorzubringen, die
endlich einzugehen die Nahrungsmittel bestimmt sind." (Ri-
cherand's Physiologie, Seite 96.)

Eine gleiche Nothwendigkeit einer vollkommenen Masticatiou besteht auch im Menschen, und daher müssen die Zähne, von welchen dies abhängt, in wohlerhaltenem und gesundem Zustande sein. Es kann in der That die Vorsicht, die die Natur für die Thiere unterhält, in den menschlichen Wesen nicht verringert werden, ohne ihrer körperlichen Gesundheit und Annehmlichkeit Eintrag zu thun. Sind die Zähne unvollkommen, so kann die Speise weder gehörig verkleinert, noch durch und durch mit Speichel vermengt werden. Die Folge davon ist, dass der Geschmackssinn in Ansehung der Nahrungsstoffe sehr unvollkommen geübt wird, da doch dieser Sinn als eine Art äusserer Wächter über die ganze Reihenfolge des Verdauungsapparates gestellt ist. Denn die allgemeine Erfahrung zeigt, dass Gegenstände, die von einer gewissen Grösse bleiben, nur für den Gefühlssinn, nicht aber für den Geschmackssinn sich eignen, der ein feinerer und eigenthümlicher Gefühlssinn ist, und eine gewisse Kleinheit der Gegenstände fordert, ehe er selbe gehörig zu würdigen vermag. Wir alle wissen es aus Erfahrung, dass Stücke von Speisen, gleich wenn sie in den Mund kommen, wohl von den Lippen, der Zunge etc. gefühlt, aber kaum geschmeckt werden, dass sie aber alsbald ihren Geschmack in dem Verhältnisse abgeben, als die Zähne auf sie einwirken und sie verkleinern. Das zertheilende Verfahren der Zähne ist daher, in so ferne es feste Körper betrifft, der nothwendige Vorläufer des Geschmacksgefühles. Dieses Verfahren ist daher eines der förderlichsten Geschäfte, das die Zähne in der thierischen Oekonomie verrichten, ohne welches

11 *

sich die Speisen in grossen Stücken in den Magen ein-
drängen, und dann in Folge des mangelhaften Geschmacksgefühles zu einem anderen Uebel, nämlich zur Unverdau-
lichkeit mit den dieselbe begleitenden Krankheiten Veranlassung geben würde *). Ueberdies wird, wenn der
erste Theil des Verdauungsprocesses nicht gehörig voll-
bracht wurde, auch der folgende unvollkommen sein;
und dieses alles desshalb, weil die Zähne mangelhaft
sind **).

Wir sagten, dass die Zähne die Speisen geeignet machen, Gegenstände des Geschmackssinnes zu werden, und
auf gleiche Weise ist es wahr, dass sie für sich Gefühls-
organe, oder, auf alle Fälle, die Ueberlieferer eines feinen
und eigenthümlichen Gefühlssinnes sind. Um davon überzeugt zu sein, dürfen wir uns nur an das angenehme Gefühl erinnern, dass mit der Verkleinerung so vieler Substanzen verbunden ist, von denen einige nur einen geringen Geschmack haben, wie die Nüsse aller Art etc. etc.,
die eine ganz eigenthümliche Wirkung auf die Zähne

---

*) L. S. Parmly, Vorlesungen über die Naturgeschichte und
Verrichtung der Zähne. Seite 21. 8. London 1821.

**) Dr. Fitch schreibt die Dyspepsie oder Schwerverdaulich-
keit dem kranken Zustande der Zähne, wodurch das gehörige Zerkauen der Speise verhindert wird, und der eiterigen
und fauligen Materie, welche von den Zähnen und dem
Zahnfleische zugleich mit den Speisen in den Magen kömmt,
zu. Er sagt auch, dass die von einem kranken Zahne her-
vorgebrachte Reizung oft so gross ist, dass sie die gesunden Verrichtungen des ganzen Organismus, und die des
Magens insbesondere, stört. (Ueber die Zähne, Seite 308.)

ausüben. Diese Empfindung scheint irgend ein Mittelding
zwischen Gefühl und Geschmack zu sein, um die Speise
durch ein Mittelgefühl zwischen dem der Lippen und dem
der Zunge zu erforschen. Das Bestehen derselben wird oft auf
eine unangenehme Weise durch kleine Stückchen Kohle,
kleine Steinchen und dergleichen, wenn sie zwischen die
Mahlflächen der Zähne kommen, und von diesen Organen
ganz sanft ergriffen werden, bewiesen.

Es wird wohl nicht in Zweifel gezogen werden, dass
die Vollkommenheit und Unvollkommenheit der Zähne einen sehr grossen Unterschied in der persönlichen Erscheinung des Individuums bewirke. Der Verlust selbst eines
einzigen Vorderzahnes zerstört die Symmetrie des Mundes.
Sind aber alle verloren gegangen, und ist der Zahnfächerfortsatz aufgesogen, so gehen zwei oder drei Zolle von
der Länge des Gesichtes ab; Nase und Kinn nähern sich;
die Haut legt sich in ungeheure Falten und tiefe Furchen
zusammen; die Backenknochen stehen hervor, der Mund
verliert sein Lächeln, und unter diesen Umständen wird
das lieblichste Gesicht alt und missstaltet; wir wollen nicht
sagen hässlich, weil, wo der Geist kräftig ist, seine Macht
noch aus den Ruinen der Gesichtsbildung hervorleuchtet.

Ferner sind die Zähne als Organe der Articulation von
grosser Wichtigkeit, in der That nicht weniger als die
Lippen und die Zunge, welche im Vereine mit den Zähnen zum Sprechen behilflich sind, indem vorzüglich die
Schwingung der Zunge, wenn sie gegen die Zähne stösst,
eine Menge Laute der menschlichen Stimme hervorbringt.
Diese Verrichtung der Zähne wurde von Aristoteles wohl

bemerkt, welcher sagt, dass „die Beschaffenheit und Zahl der Zähne im Menschen hauptsächlich mit Berücksichtigung der Sprache eingerichtet sei,“ und dass „die Vorderzähne auf eine merkwürdige Weise zur Aussprache einiger Buchstaben des Alphabetes beitragen“ *). Um dies durch Versuche zu erproben, darf man nur bei der Aussprache der Worte auf die Bewegungen der Zunge genau aufmerken, um die Schwingungen der Zunge gegen die Zähne, und die Art und Weise, in welcher die Lippen die Laute moduliren, und einen bestimmten Ausdruck geben, zu verspüren. Oder man kann die Worte beobachten, wenn sie von Personen, die die Vorderzähne verloren haben, ausgesprochen werden, und man wird finden, dass die Aussprache jener gleicht, welche hervorgebracht würde, wenn Jemand durch eine hölzerne Röhre spräche.

Und so wie die Zähne zur Articulation der Sprache beitragen, so theilen sie die Laute dem Ohre des sprechenden Individuums mit, und geben dem Tone Stärke und Deutlichkeit, da er sowohl von dem inneren als äusseren Gehörgange aufgefangen wird. Dieses wird durch das gewöhnliche Experiment leicht bewiesen, wenn man nämlich ein Schüreisen zwischen den Zähnen hält, und, nachdem man die Ohren vorher verschlossen hat, das andere Ende des Schüreisens an einen siedenden Kessel legt; in welchem Falle der Ton des Siedens dem Ohre und dem Kopfe durch die Zähne mit der grössten Klarheit mitgetheilt wird. Wir können nicht anders als daraus schliessen, dass

---

*) „De partibus animalium,“ lib. III. cap. I.

alle Töne, welche über die Zähne streichen, durch diese
unter Einem dem Ohre und vielleicht dem ganzen Resö-
nanzboden der Hirnschale mitgetheilt werden. Und dies
kann auch die Ursache sein, dass jene, welche taub sind,
ihren Mund öffnen, um die Töne durch das innere Ohr
aufzufangen; eine Handlungsweise, welche man gewöhnlich ganz allein auf die Gegenwart der Eustachischen
Röhre im Munde bezog, von welcher wir jedoch geneigt
sind zu glauben, dass sie auch von dem unwillkührlichen
Gefühle der Art und Weise, wie die Zähne die Laute dem
Gehörorgane zuführen, abhänge.

Daher kömmt es, dass man sagt, unangenehme Töne
bewirken Zähneknirschen; eine Thatsache, hinsichtlich welcher eine Menge sonderbarer Idiosyncrasien beobachtet
werden können. Der Gemahl einer meiner Patientinnen
wurde, wenn man in seiner Gegenwart Papier mit dem
Nagel strich, fast verrückt, indem er ausrief, dass seine
Zähne sich aus den Kiefern zu drängen schienen; und Andere werden durch den Ton von Kohlenstückchen unter
der Feuerschaufel auf die schmerzvollste Weise ergriffen,
etc. etc.; was klar beweiset, dass die Zähne einige Dienste
als Ueberlieferer der Töne leisten, und was wirklich sprich-
wörtlich wurde, obschon es nicht physiologisch anerkannt
ist; denn der Verstand des Volkes urtheilt oft schneller
als die Wissenschaft.

Dies sind einige der weitausgebreiteten Dienstleistungen dieser bescheidenen und oftmals gering geschätzten
und vernachlässigten Gebilde, der menschlichen Zähne.
Selbst Organe der Empfindung tragen sie zum Gefühls-

vermögen des zunächstgelegenen, höhergestellten Organes derselben Reihe, nämlich der Zunge, unerlässlich bei. Und durch denselben Act, wir meinen die Verkleinerung der Speise, vollbringen sie, was man die erste Verdauung nennen kann, welche zur gehörigen Vollführung der zweiten Verdauung, oder jener des Magens, nothwendig ist. Ueberdies tragen sie zur Schönheit des weiblichen Antlitzes, wie zum männlichen Ausdrucke im Gesichte des Mannes bei, indem sie auf eine wundervolle Weise beides, sowohl die Sanftheit im Weibe, als die Festigkeit im Manne vervollständigen. Und wenn sie dem Gesichte Schönheit verleihen, so sind sie selbst schön, sowohl ihrer Gestalt, als ihrer Farbe und ihrem Glanze nach, so dass die Dichter sie mit Perlen, und fleckenlosem Elfenbein und Alabaster treffend verglichen haben. Ja, ihr Nutzen ist ein höherer oder geistigerer noch, denn sie haben Antheil an der Bildung der Stimme, die das Unterscheidungsmerkmal des einzigen Wesens ist, das vom Schöpfer mit Willen und Vernunft begabt wurde; und so stehen sie in der Reihe jener Mechanismen, die den Verstand zur physischen Anschauung bringen, und den Menschen fähig machen, dem Menschen sich mitzutheilen, und Gesellschaften zu gründen. Sie machen den Redner und den Prediger fähig, den Geist Anderer zu leiten und zu beherrschen; sie machen fähig, Wahrheiten zu äussern und Gemüthsbewegungen mitzutheilen. Endlich tragen sie bei, dass der Sprecher selbst seine eigene Stimme deutlich höre, und den betonten Ausdruck seiner Gedanken vollkommen vernehme.

Alle diese Vortheile beweisen klar, dass die Zähne,

gleich wie der Körper und seine Organe im Allgemeinen,
ein anvertrautes Gut sind, für dessen Erhaltung und Ver-
waltung wir höchlich verantwortlich sind, sie zeigen auch,
dass, wenn wir die Zähne von den Zwecken aus, zu denen
sie dienen, betrachten, wir eine höhere Ansicht von ihnen
zu haben, und ihre Wichtigkeit richtiger zu schätzen vermögen, als dies der Fall sein könnte, wenn wir unsere
Folgerung ganz einfach auf die Anatomie, Physiologie
und mikroskopischen Charaktere derselben gründen würden, ohne das weitverbreitete Gemeingefühl, wofür wir
Thatsachen oben aufgestellt haben, zu berücksichtigen.
Obschon wir daher die Beiträge des Anatomen zur zahnärztlichen Wissenschaft gerechter Weise würdigen, so behaupten wir doch, dass die Augen des Anatomen und
Mikroskopisten die grossen und practischen Wirkungen,
welche die Zähne hervorbringen, bei ihrer Untersuchung
zu Rathe ziehen sollen; wornach sie mehr als jetzt berufen sein werden, auf so viele verwickelte Fragen, wie die
Organisation des Emails etc. etc. etc., ihre Blicke zu werfen. Wollen wir also den grösseren Gesichtskreis unserer Betrachtung nicht ausser Acht lassen, der nach allem
dem doch der belehrendste ist, und mit der Ausübung unserer Kunst am innigsten im Zusammenhange steht.

———

DIE MITTEL DIE ZÄHNE ZU ERHALTEN.

Ungeachtet der Betrachtungen, die wir im vorhergehenden Abschnitte angestellt haben, und mit deren hauptsächlichsten Einzelnheiten fast Jedermann bekannt ist, so fühlen sich doch Wenige veranlasst, diese leicht zu erwerbende Kenntniss, welche zur Erhaltung der Zähne nöthig ist, sich eigen zu machen, oder sind sie im Besitze dieser Kenntniss, so findet man Wenige, die mit dem für den guten Erfolg erforderlichen Fleisse, derselben gemäss handeln. Wahrscheinlicher Weise huldigen sie der Reinlichkeit wohl so viel, dass sie die Zähne einmal des Tags bürsten, haben sie dies aber gethan, so sind sie schon zufrieden, dass nur die Zähne ihre Schuldigkeit für die Gegenwart erfüllen, und geben sich weiter keine Mühe, ihre Dienstleistungen für eine lange Zukunft zu sichern, oder ihren gänzlichen Verfall, der sie noch schlechter als nutzlos macht, zu verhüten. Nur zu oft, zum Beispiele, wird ein Zahnpulver gebraucht, das die Zähne für eine Zeit weiss macht, jedoch auf Kosten von Schmerz und Caries in der kommenden Zeit; oder man lässt den Zahnstein sich anhäufen; oder die beginnende Caries wird vernachlässiget etc. Wenn es uns möglich wäre, dem Publikum die Wichtigkeit der Sorgfalt und Aufmerksamkeit für diesen Gegenstand einzuprägen, und bei demselben zu bewirken, sich die geeigneten Vorsichtsmassregeln zur Erhaltung der Zähne zu Nutzen zu machen, und es zu überzeugen, dass ein zeitweiser Besuch bei dem Zahnarzte nothwendig sei,

so sind wir versichert, dass viel Schmerz und Elend vermieden würde, und dass viele Zähne das ganze Leben hindurch dauerten, die jetzt noch vor dem Beginne der Mann-
barkeit geopfert werden.

Die Abneigung, welche die Patienten gewöhnlich vor
dem Besuche beim Zahnarzte fühlen, findet, wie wir wohl
zugeben, unglücklicher Weise ihren Grund in einer Menge
bekannt gewordener Fälle von unredlichen Handlungen,
die sich einige niedrige Zahnärzte zur Herabsetzung unseres
Standes zu Schulden kommen liessen. Zahllose Individuen
scheuen sich, und zwar nicht mit Unrecht, dem Zahnarzte
sich vorzustellen; diese haben entweder selbst schon die
traurige Erfahrung von „theuern Belohnungen" einer gewissen Classe von Operateuren gemacht: oder sie hörten,
und das aus zu sichern Quellen, als dass man Zweifel
hegen könnte, von Leiden und Unbilden, denen ihre nächsten Freunde und Verwandte ausgesetzt waren. So leidet
der ganze Stand (und mit ihm das ganze Publikum) durch
das unredliche Benehmen einiger Weniger seiner Mitglie-
der, und eine wohlthätige Kunst wird zum Schreckbilde
für Jene, zu deren Besten sie da ist. Nichts kann jedoch
diesen Schaden heilen, als eine Verbesserung der Kunst-
jünger selbst, die ihre Kunst von der Hefe, die sie jetzt
enthält, befreien sollen. Inzwischen legen wir dem Publikum die Bitte dringend an's Herz, das wahrhaft Gute nicht
zu verwerfen, weil es gemissbraucht wurde, sondern nur
mehr als je sorgfältig in der Wahl des Zahnarztes zu sein,
und dabei den Charakter höher zu schätzen, als Wohlfeilheit und Bekanntheit. Handelt das Publikum so, dann wird

es die Macht der leitenden Gerechtigkeit sowohl wie die Kunst, wenn es derselben bedarf, in seinen eigenen Händen haben.

Sehr häufig ist nur ein heftiger Schmerz das Einzige, was den Patienten antreibt, zu seinem Zahnarzte die Zuflucht zu nehmen, und viele noch werthvolle Zähne wurden auf diese Weise zu Grunde gerichtet. Denn die Zähne unterscheiden sich einiger Massen von andern Organen dadurch, dass in ihnen die Krankheit bedeutende Fortschritte gemacht haben kann, bevor der Schmerz heftig wird. So lange die Caries auf das Email und die Beinsubstanz beschränkt ist, wird der Patient die Verheerungen nicht gewahr, die da herankommen, und seine Aufmerksamkeit wird nicht eher darauf geleitet, bis nicht die Caries die Beinsubstanz zerstört, und die innere Zahnhöhle blossgelegt hat.

Wir rathen, dass man die Kinder frühzeitig gewöhnen soll, auf ihre Zähne Sorgfalt zu verwenden, damit man die Aufmerksamkeit derselben auf diesen Gegenstand für die späteren Jahre sichere *). In einem Alter von fünf Jah-

---

*) „Es ist bei den Muselmännern Religionsvorschrift," sagt Tournefort in seiner ‚Reise nach der Levante,' „mit dem Gesichte gegen Mecca gewandt sich zu waschen, den Mund dreimal auszuspülen, und die Zähne mit einer Bürste zu reinigen. Dies zeigt, wie hoch dieser Gebrauch unter einem Volke geachtet wird, bei dem es ehedem verboten war, ohne besondere Erlaubniss des Kaisers einen Zahn herauszuziehen. Das Beispiel der Eltern hinsichtlich des für die Zähne nöthigen Grades von Sorgfalt belehre die Kinder; diese ahmen sie selbst im Scherze nach, und auf diese Weise entsteht

ren können selbe beginnen eine Zahnbürste zu gebrauchen, welche wenigstens einmal des Tages in Anwendung kommen soll. Diese Bürste soll von mittelmässiger Steifheit, und etwas härter als Ziegenhaare sein.

Besondere Aufmerksamkeit sollte den Mahlflächen der Mahlzähne, gleich wenn diese im Munde erscheinen, zugewendet werden, denn die Unebenheiten derselben veranlassen oft, dass Speisetheilchen daselbst zurückbleiben, und sehr leicht Caries bewirken. Diese Zähne erfordern eine etwas härtere Bürste mit langen elastischen Borsten, und diese sollten nach jeder Mahlzeit in Gebrauch gezogen werden, um jedes Überrestchen animalischen oder vegetabilischen Stoffes zu entfernen, ehe noch Zersetzung beginnt.

Auch die Seitenkanten und hinteren Flächen der Zähne erfordern grosse Sorgfalt, in so ferne Speisetheilchen zwischen denselben sich lagern können. Um diese Theile mit gutem Erfolge zu reinigen, muss die Bürste nicht nur quer über die Zähne, sondern auch auf- und abwärts, ohne sich auf eine einzelne Richtung zu beschränken, bewegt werden.

Die nachstehende Abbildung zeigt eine Bürste, die für die Seitenkanten und vorderen Flächen der Zahnkronen bestimmt ist.

durch angenehme Belehrung eine nützliche Gewohnheit.« Duval, le dentiste de la jeunesse, übersetzt von Atkinson S. 75; 8. Leeds, 1820.)

Die folgende ist eine Bürste, die für die hinteren Flächen der Schneidezähne geeignet ist.

Die Borsten müssen hinreichend lang und elastisch sein, damit sie in die Zwischenräume zwischen den Zähnen eindringen können. Die Meinung, dass, wenn man die Bürste in dieser Absicht gebraucht, das Zahnfleisch vom Halse der Zähne entfernt werde, ist falsch; die Erfahrung lehrt, dass, wo das Zahnfleisch schlaff, schwammig und leicht blutend ist, das erwähnte Verfahren eines der besten Mittel ist, dasselbe wieder gesund zu machen, und ein festes Anhängen desselben zu veranlassen.

Wie wir früher bemerkten, sollten die Zähne nach jeder Mahlzeit gereinigt und gebürstet werden, indem man entweder das Chinazahnpulver, oder Kreide mit etwas

Campher, oder ein folgender Massen zusammengesetztes Pulver gebraucht:

Iris-Wurzel ¼ Unze,
Myrrhen-Harz ¼ Unze,
Muskatnuss, fein gepulvert, 1 Skrupel,
Kreide 1 Unze.

Diese Zahnpulver sollen wenigstens einmal des Tages, am besten des Morgens in Anwendung gebracht werden. Gelegenheitlich soll das Zahnfleisch mit etwas Camphergeist oder kölnischem Wasser, das auf die Bürste getropft und nach dem Zahnpulver angewendet wird, gebürstet werden.

In Fällen, wo Unregelmässigkeiten vorhanden sind, wird es schwer sein, die Zähne mit der Bürste allein rein zu erhalten, und man wird hier durch ein Stück Rohr, das von seiner Rinde entblösst, und keilförmig zugeschnitten ist, seinen Zweck erreichen. Dies wird in allen jenen Fällen vortheilhaft sein, wo man mit der Bürste nicht ausreicht.

Die ihre Zähne zu erhalten wünschen, sollen sich nie eines metallenen Zahnstochers bedienen. Ist der Gebrauch eines Zahnstochers nöthig, so sind die aus Federkielen geschnittenen die einzigen nicht gefährlichen.

Wenn das Zahnfleisch empfindlich ist, oder die Zähne locker sind, soll man das früher (S. 134) angegebene zusammenziehende Mundwasser zwei- oder dreimal des Tags gebrauchen, und zwar einen Theelöffel voll in einem Weinglas voll warmen Wasser.

So sind die Mittel, die Zähne zu erhalten, wenige und einfache, und doch wird man finden, dass sie, wenn

man sie gewissenhaft in Anwendung bringt, die besten Erfolge haben. Reinlichkeit, in einer oder der andern Form,
schliesst sie alle in sich. Verlangt man damit zu viel von
einem civilisirten Volke, das gewiss sehr betroffen sein
würde, wenn man Jemanden die Reinlichkeit in Bezug auf
die Hände, das Gesicht und andere Körpertheile erst empfehlen müsste? Wir wollen damit sagen, dass die Aufmerksamkeit, die man besonders den Zähnen schenkt, in
geradem Verhältnisse zur Civilisation eines Individuums,
oder zur Höhenstufe, die dieses in der menschlichen Gesellschaft einnimmt, stehe. Derjenige, dessen Zähne grün,
braun und übelriechend, mit Zahnstein umhüllt, oder von
Caries halb zerfressen sind, muss in der That wenig Zart-
gefühl besitzen, wenn er in Gesellschaft erscheinen kann,
ohne zu bemerken, dass er ein Stein des Anstosses für die
Augen und Nasen seiner Bekannten ist. Das Benehmen einer
solchen Person erfordert eine ernsthafte Zurechtweisung.
So wie „Reinlichkeit dem religiösen Sinne am nächsten
verwandt ist," so steht Unreinlichkeit in naher Beziehung
zur Verderbtheit der Sitten.

Zum Schlusse sei hier noch bemerkt, dass bei der hö-
heren und Mittelclasse die Speisen gekünstelt sind, ja, oft
kommen sie schon verdorben auf die Tafel, und verlangen
daher dringend, weit grössere Aufmerksamkeit auf Rein-
haltung der Zähne zu verwenden, als die einfache Kost
der arbeitenden Classe.

KÜNSTLICHE ZÄHNE.

Wir haben bisher die Nothwendigkeit darzuthun uns bestrebt, die Zähne so lange als möglich dem Munde zu erhalten, und wir haben alle uns bekannten Mittel angegeben, dieselben gesund zu bewahren, oder ihnen durch die Kunst zu Hilfe zu kommen, wenn sie erkrankt sind. Diese Zierden des menschlichen Antlitzes gehen doch mitunter trotz der grössten Sorgfalt des Kranken und der zweckmässigsten Hilfe des Zahnarztes zu Grunde, und das Kaugeschäft, die Vollkommenheit der Stimme, und die Schönheit des Gesichtes *) scheinen ohne Wiederkehr dahin zu sein. Was ist unter so traurigen Umständen zu thun? Ist die Zahnheilkunde im Stande, einen Ersatz für diese unschätzbaren Organe zu liefern, und ein Mittel gegen die schädlichen und traurigen Folgen ihres Verlustes im Munde zu bieten? Sind Gesundheit, Schönheit und Sprache ihr für eine so grosse Wohlthat verpflichtet?

---

*) Nicht allein dass der Mund durch den Verlust der Zähne leidet, auch die anderen Theile des Gesichtes werden mehr oder weniger dadurch beeinträchtiget. Es entsteht eine tiefe Grube unter dem Oberkiefer; der Unterkiefer wird nach auf- und die Lippen nach einwärts gezogen; denn die Faserung der vorzüglichsten Gesichtsmuskeln ändert ihre schiefe Richtung, und läuft beinahe unter einem rechten Winkel dem Munde zu. Ja, es entstehen sogar wegen Abgang jener Stütze, die die Zähne andern Muskeln und ihren Antagonisten boten, Falten an der ganzen Antlitzfläche, die das Bild eines hinfälligen und abgelebten Individuums vollenden.

12

Die künstlichen Zähne sind die Antwort auf alle diese interessanten Fragen.

Wir halten es jedoch für billig, den Patienten in Vorhinein zu erinnern, dass die künstlichen Zähne unter keinerlei Umständen die natürlichen ganz ersetzen können; denn das Empfindungsvermögen ist in den ersteren nimmer da, um die verschiedenen Gefühlsnüancen, wie die natürlichen, dem Nervensysteme mitzutheilen. Wir wollten diese Bemerkung gleich am Eingange voranschicken, weil die übertriebenen Verheissungen, die mitunter in zahnärztlichen Ankündigungen vorkommen, nicht zu erfüllen sind, und nur dazu dienen, die künstlichen Zähne in Misskredit zu bringen, und das Publikum so der Vortheile zu berauben, die sie wirklich gewähren können.

Obgleich die künstlichen Zähne nicht jene Eigenschaften besitzen, die manche Zahnärzte ihnen zuschreiben, so ist es doch zum Erstaunen, wie bequem und wohlthätig sie sieh bewähren, und wie sie vollkommen den Zweck des Kauens und einer deutlichen Aussprache erfüllen, wenn sie anders gut angepasst sind.

In keinem Zweige der Dentistik hat sich die Quacksalberei und Prellerei so ungebunden ergangen, wie in dem der künstlichen Zähne, und in keinem wurde daher Redlichkeit und eine wahrhaft tüchtige Leistung mit zweifelhafterem Erfolge aufgenommen.

Die Vollkommenheit der künstlichen Zähne hängt erstens von ihrer geschickten Anpassung im Munde ab, so dass man sie mit vollkommener Leichtigkeit und Bequemlichkeit tragen kann.

Zweitens von der Art, wie man sie im Munde befe-'
stiget; denn die Ligaturen, die man häufig anwendet, um
sie zu fixiren, lockern und zerstören die benachbarten Zähne.
Drittens von der Zweckmässigkeit des Materials, das
man zu ihrer Befestigung nimmt, denn ungeeignete Stoffe
reizen das Zahnfleisch, und verursachen Verschwärung und
Absterben der Weichgebilde; Folgen, die nach der Anwendung von Gold mit reichlichem Zusatze von Kupfer,
von Silber, von Tombak, von vergoldetem Messing etc.
gar nicht selten eintreten.

Viertens von einer solchen Anordnung, welche Festigkeit und Dauer verspricht, und von einer so genauen An-
einanderfügung, dass Speisetheilchen zwischen dem künstlichen Materiale und dem Zahnfleische keinen Raum finden,
indem solches dem Athem' nur einen unangenehmen Geruch
mittheilen würde.

Nachdem wir einen Umriss jener Bedingungen, die den
Erfolg der künstlichen Zähne bedingen, gegeben haben,
wollen wir nun von den verschiedenen Arten, wie man dieselben anwendet, und von dem Boden, auf dem man sie
befestiget, sprechen; denn Eine Art der Zähne oder ihrer
Basis ist nicht für jeden Fall geeignet, indem die Gesundheit des Patienten, der Zustand des Zahnfleisches, die chemischen Eigenschaften des Speichels etc. eben so viele mo-
dificirende Umstände sind, die die Aufmerksamkeit des Dentisten in Anspruch nehmen, und deren genaue Berücksichtigung allein den Erfolg und die Bequemlichkeit ihrer Anwendung für den Patienten sichern kann.

Wenn ein Zahn verloren ging, sollte seine Stelle so-

12 *

bald als möglich durch einen künstlichen ersetzt werden, der durch seine Einfügung den anstossenden zur Stütze dienen, und die Umrisse und Symmetrie des Gesichtes bewahren soll.

Wir beginnen unsere Aufzählung der verschiedenen Arten künstlicher Zähne mit den Menschenzähnen. Diese waren lange im Gebrauche, und wurden gewöhnlich auf einer goldenen Basis oder Gaumenplatte, oder in künstliche Zahnfächerstücke angebracht, die aus dem Fangzahne des Nilpferdes oder mitunter auch des Wallrosses verfertiget sind, und welche genau dem Zahnfleische, wo die Zähne hingehören, angepasst wurden. Jede dieser Methoden ist in den geeigneten Fällen ausgezeichnet.

Die nächste Art bilden die Zähne aus der Substanz des Flusspferdzahnes, und zwar mit Beibehaltung des natürlichen Schmelzes verfertigt.

Doch kann man dieser Art von Zähnen vorwerfen, dass ihr Email Anfangs eine unnatürliche Weisse habe, die sich bald im Munde in ein lichtes, durchscheinendes Blau verwandelt, und so in beiden Fällen eine schlechte Nachahmung der natürlichen Zähne abgebe.

Man bedient sich derselben Substanz zu Zähnen, auch nachdem man ihr Email entfernte; ist sie aber schlechterer Qualität, so reichen schon einige Wochen hin, ihre natürliche weisse Farbe zu zerstören, und nach wenigen Monaten werden sie schon mit Honduras Mahagoni an Farbe wetteifern können.

Dieses sind die wohlfeilen Zähne, die zu 5 und 10 Pfund ein Gebiss angekündigt sind, und da wird häufig der Wallrosszahn, der viel geringerer Qualität ist, statt des Flusspferdzahnes verwendet.

Nebst den angegebenen Substanzen werden die künstlichen Zähne noch aus einer eigenen Masse gebildet, die glasig, und jener, die man bei der Glasur des Porzellans und am Geschirre braucht, ähnlich ist. Verschiedene Beizen werden dieser Substanz beigemischt, um ihr die verschiedenen Farbennüancen der Menschenzähne, denen sie aber auch unbeschreiblich ähnlich sieht, zu geben. Die Zähne, die aus selber gemacht werden, befestiget man auf einem Grundstücke aus Gold oder Flusspferdzahn, gerade so wie die Menschenzähne. Diejenigen, die sich für diesen Gegenstand mehr interessiren, verweisen wir auf unsere Abhandlung über die Mechanik, wo wir über diesen Punkt ausführlicher sprechen.

Diese Zähne haben grosse Vorzüge vor allen andern Arten künstlicher Zähne voraus. Sie werden nie zerstört, wechseln die Farbe nicht, und werden weder von den Flüssigkeiten des Mundes, noch von sauren Medicinen auf irgend eine Art angegriffen, was sie zu den längst dauernden macht. Sie lassen jedoch einen Vorwurf zu. In einigen wenigen Fällen, wo die Annäherung der Kiefer so stark ist, dass man keine hinlängliche Masse von Zahnsubstanz vor- oder rückwärts lassen kann, damit sie dem Drucke widerstehen, sind sie dem Brechen unterworfen, und wenn so etwas dem Patienten bei Tische oder in Gesellschaft geschieht, ist seine Lage wahrhaft keine beneidenswerthe.

Sie werden bei uns von verschiedenen Personen verfertiget, welche die Zahnärzte damit versehen, und werden auch in enormer Anzahl aus Brüssel eingeführt, und unter dem Namen „unzerstörbare Zähne", „kieselerdige Mineralzähne", „neue mineralische Erfindung" etc., angekündigt, was alles nur Ein Ding unter verschiedenen Namen ist.

Eine andere Art von Zähnen, die unter dem Namen der französischen Mineralzähne bekannt ist, war lange bei uns gebräuchlich, und ist in Fällen, wo, wie wir früher erwähnten, ein Bruch zu befürchten wäre, vorzüglich zu verwenden. Es wurden innerhalb weniger Jahre grosse Verbesserungen in der Zusammensetzung dieser Zähne eingeführt. Früher waren dieselben in der That künstlich im totalen Gegensatze zu den natürlichen, indem sie weder Aussehen noch Farbe der natürlichen besassen. Jetzt macht man sie von ausgezeichneter Schönheit und Genauigkeit.

In Fällen, wo es nothwendig ist, den Verlust, der aus der Absorption des Zahnzellenfortsatzes entstanden ist, zu ersetzen, macht man diese Zähne zugleich mit einem künstlichen Zahnfleische. Sie werden vorzüglich von S t o c k t o n in Philadelphia verfertigt, der in ihrer Bereitung die grösstmögliche Vollkommenheit erreicht hat. Aber da sie unseren Zahnärzten wenig bekannt sind, werden sie hier zu Lande auch nicht viel in Anwendung gezogen.

Aus den vorausgeschickten Beobachtungen kann man entnehmen, dass es keine besondere Art von Zähnen gibt, die für jeden Fall geeignet wäre; denn alle unorganischen Substanzen erleiden mehr oder weniger eine Zersetzung im Munde, die von der Speichelflüssigkeit abhängt, und jeder Fall, welcher der Zahnmechanik unterkömmt, stellt eine verschiedene Annäherung der Kiefer dar, so dass man

nothwendiger Weise die Zähne dem Munde, aber nicht,
wie einige Zahnzauberer uns beweisen wollen, den Mund
den Zähnen anpassen muss. Es ist absurd, zu behaupten,
dass Eine Art von Zähnen für jeden Mund geeignet sei.
Der ausübende Künstler unseres Faches möge dies immer
festhalten, und der Natur mit fügsamer Gewandtheit folgen,
und solche Materialien stets in Gebrauch ziehen, die dem
jedesmaligen Patienten in Bezug auf Kauen, Sprache und
Aussehen die besten Dienste leisten.

STIFTZÄHNE.

Das Verfahren, die künstlichen Zähne mittelst Stiften
zu befestigen, mag seinen Ursprung von einer Operation
von mehr fraglichem Charakter, die von John Hunter
angerathen wurde, herschreiben — ich meine nämlich das
Versetzen eines Zahnes aus dem Munde einer Person in
den einer andern — eine Operation, die mit verschiedenem
Erfolge ausgeführt wurde, die aber einerseits empörend
war, andererseits aber auch gefährlich, in so fern als be-
denkliche Krankheiten mit dem Zahne überpflanzt werden
konnten, und den Zahnarzt traf die Schuld, den Zustand
des Patienten durch Uebel, die der Körper erbte, ver-
schlimmert zu haben.

Die Operation selbst war ganz einfach so, wie wir
oben angaben; der überpflanzte Zahn wurde so lange in
seiner Lage erhalten, bis er festwuchs. Dies brachte so
viele üble Wirkungen, und wurde so unsicher in seinen
Erfolgen befunden, dass es bald in Abnahme kam, und das

Verfahren des Befestigens mittelst Stiften entstand aus dem
Verfalle obiger Operation.

Das Befestigen mittelst Stiften beschränkt sich auf jene
Zähne, die einfache Wurzeln haben, und wird selten bei
einem andern Zahne, als den obern Schneide- und Augenzäh-
nen vorgenommen. Wenn die Caries die Krone dieser Zähne
so weit zerstört hat, dass es unmöglich ist, selbe zu plombiren, und sie durch ihr Dastehen im Munde einen unangenehmen Anblick gewähren, so werden die Ueberreste der
Krone abgefeilt oder abgeschnitten. Der natürliche Kanal
der Wurzel gewährt den Vortheil, dass in selben ein Goldstift eingefügt werden kann, an welchem eine Krone, an
Umfang, Form und Farbe mit den übriggebliebenen Zähnen genau übereinstimmend, befestiget und angepasst ist.
Der Goldstift wird in die natürliche Oeffnung hineinge-
drückt, und daselbst durch Mastixharz und Seide festgehalten. Diese Operation erfordert ein sorgfältiges und ver-
ständiges Handeln, damit nachfolgende Entzündung und
Geschwulst des Gesichtes, besonders bei nervösen und
reizbaren Patienten, verhütet werde.

Die Theile selbst und der ganze Organismus sollten zu
dieser Operation durch örtliche Blutentleerung vorbereitet
werden, oder man sollte dazu gleich darauf seine Zuflucht
nehmen, um die Entzündung zu mildern; denn sonst könnten
die peinigendsten Schmerzen, und auch der Verlust der
Wurzel durch Eiterung erfolgen.

Es sind Fälle bekannt, dass künstliche Zähne, wenn sie
auf diese Art gehörig befestiget wurden, auch dreissig und
vierzig Jahre ohne die geringste Unannehmlichkeit oder

Missfärbung dauerten. Die beigefügte Abbildung stellt einen Vorderzahn dar, den der verstorbene W a i t c einsetzte,

und welchen der Patient durch dreissig Jahre in seinem Munde hatte, und dann durch Aufsaugung der Wurzel verlor; an dem Ende derselben ragt der Goldstift, an dem die Krone befestigt ist, hervor.

ZWEITER THEIL.

MECHANIK DER ZAHNHEILKUNDE.

ZWEITER THEIL.

MECHANIK DER ZAHNHEILKUNDE.

EINLEITENDE BEMERKUNGEN.

Es ist in der That merkwürdig, dass in unserem Lande, wo so viele treffliche Werke über Zahnchirurgie erschienen, nicht einmal Eines über den mechanischen Theil unserer Kunst veröffentlicht wurde, und um so merkwürdiger, als unsere Collegen in Amerika der Welt bereits eine Menge tüchtiger Anleitungen und Vorschriften über diese nützliche und nothwendige Abtheilung der Zahnheilkunde mitgetheilt haben *).

Die Ursachen dieser Literaturlücke sind mannigfacher Art. Die erste Ursache ist wohl die, dass die Zahnheilkunde zu oft von der Mechanik getrennt wird, und dass der

---

*) Dem geistreichen und wissenschaftlich gebildeten Dr. Brown in New-York verdanke ich die Methode, die amerikanischen Mineralzähne zu befestigen etc.

Zahnarzt nur theilweise von den niederen Verrichtungen seiner Kunst, denen er doch immer einen so grossen Theil seines Erfolges verdankt, unterrichtet ist. So wird der Handwerker und der Mechaniker in vielen Fällen der alleinige Träger einer Kenntniss , mit der der Zahnarzt, der sie anwendet , doch von Rechtswegen ganz vertraut sein sollte. Dieser Zweig des Wissens blieb daher bei uns noch immer traditionell , und die Presse hat sich in England noch immer seiner nicht bemächtigt. Viele andere Zweige practischen Wissens sind in gleicher Lage, und haben bis jetzt noch nicht die Helle des Tages und die freie Luft erblickt , die die Buchdruckerkunst jedem Gegenstande verleiht.

Diesem Zustande der Dinge wollen wir abhelfen. Denn wir müssen es in's Gedächtniss zurückrufen, dass die Zahnkunde ihrem Wesen nach mechanisch ist, und dass sie schon aus diesem Grunde zu einer separaten practischen Ausübung gelangt ist, so , dass Niemand für einen tüchtigen Zahnarzt gelten kann, der nicht theoretisch und p r a c - t i s c h in gleicher Ausdehnung ein Mechaniker ist. Denn wenn wir auch die Anpassung künstlicher Gebisse im Munde , die mitunter viel Kenntniss , Geschicklichkeit und Erfahrung des Practikers erfordern, bei Seite lassen, so können selbst die täglichen Operationen des Plombirens , Feilens und Ausziehens nur von Jenem mit Sicherheit vollzogen werden , der mit den Gesetzen und Hilfsmitteln der Mechanik wohl vertraut ist.

Die ganze Kunst des Zahnarztes ist so innig mit Mechanik verbunden, dass Jemand ein guter Anatom, Physiolog und Patholog sein kann, und doch zugleich, wenn er anders nicht mit den Principien und Handgriffen der Mechanik wohl vertraut ist, wenn sein Geist und seine Hand nicht mechanisch gebildet sind, nothwendiger Weise als schlechter Zahnarzt wirken muss, ja er kann noch so gute Vorschriften und Anleitungen ertheilen, und doch dabei seine Kunst zu seinem und seiner Patienten Nachtheile üben.

Wir bemerken, dass viele Dentisten den mechanischen Theil ihrer Kunst wie unter ihrer Würde betrachten, und einige sogar sich mit der Unwissenheit dessen brüsten, was doch die grösste Beihilfe in der Ausübung gewährt. Dies sind Diejenigen, denen nicht zu rathen ist, und für die eine solide und genaue Kenntniss umsonst existirt. Wir wollen uns nicht unter dieselben zählen lassen, und appelliren von ihnen an den gesunden Sinn des ärztlichen Publikums überhaupt, und der vernünftigen Zahnärzte insbesondere.

Wir sehen ein, dass Geheimnisskrämerei nicht zum glücklichen Fortgange in unserem Berufe gehört, dass man durch Verbreitung unseres Wissens mit redlicher Offenheit den wirksamsten Schlag gegen Quacksalberei und Betrug führen, und dass wir zur selben Zeit das Wissen, welches wir unseren Vorfahren und unserem eigenen Nachdenken verdanken, jenem heilsamen Einflusse der öffentlichen Meinung aussetzen, der nach und nach den Irrthum verscheucht, die Wahrheit glänzender macht, Erfindungen hinzufügt und verbessert, verworrene Dinge vereinfacht, und die Basis jeder Kunst erweitert, bis endlich ihre Wohlthaten der ganzen Masse des Volkes zu Nutzen kommen. Und wenn wir

zu einer Zeit mit Enthusiasmus von unserer Kunst gespro-
chen haben, so geschah es, weil wir ihr mit wahrer Be-
wunderung ergeben sind. Wir betrachten in ihr wie in einem vollkommenen, obgleich kleinen Spiegel die ganze
Chirurgie; sie ist die bestimmteste unter allen Zweigen
der Heilkunst, weil sie die am meisten mechanische ist,
und sie gewissermassen alle umfasst; und sie muss auch
nach ihrer stufenweisen Vollendung ein Muster und Beispiel von dem Höhepunkte abgeben, welchen sich die me-
dicinisch-chirurgische Wissenschaft anzustreben bemüht.

MECHANIK DER ZAHNHEILKUNDE.

Die Kunst der mechanischen Dentistik besteht in der Verfertigung und Anpassung von ganzen und theilweisen Gebissen aus künstlichen Zähnen; in der Anwendung mechanischer Mittel zur Verbesserung der Unregelmässigkeit der Zähne; in dem Einfügen und Befestigen künstlicher Zahnkronen mittelst Stifte auf natürlichen, noch im Munde befindlichen Wurzeln; in der Verfertigung künstlicher Gaumen; im Abdrücken und Modelliren des Zahnfleisches und der Zahnlücken; im Herrichten von Platten, und Löthen; in der Bearbeitung von Bein, und dem Einsetzen der Zähne in selbes; im Feilen, Poliren und vielen anderen Dingen, die wir in der folgenden Abhandlung in einem solchen Detail, wie es dem Practiker Noth thut, auseinandersetzen wollen.

Wir setzen voraus, dass der Studirende mit einem Arbeitstische und einer Drechselbank daran versehen ist, der dem hier abgezeichneten gleicht, dessen Umfang 24 Zoll in der Länge, 12 in der Breite und 33 in der Höhe beträgt. Das obere Bret oder der Tisch ist an seinem Rande mit ei-

13

ner schmalen Leiste A versehen, um die Werkzeuge etc.
vom Herabfallen zu bewahren. Aus dem Centrum des Bre-
tes B ist das Segment eines Kreises ausgeschnitten, um die
Brust des Arbeiters aufzunehmen, und in der Mitte dieses

Segmentes ist ein Feilnagel C eingefügt, um zum Feilen der Zähne, Goldschrauben etc. benützt zu werden. Unterhalb dieses Pflockes ist eine Schublade D, mit einem falschen Boden E, aus fein durchlöchertem Zink mit einer Handhabe an jeder Seite, um ihn zu entfernen. Er hat den Zweck, das Gold aufzufangen und zu sondern. Unter diesem ist noch ein Lederfell an dem Haken F befestiget, um die Goldfeilspäne, die etwa nicht in die Schublade D fielen, aufzunehmen. Zur Rechten sind mehrere Schubladen G, um die Zähne, Bohrer, Grabstichel, Goldfeilen etc. aufzubewahren. Über diese ist am Tische ein kleiner Ölstein mit einem Deckel versehen, befestigt. An der entgegengesetzten Seite ist eine kleine Drechselbank H mit einem Tretrade etc. angebracht. Auf dem Tische liegen einige von den Instrumenten, die man bei künstlichen Stücken braucht, wie Beinraspel, Hammer, Grabstichel, Drahtzangen, runde und halbrunde Feilen, Farbentopf etc.

Wir wollen nun verschiedene andere nothwendige Geräthe, die in der mechanischen Dentistik gebräuchlich sind, beschreiben und abbilden.

ZUBEREITUNG DES WACHSES ZU ABDRÜCKEN ODER ZUM MODELLIREN. — Abdrücke oder Modelle des Mundes werden mittelst Wachses gemacht, das durch Eintauchen in heisses Wasser erweicht, und so lange geknetet wird, bis es die Consistenz eines weichen Kittes annimmt. Das Präpariren des Wachses wurde gewöhnlich von Dienern vorgenommen; da aber alle Operationen, die mit dem Munde in Verbindung stehen, mit äusserster Reinlichkeit und Nettigkeit aus-

13 *

geführt werden sollen, haben wir einen Apparat ausge-
dacht, der nicht allein die Präparation des Wachses er-
leichtert, sondern auch die Operation dem Patienten an-
genehmer macht, indem sie jeder missfälligen Vorstellung,
als ob das Wachs von schmutzigen Händen behandelt
worden wäre, auf das sicherste begegnet. Die folgende
Abbildung zeigt diese Vorrichtung.

Sie besteht in einem cylinderischen, äusseren Gehäuse A, das aus dickem, lackirten Blockzinn gemacht ist,

und 12½ Zoll in der Höhe und 32 Zoll im Umfange misst, und am oberen Theile B durchbohrt ist. In diesem Cylinder ist ein inneres Gefäss oder Kochkesselchen befestigt, das 4 Zoll in der Tiefe und 28 Zoll im Umfange beträgt; sein Grund ist mit der punktirten Linie CC bezeichnet. Diesem ist genau ein bewegliches Gefäss D, 3¼ Zoll tief, und auf einem, am Rande befestigten Rahmen E ruhend, eingefügt. Der Grund des zweiten Gefässes ist ähnlich unserem gewöhnlichen Seiher durchbohrt. Das Ganze ist mit einem Deckel F versehen. Zwei Zoll von dem Boden des Apparates ist ein Thürchen G, 5 Zoll weit und 3½ Zoll hoch, in dessen Mitte sich ein kleiner beweglicher Ventilator H befindet. Unter diesem Thürchen ist eine Schublade I mit zwei Abtheilungen, eine für Reibzündhölzchen, die andere ein fein durchlöchertes Zinnstück nach oben enthaltend, um sie anzuzünden. Es ist in dem Kessel Ein Viertelzoll vom Boden ein Zapfen J angebracht, um das Wasser abzulassen. Auf jeder Seite sind Handhaben K. Der Apparat wird von drei Füssen getragen, und ist 19 Zoll hoch.

Der Kessel wird durch eine Spirituslampe mit drei Flammen erhitzt; diese wird innerhalb des Aussencylinders durch zwei Zinnstöcke getragen, die sich in der Quere des Cylinders hinziehen, und eine Ruhestelle besitzen, um die Lampe jedesmal unmittelbar im Centrum des Kessels zu erhalten. Das folgende Bild zeigt dieses Gestelle und die Lampe.

Eine Quart Wasser oder etwas mehr wird in den Kessel mit so viel Wachs hineingegeben, als zur Bildung eines Abdruckes hinreicht; dann wird die Lampe angezündet,

und unter den Kessel gestellt. Drei oder vier Minuten werden hinreichen, das Wachs zur geeigneten Consistenz zu bringen; wenn das Erhitzen länger fortgesetzt wird, wird das Wachs zu weich, und der Abdruck kann leicht beim Entfernen aus dem Munde verdrückt werden.

DAS MODELLIREN ODER DER ABDRUCK. — Nachdem das Wachs, wie erwähnt, hergerichtet wurde, wähle man sich einen Modellirlöffel, wie folgende Figur zeigt:

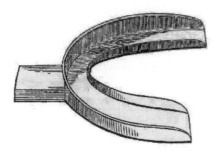

Dieser Modellirlöffel ist gewöhnlich aus Silber oder Packfong gemacht. Der Zahnarzt muss mit einer mannigfaltigen Anzahl derselben, die in ihrer Grösse variiren, versehen sein, um den Abdruck eines einzelnen Zahnes, wie den eines ganzen Gebisses nehmen zu können. Nachdem er einen von gehöriger Grösse genommen, und sich auch eine hinlängliche Quantität Wachs, um den Modellirlöffel zu füllen, bereitet hat, lasse er nun dem Patienten den Mund mit kaltem Wasser ausspülen. Diese Vorsicht gegen einen unvollkommenen Abdruck ist absolut nothwendig, besonders in jenen Fällen, wo die natürlichen Zähne im Munde die Stütze ihrer Nachbarn, und mit ihnen ihre aufrechte Lage verloren haben, und sich schief gegen das Centrum neigen.

Nachdem man dies vorausgeschickt, führe man den Löffel vorsichtig in den Mund, und drücke das Wachs perpendikulär und fest gegen die schneidenden Zahnränder dorthin, wo man einen künstlichen Ersatz anzubringen wünscht, und fährt mit dem Drucke anhaltend fort, bis die Zähne und das Zahnfleisch vollkommen in das Wachs eingebettet sind. Wenn die nöthige Tiefe hergestellt ist, drücke man dasselbe gegen das inwendige Zahnfleisch und die vordere Seite der Zähne. Nun muss man diese Vorrichtung sanft von rück- nach vorwärts neigen, um das Wachs von den hintern Zähnen loszumachen, eine ähnliche Bewegung ist nothwendig, um das Wachs von den vorderen Theilen des Mundes zu lockern; dann entferne man sachte den Löffel mit der Vorsicht, das Wachs nirgends zu verschieben oder zu zerren, widrigen Falls der Abdruck unvollkommen wäre, und die Procedur wiederholt werden müsste. Das folgende Bild stellt einen vollkommenen Abdruck dar.

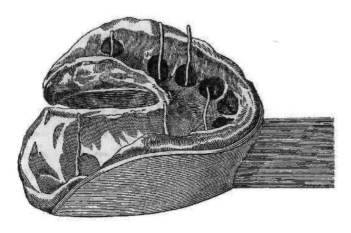

Wenn das Wachs ausgekühlt ist, drücke man in jede Vertiefung von des Patienten Zähnen im Wachse kleine Stückchen Eisendrahtes von folgender Gestalt, um die Gyps-

masse vor Beschädigung zu bewahren, wenn man sie vom Wachse losmacht, oder später an den Modellen die Platten und Zähne etc., während der Verfertigung öfters anprobirt.

Um besondere Arten von Zähnen, wie z. B. die amerikanischen und französischen Mineralzähne, der Platte anzupassen, sind zwei und bisweilen drei Wachsabdrücke erforderlich.

DAS GIESSEN DES MODELLES IN GYPSMASSE. — Nachdem man den Abdruck in Wachs hat, wird das nächste Verfahren dahingehen, eine ähnliche Abbildung dessen,

was man zu ersetzen hat, in Gyps zu haben. Um dies
zu können, mische man das feinste Gypsmehl mit einer
hinlänglichen Menge Wassers in einem gemeinen Becken
mit einem Eisenlöffel, bis es die Consistenz eines Milchrahms bekömmt; dann giesse man ein wenig davon ganz
sanft an einem Ende des Wachsabdruckes aus, indem man
ihn etwas schief hält, um den flüssigen Gyps in jede Höhlung, die die natürlichen Zähne in das Wachs machten,
einzulassen, und zugleich an die untere Fläche des Löffels
leise anschlägt, um das Bilden von Luftblasen zu verhindern, was beim Uebersehen dieser Vorsicht, besonders
wenn eine zu grosse Quantität Gyps gleich anfänglich in
die Form gegeben wäre, sicherlich geschehen würde. Wenn
der Abdruck in eine Höhe mit seinen Rändern gefüllt wurde, giesse man noch immer Gyps hinzu, bis ein hinlänglicher Umfang und eine gehörige Dicke des Abgusses erreicht wurde, um jedem beim Vollführen eines Metallabgusses
nöthigen Drucke widerstehen zu können.

Wenn man das feinste Gypsmehl anwendet, sind zehn
Minuten hinreichend, um bei hinlänglicher Erstarrung die
Trennung des Wachses vom Gypse vorzunehmen. Dies geschieht, indem man den untern Theil des Modelles, der den
Wachsabdruck enthält, in heisses Wasser eintaucht, und es
daselbst so lange lässt, bis das Wachs wieder weich wird ;
wenn man dann die Ränder des Wachses sanft abbiegt,
wird dasselbe dann leicht und sicher von der Gypsmasse
zu trennen sein.

Das Gypsmodell muss nun durch Beschneiden mittelst
eines Messers eine Gestalt und Form bekommen, die sel-

bes geeignet machen, dass man es vom Modellirsande leicht
wegnehmen kann, wenn man den Metallabguss herstellt.
Die Form, die es nun annehmen würde, ist die folgende:

Nachdem man dem Gypsabdrucke die obige Gestalt
gegeben, und die Eisendrähte, die über die Zahnränder vorspringen, bis zur Höhe des Modells abgetragen hat, trockne
man es gänzlich im Ofen oder vor dem Feuer, und senke
es, so lange es noch warm ist, auf zwei bis drei Minuten
in eine vorläufig hergerichtete, geschmolzene Masse von
gleichen Theilen Wachs und Harz; dies wird ihm einen
Ueberzug ertheilen, und es so beim öftern Anprobiren
der Platte vor Abnützung bewahren; auch wird es seine
Entfernung vom Formsande erleichtern.

Das giessen des Modelles in Metall. — Nachdem man das Gypsmodell erhalten, ist es nöthig ein Fac-simile in einem harten Metalle, das bei niedriger Temperatur leicht schmilzt, und worauf man endlich eine Goldplatte formen kann, zu erhalten. Zu diesem Zwecke wird ein zusammengesetztes Metall hergerichtet, das in jeder Handlung von Zahnrequisiten vorräthig ist; es besteht aus Zink, Wismuth und Zinn, während andere Mechaniker bloss Zink oder Zinn anwenden.

Die Art, eine Metallform für Zahnarbeiten zu machen, ist jener sehr ähnlich, deren sich Erz- und Eisengiesser bedienen, und wird jetzt allgemein von Zahnärzten angewendet, indem sie sowohl ökonomisch als geschwinde ist. Man füllt nämlich einen Eisenring, der 4½ Zoll tief und 6 Zoll weit ist, mit Modellirsand, den man früher mit Wasser zu einer solchen Consistenz befeuchtet, dass er beim Drucke schnell Zusammenhang gewinnt. Der Gypsabdruck wird nun fest und sachte in den Sand eingepresst, und vorsichtig in perpendikulärer Richtung wieder herausgezogen. Dies muss wiederholt werden, bis ein genauer und deutlicher Abdruck zu sehen ist. Die Uebung allein wird den Mechaniker bald lehren, wie er sein Gypsmodell zu formen hat, um es leicht herauszubringen. In jeden Zahnabdruck stecke man nun einen dicken Eisendraht, der ungefähr einen Zoll lang ist, um die Zähne vor Abbrechen und Beschädigung zu verwahren, während man die Platte darauf schlägt.

Nun muss die Form in dem Sande mit erwähnter Metall-Composition oder Zink, dass vorläufig in einem Löffel

geschmolzen wurde, ausgefüllt werden. Wenn der Metallabguss kalt geworden ist, kann man einige kleine Unebenheiten an demselben um die Innenseite des Halses
der Zähne mittelst Feile oder Grabstichel entfernen, damit
er dem Gypsmodelle ganz gleich komme. Da nun der Mechaniker mit dem, was man sein Arbeitsmodell nennt,
versehen ist, wird es nothwendig, sich auch eines in Blei
zu verschaffen, was er ganz auf dieselbe Art, wie das erstere bekömmt. Wenn dies geschehen ist, schmelze man
in einem Löffel, der nahe an Ein und ein halb Seitel Flüssigkeit fasst, so viel Blei, als nothwendig ist, ihn voll zu
machen, in dies geschmolzene Blei tauche man den bleiernen Formguss (nachdem man ihn früher mit flüssigem
Gyps bestrichen) von den Kanten der Zähne bis zur Mitte
des breitern Theiles der Form nach aufwärts, worauf man
sogleich den Löffel in ein Gefäss, mit nassem Sande oder
Wasser gefüllt, bis zwei Zoll zu seinem Rande herauf ein-

führt; denn nur so wird das nochmalige Schmelzen des
bleiernen Abgusses verhütet. Man muss dabei Sorge tragen, dass man das bleierne Modell in das geschmolzene
Blei nicht eintauche, wenn dasselbe noch zu heiss ist, weil
dadurch eine Schmelzung des ersteren, und eine unver-

meidliche Wiederholung des ganzen Processes eintreten
würde. Wenn das Blei erkaltet ist, trennt man es vom
eingesenkten Modelle, indem man an den vorstehen-
den Rand der Bleimasse mit einem schweren Hammer anschlägt.

Wenn das Gold, das man anwendet, stark und dick
ist, braucht man zwei harte Metallabgüsse, da der scharfe Umriss des ersteren gewöhnlich bei der Arbeit zerstört wird; aber für gewöhnlich werden diese Anzahl von
Metallmodellen dem Mechaniker hinreichen, um darnach
seine Goldplatten zu verfertigen. Man muss endlich denselben Vorgang und dieselben mechanischen Manipulatio-
nen beobachten, ob nur Ein Zahn oder ein ganzes Gebiss
verfertigt wird.

VOM LEGIREN DES GOLDES FÜR ZAHNPLATTEN. — Goldplatten, Schlagloth, Draht etc. werden gewöhnlich aus
den Niederlagen für Zahnrequisiten bezogen, wo sie von
jeder Form und Güte zu haben sind. Aber da doch einige
Lernbegierige zu wissen verlangen könnten, wie man
sie im Nothfalle bereitet, wollen wir zu ihrer Darnach-
achtung hier den Process auseinandersetzen. Da eine
Walze und andere kostspielige Vorrichtungen zu diesem
Zwecke nothwendig sind, ist es am gerathensten, sich die
obgenannten Materialien schon fertig zu kaufen.

Das Gold, das man zu künstlichen Stücken braucht,
soll nicht weniger als 18 und nicht mehr als 20 Karat haben, und wird wie folgt bereitet:

Man nehme zwanzig Theile feinen Goldes, und mische es

mit vier Theilen reinen Silbers*), schmelze die beiden Metalle mit einem Stücke Borax in einem Schmelztiegel, der
am Grunde gut mit feuerfestem Thone versehen ist, und
zwar bei einem Holzkohlenfeuer; wenn die Masse geschmolzen ist, giesse man sie in einen Klumpen von pas-
sender Grösse und Form, wornach man denselben häm-
mern und durch eine Walze treiben muss, bis er die verlangte Dicke erreicht hat. Die Platte muss dann bis zur
Rothglühhitze dem Feuer ausgesetzt werden, und wird dann
durch Kochen in verdünnter Salz- oder Schwefelsäure (1
Unze Säure auf 5 Unzen Wasser) durch etwa 5 Minuten
gereinigt.

VERFERTIGEN DES DRAHTES. — Wenn die Platte durch
die Walze bis zur Dicke eines halben Kronthalers gebracht
wurde, schneide man sie in schmale Streifen, feile die
Spitze derselben, und ziehe sie durch das grosse Loch
eines Drahtzugs, der in einem Schraubstocke befestiget
ist; dann ziehe man sie durch das nächst kleinere Loch
und so fort, bis sie die erforderliche Dicke erreicht haben.

BEREITUNG DES LOTHES. — Das Loth, das man für
Platten von 18 Karat braucht, wird auf folgende Art berei-

---

*) Eine Legirung aus 20 Theilen Gold, 4 Th. Silber und 4 Th.
Kupfer ist nicht nur von keiner Unannehmlichkeit für die
Patienten, sondern hat noch den wichtigen Vortheil einer
grösseren Elasticität, die besonders bei den Spiralfedern
ganzer Gebisse höchst erforderlich ist, und durch eine blosse
Gold- Silberlegirung nie in solchem Grade erreicht werden
kann. Bei so legirten Goldplatten sei dann die Lothlegirung:
Gold 20 Th., Silber 8 Th., Kupfer 8 Th.

A. F.

tet. Zu 70 Granen feinen Goldes gebe man 16 Gran reinen Silbers und 12 Gran rosenrothen Kupfers, und schmelze dies in einem Schmelztiegel mit Borax. Es ist nothwendig, um leichter zu arbeiten, dass man das Loth in
dünne Platten walze und wohl reinige, bevor man es verwendet.

WESENTLICHE GERÄTHE. — Wenn der Mechaniker mit
dem Verfertigen der Platte beschäftigt ist, muss er zum
Ausglühen, zum Anlöthen von Klammern, Stiften etc. ein
Stück Holzkohle oder Bimsstein haben, um sein Zahnstück
darauf zu legen, und die Hitze zu concentriren, so lange
es dem Löthrohre ausgesetzt ist. Bei kleinen Stücken ist

Bimsstein vorzuziehen, aber für Gebisse und grössere Stücke ist ein runder Klotz von Holzkohle, 5 Zoll im Durchmesser und 8 Zoll in der Länge, vorzuziehen. Derselbe muss
in der Form eines Mörsers ausgehöhlt, und seine Aussen-
fläche entweder mit Gyps überzogen, oder in einem Ge-

häuse aus mittelmässig dickem Eisenblech, wie die Abbildung zeigt, eingetragen sein.

LAMPE ZUM LÖTHEN. — Man schaffe sich eine Löthlampe an, die der hier abgebildeten ähnlich ist. Sie soll

Ein und ein halb Pfund Oel fassen können; die Länge des Rohres, in dem sich der Baumwolldocht befindet, beträgt 3—4 Zoll, während die Mündung desselben gegen drei Viertelzoll hat. Das gewöhnliche Leuchtgas ist jedoch bei dieser Lampe vorzuziehen, da all der üble Geruch, Schmutz und Unbequemlichkeit, die das Oel begleiten, dabei vermieden werden.

LÖTHROHR. — Dieses Instrument soll von 15 bis 17 Zoll in der Länge variiren, und mit einer Stricknadel dicken Oeffnung versehen sein. Die Augen können unter dem Gebrauche des kurzen Löthrohres stark leiden, daher man dem langen immer den Vorzug geben soll, und Diejenigen, die beim Gebrauche beider das Licht nicht gut vertragen, können eine grüne Brille aufsetzen.

EIN LÖTHROHR MIT DARAN BEFESTIGTEM BLASEBALGE. — Bei einigen besonders constituirten Individuen zeigt sich der Gebrauch des Löthrohres für die Lungen ausserordentlich nachtheilig. Wo dies der Fall ist, kann der Mechaniker eine andere Methode versuchen. Man befestige nämlich in der Mitte eines festen Gestelles, das aus starkem Holze oder Eisen gemacht ist, einen mittelmässig grossen Küchenblasebalg mittelst eines an jeder Seite des Gestelles eingeschraubten Drehringes. An der Mündung desselben befestige man genau ein elastisches, hinreichend langes Rohr, und mit dessen Ende vereinige man wiederum das gewöhnliche Löthrohr. Oben auf den Blasebalg gebe man ein Gewicht, das der Stärke des Gestelles, und dem Umfange des Blasebalges entspricht. An der rückwärtigen Seite des letzteren befestige man eine Tretvorrichtung von hinreichender Länge und Breite, mittelst welcher der Apparat wie eine Drechselbank in Bewegung gesetzt, und das Löthrohr mit der grössten Leichtigkeit entweder bei der Gasflamme oder bei der Oellampe in Gebrauch gezogen werden kann. Der Anfänger muss ausserordentlich vorsichtig bei diesem Gebrauche des Löthrohres, während er löthet, sein, und die Farbe seines Metalles nie aus dem Auge verlieren; sonst kann durch die intensive Hitze ein grosses Zahnstück in einigen Minuten zerschmolzen sein.

GLÜHEN. — Zu diesem Behufe muss man auf das Metall, das auf der Holzkohle ruht, einen ununterbrochenen

14

Luftstrom aus dem Löthrohre spielen lassen, bis jenes zur Rothglühhitze gebracht ist.

LÖTHEN. — Diese Procedur wird durch beständiges Blasen aus dem Löthrohre nach jenem Theile des Stückes hin bewerkstelligt, der gelöthet werden soll, indem man die Flamme nach und nach auf einen Focus bringt, bis das Loth schmilzt. Wenn der Anfänger sich des gewöhnlichen statt des Blasebalg-Löthrohres bedient, muss er durch die Nase athmen lernen, um so mittelst der Action der Halsmuskeln einen anhaltenden Luftstrom durch das Löthrohr schicken zu können.

So einfach dies auch dem Zuseher erscheinen mag, so wird man bei eigenem Versuche doch finden, dass man, um einige Fertigkeit im Löthen und im Gebrauche des Rohres ohne Nachtheil der Lunge zu erlangen, viel Geduld und Ausdauer braucht, und wir würden dem Anfänger sehr empfehlen, anstatt seine Geschicklichkeit gleich Anfangs an Gold zu versuchen, zuerst an andern Metallen, wie Silber und Tomback, sich zu üben, bevor er an ein Stück sich macht, das für den Mund eines Patienten bestimmt ist.

Die Oberfläche der Goldplatte, an welcher eine Feder, eine Niete, oder ein Zahn mittelst Löthung zu befestigen ist, muss vollkommen rein sein, auch soll sie an jenen Stellen, wo die Löthung haften soll mit einer wässerigen Borax-Solution, die mittelst eines Kameelhaar-Bürstchens aufgetragen wird, leicht benetzt werden. Die beste Fläche, um den Borax darauf zu reiben, ist eine gemeine Schieferplatte, der man eine passende Form gibt, und die man in Gyps, wie früher schon bei der Holzkohle gezeigt wurde, einkapselt.

Das Loth, das vorläufig in kleine Theilchen zerschnitten wurde, wird nun mit den zwei Stücken, die zusammen zu löthen sind, in Verbindung gebracht; diese aber werden in der geeigneten Lage entweder durch Herumschlingen eines Bindedrahtes oder durch eine Eisenklammer, die aus einem umgebogenen und an den beiden Enden eingedrückten Drahte besteht, zusammengehalten.

Eine andere Methode, die häufig gebräuchlich ist, besteht im Löthen auf einer Gypsform; wir wollen auf diese besonders zurückkommen, wenn wir vom Anlöthen der Zähne an die Platte sprechen werden. Wenn die Feder oder Niete genau angepasst wurde, muss die Flamme ganz allmählig auf die zu vereinigenden Theile gebracht werden, bis sie nahe der Weissglühhitze sind; aber in demselben Augenblicke, wo das Loth schmilzt und über diese Theile fliesst, muss die Flamme entfernt werden, widrigenfalls der grössere Antheil des Metalles geschmolzen würde.

Die grosse Kunst des Löthens besteht in genauer Kenntniss der Stärke der Flamme, die man in einem gegebenen Falle braucht, und in Bestimmung des Zeitpunktes (den die Farbe des Metalles angibt) wenn man die Flamme

14 *

beseitigen soll; aber nur die Uebung allein kann diese
Kenntniss verschaffen.

REINIGEN DER GOLDPLATTEN. — Die Oberfläche einer
Goldplatte wird, wenn man sie der Flamme des Löth-
rohrs aussetzt, durch Oxydation schwarz. Diese Farbe
verschwindet, wenn man die Platte in verdünnter Salzsäure in einem Kupfergeschirre kocht; um dies zu beschleu-
nigen, kann man das Kupfergefäss über die Löthlampe oder
das Gaslicht halten. Salpeter- und Salzsäure soll man nie
vereinigt zum Reinigen verwenden, denn so verbunden bilden die beiden Säuren jenes Lösemittel des Goldes, das
Königswasser heisst. Wo der Mechaniker Silber anwendet, soll er sich immer der verdünnten Schwefelsäure
zum Reinigen seiner Arbeit bedienen.

Wir setzen nun voraus, dass der Mechaniker im vollen
Besitze aller bisher angeführten Details ist, und uns nun
verstehen wird, wenn wir im ferneren Verlaufe auf die
Verfertigung von Platten, auf das Löthen etc. uns beziehen.

BEREITEN DER PLATTEN. — Wenn man nun mit Me-
tallformen versehen ist, schneide man nach dem Metallmo-
delle ein Stück von einem Blatte Blei, das genau dieselbe Grösse und den Umfang hat, wie man die Goldplatte
haben will, dieses lege man auf das Goldblatt, und zeichne
mit einer Nadel auf demselben genau das Muster nach. Dann
schneide man mit einem von den nachstehend gezeichneten
Instrumenten die Platte genau nach dem Umrisse, den man

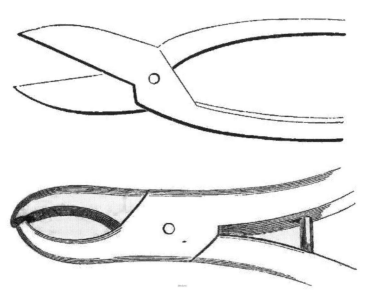

sich vorpunktirte. Man glühe nun das Gold, und lege es
auf die Metallform. Dann bringe man mittelst einer Zange und eines Hammers, der aus Kuhhorn gemacht ist, die
Platte so genau als möglich in die beabsichtigte Lage.
Nachdem dieses geschehen, gebe man die Form mit der
Goldplatte in den bleiernen Stempel, und schlage mit einem
hölzernen Hammer unter gewichtigen Schlägen auf das
Modell, und präge so die Goldplatte. Dieses muss öfter
wiederholt werden, bis das Gold in die verschiedenen Unebenheiten der Form hineingedrängt wurde. Darauf feile
man eine hinlängliche Menge von jenem Theile der Platte
weg, der mit den natürlichen Zähnen, die im Munde noch
übrig sind, in Berührung kömmt, so dass für die Dicke der
Feder, die noch hinzu kömmt, Raum bleibe, und dann

passe man rund um den Zahn auf der Metallform einen
Streifen von einer sechzehnkaratigen Platte an, der zur
gehörigen Breite zugeschnitten wird. Nachdem man nun
die Kanten der Platte und Feder gereinigt, und, wie man
sich technisch ausdrückt, mit Borax und Schlagloth g r u n-
d i r t hat, muss die Feder einstweilen in der erforderlichen Lage entweder durch Zusammendrehen eines feinen
Stückes Bindedrahtes an einer Stelle der Platte, wo es fest
hält, oder durch die oben angedeutete Klammer gehalten
werden. Dieses muss nun der Wirkung des Löthrohres,
wie früher beschrieben wurde, ausgesetzt, und wenn es
ausgekühlt ist, wieder auf die Metallform gebracht werden, wo es wieder zwischen Stempel und Form geschla-
gen wird. Der vordere Rand der Platte muss nun nahe
dem Zahnfleischrande und innerhalb vier oder fünf Linien
von der Vorderfläche der noch im Munde übrigen Zähne
gefeilt werden; so wie auch die inzwischen gelegenen
Räume, die durch künstliche Zähne ausgefüllt werden sollen, weggefeilt werden müssen. Die Platte wird nun folgendes Aussehen haben. A stellt den vordern Theil der
Platte vor, B den hintern Theil, der sich bis zum Mund-
gewölbe erstreckt; C und D sind die vordern Federn, die
kleiner gemacht werden müssen, wenn sie bei der Anpas-

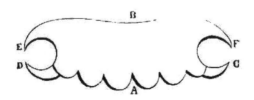

sung im Munde zu sichtbar sind ; E und F sind die hinteren Theile der Federn, die sich in diesem Falle nur bis zu den ersten Backenzähnen jeder Seite erstrecken. Durch E und F wird die Platte fest in ihrer Lage gehalten, sonst würde sie durch die Wirkung der Zunge und der Speisen beständigen Verrückungen, oder durch die Annäherung der Gegenzähne immerwährenden Schwankungen ausgesetzt sein.

WAHL DER ZÄHNE. — Man muss nun geeignete Zähne, seien es natürliche oder englische Mineral-Zähne, auswählen ; wenn der Mechaniker die letztern nimmt, muss er besonders sorgsam in der Wahl seiner einzelnen Stücke sein, damit sie alle dieselbe Gestalt, Farbe, Breite und Dicke haben. Wenn die Zähne zu lange wären, kann man sie entweder mit der dreikantigen Feile abfeilen und glattschleifen, oder man schleife sie gleich mittelst Schmirgelräder (oder Sandsteinscheiben) ab, die an einer Drehbank befestigt sind, und von denen es mehrere Formen gibt.

Diese steinernen Räder sind von der verschiedensten

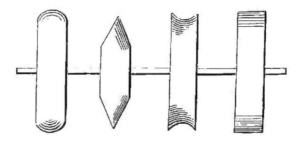

Form an Drehbänken in der Werkstatt befestigt ; die ein-

fachste und am mindesten kostspielige Drehbank ist durch
folgende Zeichnung dargestellt, und wenn man sie mit

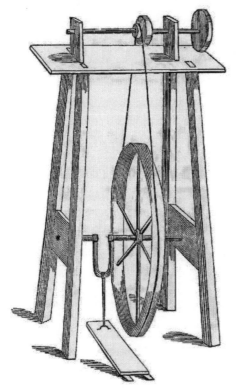

einem Gehäuse von polirtem Mahagoni umschliesst, gibt
sie im Operations-Zimmer noch ein schönes Stück Mö-
bel ab.

Es ist hier nothwendig, zu bemerken, dass, wenn
wir von Zähnen sprechen, die auf die Platte aufzusetzen
sind, wir uns hier bloss auf die natürlichen oder mitun-

ter auch die englischen Mineral-Zähne beziehen, denn bei
den ersteren von diesen sind die natürlichen Kanäle noch
vorhanden, und bei den letzteren wird die Höhle, die für
den Stift nothwendig ist, um sie an der Platte zu befestigen, mit den Zähnen zugleich fabricirt, und entspricht
hinsichtlich der Lage der natürlichen Öffnung.

DAS ANPASSEN DER ZÄHNE AN DIE PLATTE. — Wenn
man die Platte auf das Modell gelegt und die Zähne aus-
gewählt hat, besteht der nächste Vorgang darin, die
Zähne in Rohem der Platte anzupassen. Dies geschieht durch
öfter wiederholtes Andrücken der Basis des Zahnes an jenen
Theil der Platte, an welchem er befestigt werden soll,
nachdem dieselbe früher mit Zinnober und Oel bestrichen
wurde, und jener Theil des Zahnes mit dem Schmirgelrade
weggeschliffen wurde, der durch die Farbe bezeichnet ist.

Nun muss genau der Punkt angedeutet werden, wo
die Niete angebracht werden soll, um der Lage der natürlichen Zähne im Munde zu entsprechen. Dies geschieht
durch zeitweilige Befestigung der Zähne an den für sie
bestimmten Stellen der Platte mittelst eines Stückes von
warmen Wachs. Bei dessen Entfernung wird man einen
erhabenen Punkt bemerken, der der Oeffnung der Zähne
entspricht, und an diesem Punkte muss die Niete befestiget werden, indem man zuerst ein Loch von derselben
Grösse bohrt, wie es der Golddraht braucht, den man
zur Niete verwendet, und dieselbe dann an die Platte auf
gewöhnliche Art anlöthet. Die Platte und die Nieten werden nun folgendes Aussehen haben:

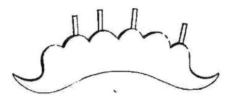

Der Vorgang des Anpassens der Zähne muss nun so lange fortgesetzt werden, bis sie zuletzt mit denen im Munde genau übereinstimmen. In vielen Fällen wird es nothwendig sein, die äussere Kante der Platte etwas abzufeilen, damit die Zähne mehr vorspringen, so dass, wenn sie im Munde befestigt sind, ihre Ränder genau mit dem Zahnfleische in Berührung kommen.

DAS BEFESTIGEN DER ZÄHNE AN DER PLATTE. — Die Zähne (die natürlichen nämlich) müssen an den Stiften mittelst etwas Flockseide, die um die letzteren gewunden ist, nachdem man selbe früher gezähnt oder mit einer Feile gekerbt hat, befestigt werden. Man benetze die Seide mit Mastixfirniss, und drücke die Zähne fest daran. Wenn Mineralzähne gebraucht werden, und die Länge des Stiftes es zulässt, kann man die obige Methode der Befestigung noch anwenden; wenn aber die Stifte kurz sind, kann man sich der gewöhnlichen Schwefelblumen für diese Zähne mit bestem Erfolge bedienen, und zwar wie folgt: man stecke die Zähne auf ihre Nieten, und bringe eine kleine Menge Schwefel zwischen die Nieten und die Röhre, halte die Platte über eine Spiritusflamme, bis der Schwefel schmilzt, lasse sie nach und nach auskühlen, und man wird finden, dass die Zähne an den Nieten vollkommen

sicher befesliget sind. Einige Zahnärzte bedienen sich des
Zinnschlaglothes auf dieselbe Weise; dieses ist nicht zu
billigen, in so fern es einen beständigen metallischen Geschmack im Munde zurücklässt.

DAS VOLLENDEN UND POLIREN DER PLATTE. — Wenn
die Zähne alle befestigt sind, müssen die Ränder der
Platte mittelst einer feinen Goldfeile und eines Polirstahles
vollkommen glatt und eben gemacht werden, und das Ganze
mit einer weichen Bürste, die mit der nächsten Abbildung
Ähnlichkeit hat, und an einer Drehbank befestiget ist,

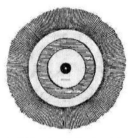

stark polirt werden. Fein gepulverter Bimsstein, Schmirgel,
Safran, oder fein geschlemmte Kreide und Wasser können
zu diesem Zwecke angewendet werden.

Eine Platte oder ein Stück mit englischen Mineralzähnen von der Art, wie wir es beschrieben haben, würde,
wenn es vollendet ist, wie folgt, aussehen.

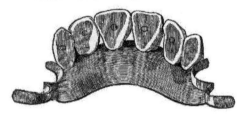

Die vorhergehenden Bemerkungen beziehen sich, wie wir schon früher sagten, bloss auf die Anwendung natürlicher Zähne und englischer Mineralzähne. Wir wollen nun andere Arten von Zähnen, und die Methoden, wie dieselben an die Platte befestigt werden, beschreiben.

STOCKTON'S AMERIKANISCHE MINERALZÄHNE. — Zähne dieser Gattung werden in Amerika von dem Manne, dessen Namen sie tragen, in grossartiger Ausdehnung fabricirt. Sie gleichen sehr schön den natürlichen Zähnen, sowohl was Farbe als Gestalt betrifft, und dort, wo man ein künstliches Zahnfleisch braucht, werden sie auch mit einer daran angebrachten Nachbildung dieser Substanz verfertigt; eine Erfindung, die bis jetzt nirgends wie in den vereinigten Staaten zu einer so hohen Vollendung gebracht wurde. Der Gebrauch dieser Zähne jedoch ist vorzüglich auf dieses Land beschränkt, was darin wahrscheinlich seinen Grund hat, dass vor zwei Jahren eine schlechte Nachahmung in England gemacht wurde, wo sie von einem vorgeblichen Agenten des Verfertigers ausgeboten wurde.

Stockton's Mineralzähne sind eine grosse Verbesserung der alten französischen Mineralzähne, und werden auch von den englischen Zähnen derselben Gattung im schönen Aussehen nicht überboten. Ihre unerreichbare Stärke und Dauer macht sie in jenen Fällen unschätzbar, wo die Annäherung der Kinnladen, besonders in dem vorderen Theile des Mundes so enge ist, dass es nöthig wird, den rückwärtigen Theil des Zahnes in solchem Masse zu verkleinern, dass der leichteste Druck von den gegenüberstehenden Zähnen hinreichen würde, sie von der Platte abzubrechen, wenn man englische Mineralzähne angewendet hätte. Diese Zähne können nun mit gleicher Leichtigkeit in allen Fällen angewendet werden, wo künstliche Zähne erforderlich sind; denn der Verfertiger hat neulich Mahl- und Backenzähne für den hinteren Theil des Mundes von derselben Gestalt, wie die in England fabricirten, bei uns eingeführt.

Diejenigen, die man für den Vordertheil des Mundes braucht, sind, was wir in der mechanischen Kunstsprache Schal- oder Muschelzähne heissen. Diese haben rückwärts kleine Platinastiftchen, welche schon während der Fabrikation eingefügt werden, und durch welche die Zähne an der Platte befestiget sind.

Nachdem die Platte gemacht, und dem Gypsmodelle auf gewöhnliche Art angepasst wurde, wähle man sich die oben beschriebenen Zähne in geeigneter Gestalt, Farbe und Grösse, passe sie im Rohen mittelst des Schmirgelrades, des Oels und der rothen Farbe der Platte an, schneide eine kleine Goldplatte in der Grösse der hinteren Zahnfläche zu, bohre mittelst einer Pfriemenzange, nach folgender Zeich-

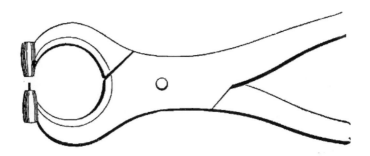

nung Löcher in die Platte, und füge die Stiften ein, wie
hier zu sehen.

Nachdem man die eben erwähnte kleine Goldplatte mit
Fluss belegt, löthe man sie an den Zahn auf gewöhnliche Weise mit der Vorsicht, die Hitze nicht plötzlich zu
steigern, damit das Email der Zähne nicht springe. Man
sei auch besorgt, dass der Zahn nicht zu plötzlich aus-
kühle, nachdem man das Plättchen angelöthet hat. Die
Oberfläche, wo das Schlagloth angegriffen hat, muss mittelst einer Goldfeile und einer Polirbürste geglättet werden.

Man stelle nun die Platte auf eine zweite Gypsform,
die eigens zu dem Zwecke gemacht wurde, um darauf zu
löthen. Mittelst einer Feile und der Schmirgelräder passe
man nun die Zähne genau an die Platte an, indem man
die Vorsicht beobachtet, dass das am Rücken des Zahnes

angelöthete Goldplättchen genau an der Platte auf dem
Modelle anschliesse, und beachte besonders, dass die vorderen Kanten der Zähne über den Rand der Platte auf dieselbe Art hervorragen, wie die natürlichen und englischen
Mineral-Zähne, von denen wir früher sprachen. Nun ordne
man die Zähne auf der Platte genau in derselben Lage, die sie
im Munde einnehmen sollen, besonders was die benachbarten Zähne auf dem Modelle und diejenigen in der gegenüberstehenden Kinnlade betrifft. Man befestige die Zähne
zeitweilig an ihren Stellen mittelst eines Stückchens Wachs,
das an der hinteren Fläche der Zähne angebracht wird, und
mit der Platte in Berührung kömmt, indem man das Wachs
durch sanftes Erwärmen des Ganzen über einer Weingeistlampe ankleben machte. Man stelle nun wiederum das Stück
auf die Form, und bedecke die Emailflächen der Zähne
mit in Wasser verrührtem Gyps. Wenn dieser erhärtete,
entferne man das Wachs von rückwärts mit einer Nadel.
Das Stück ist nun zum Löthen fertig, welches auf eine
nette aber doch solide Weise geschehen muss. Nachdem man
den Borax auf die Ränder der beiden zusammen zu löthen-
den Platten gebracht, gebe man eine hinlängliche Menge
Schlagloth darauf, und bringe halbkreisförmig um dasselbe
herum einen dünnen Ueberzug von Gyps oder fein geschlemmter Kreide an, um zu verhüten, dass das Schlagloth
auf irgend einen andern Theil des Stückes fliesse.

Bei jenen künstlichen Stücken, wo die Zähne rückwärts mit Gold belegt sind, oder wo viel Schlagloth angewendet wurde, ist es nothwendig, bevor dieselben polirt
und im Munde befestiget werden, dass man sie in eine

chemische Mischung gebe, um das Kupfer im Schlaglothe auszuscheiden. Zu diesem Zwecke koche man das Stück eine halbe Stunde lang in einem Porzellangefässe, das folgende Mischung enthält, von der man immer eine gewisse Menge in Bereitschaft haben soll:

> Salzsaure Soda ½ Unze.
> Salpetersaures Kali 8 Unzen.
> Alaun 2 Unzen.
> Wasser 24 Unzen.

Dann koche man es neuerdings in einer Auflösung von doppelt kohlensaurem Natron oder Kali, und zuletzt im Wasser.

Wenn das Stück gehörig ausgearbeitet wurde, so hat der einzelne Zahn von der Art wie wir ihn beschrieben haben, wenn man ihn von der Seite in Verbindung mit einem Theile der Platte betrachtet, Aehnlichkeit mit folgender Abbildung.

So hat wiederum ein Stück für den vordern Theil des Mundes, wenn man sich derselben Zähne bedient, wenn es gehörig ausgearbeitet ist, von rückwärts betrachtet, Aehnlichkeit mit folgender Zeichnung.

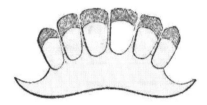

VERSUCHE IM ZUBEISSEN. — Bei grösseren künstlichen Stücken ist es wesentlich, bevor man sie vollendet, und bevor die Zähne an die Platte angelöthet werden, die Platte im Munde des Patienten zu probiren, um das Zubeissen zu versuchen. Dies geschieht, indem man jenen Theil der Platte, auf welchem die Zähne befestigt werden sollen, mit Wachs bedeckt, das durch Erwärmung anklebt. Man bringt dann die Platte in den Mund, und der Patient nähert die Kiefer in gewöhnlicher Weise, worauf der Abdruck der Gegenzähne auf dem Wachse genau die Stellung auf der Platte anzeigen wird, in welcher die künstlichen Ersatzzähne aufgerichtet und angelöthet werden sollen, so dass die Zähne in der gegenüberstehenden Kinnlade keinen ungehörigen Druck ausüben, wenn der Mund geschlossen, und das Stück vollendet ist. Hierauf wird die Platte mit dem Wachse wieder auf die Gypsform gestellt, und das Modell der gegenüberstehenden Zähne (welches man schon bei der ersten Visite des Kranken aufnahm) in die Eindrücke des Wachses, deren oben Erwähnung geschah, gestellt. Nun beöle man die hintere Fläche der beiden Modelle, und giesse Gypsmasse über dieselben; wenn

15

sich diese erhärtet hat, trennt man diesen hintern Theil
(oder Rücken) von den Gypsformen, und entferne das
Wachs von der Platte. Wenn man den Rücken während
dem Anpassen und Befestigen der Zähne an der Platte vor
dem Löthen an die Modelle anlegt, wird man finden,
dass der Mechaniker einen genauen Leitfaden erhalten hat,
der ihm beim Befestigen der Zähne in ihrer geeigneten Lage zur Richtschnur dient. Wenn dieser Theil des Verfahrens genau durchgeführt wurde, so wird man wenig oder
gar nichts zu verändern brauchen, wenn das Stück im Munde
angebracht wird.

Der beigefügte Holzschnitt zeigt die beiden Modelle
und den Rücken, wie wir eben beschrieben haben.

FRANZÖSISCHE MINERALZÄHNE. — Diese Zähne werden an die Platte auf dieselbe Art, wie die amerikanischen Mineralzähne angepasst, und sind an eine Niete gelöthet, die schon früher in selbe eingefügt ist, auf die Art,

wie es bei Befestigung der natürlichen und englischen Mineral-Zähne gebräuchlich ist. Das folgende Bild gibt eine Ansicht von der Rückseite eines französischen Mineralzahnes.

Um genau jenen Punkt zu treffen, wo die Niete an der Platte angelöthet werden soll, stelle man jeden Zahn in die beabsichtigte Richtung, und unterstütze ihn von rückwärts mit einem Stückchen Wachs. Dann entferne man vorsichtig den Zahn, und man wird einen erhobenen Eindruck auf dem Wachse bemerken, der mit dem Einschnitte an dem Rücken des Zahnes correspondirt. Nun markire man sich mittelst einer scharfen Nadel den entsprechenden Eindruck an der Platte, und füge und löthe dort die Nieten auf bekannte Weise an.

Das Versehen der Zähne mit einem Rücken. — Man versieht diese Zähne mit einem goldenen Rücken, indem man ein Stück Metall von der Grösse des hintern Theiles vom Zahne zuschneidet, und es genau an der Platte und dem Zahnrücken anpasst. Dieses Plättchen wird an seiner Stelle mittelst eines Stück Bindedrahtes, das rund um den Zahn und die Platte, wie in der nächsten Abbildung zu sehen, gewunden ist, festgehalten.

15 *

Die beiden Ränder werden auf dieselbe Art, wie bei der Befestigung der amerikanischen Mineralzähne, an der Platte angelöthet. Ein Stück mit französischen Zähnen gleicht, wenn es vollendet ist, folgender Abbildung.

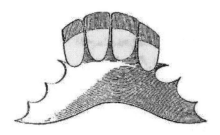

DAS VERSEHEN DER ZÄHNE MIT STIFTEN. — Wenn der grössere Theil der Krone von einem natürlichen Zahne entweder durch Caries oder eine andere Ursache zerstört wurde, muss ein künstlicher Zahn auf dem Stumpfe befestigt werden. Wenn einige Theile des Zahnes noch über das Zahnfleisch hervorragen sollten, bedient man sich einer Kneipzange zu ihrer Entfernung. Diese muss so verfertigt sein, dass sie in der Hand des Operateurs beim Zusammendrücken von Stärke und Festigkeit zeuge; ihre schneidenden Ränder sollen Ein Achtelzoll breit sein, wie hier zu sehen.

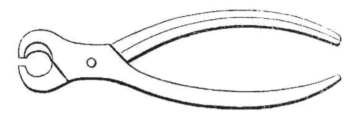

Die Art sie anzuwenden besteht darin, dass man den Zahnstumpf in einer Höhe mit dem Zahnfleische fasst, und langsam aber fest die Griffe einander nähert, um die schneidenden Ränder an einander zu bringen. Beim Gebrauche dieses Instrumentes muss sich der Operateur besonders hüten, dass er den Stumpf nicht rüttle oder erschüttere.

Es ist auch rathsam, in jenen Fällen, wo sich die Zerstörung nicht bis zum Halse des Zahnes erstreckt hat, denselben mittelst einer Feile oder einer feinen Uhrfedersäge, die in einem Gestelle befestigt ist, vor der Anwendung der Zange einzuschneiden.

Nachdem jene Theile der Zahnkrone, die über das Zahnfleisch hervorragen, entfernt wurden, wird die Fläche des Stumpfes mittelst einer ovalen oder halbrunden Feile, wie die nebenstehenden, in der nöthigen Form zugefeilt.

Man muss sich der Feile mit Sorgfalt und Delikatesse bedienen, die Wurzel durch Anlegen des Zeigefingers und Daumens unterstützen, und die Seiten der Wurzel höher als das Centrum lassen, was die künstliche Krone, die befestiget werden soll, verhindert, dass sie sich um ihre Achse dreht, und so auch in Sicherstellung ihrer Lage nach vorn wesentliche Beihilfe leistet; anderseits würde die

Reibung der Feile und das dadurch bewirkte beständige Rütteln Entzündung der auskleidenden Membrane und der umgebenden Theile verursachen, und den ganzen Erfolg der Operation vereiteln. Wenn nun der Stumpf in eine Ebene mit der Kante des Zahnfleisches gebracht wurde, muss der Nerve unmittelbar darauf durch Einführen der Spitze eines vierkantigen Bohrers, der in eine Handhabe befestigt ist, wie nebenstehende Zeichnung zeigt, zerstört werden; man drücke den Bohrer fest und kräftig in den Stumpf, und gebe ihm schnell eine drehende Bewegung, entferne das Instrument, und erlaube dem Patienten, seinen Mund mit warmem Wasser, dem einige Tropfen Opium beigegeben sind, zu waschen, worauf man nach und nach die natürliche Oeffnung mittelst Bohrbewegungen, wie die frühere, zur erforderlichen Grösse und Tiefe erweitert. Der Operateur muss mit einer grösseren Zahl dieser Instrumente, die von der Dicke einer Nähnadel bis zu der einer mittleren Stricknadel variiren, versehen sein. Die Bohrer müssen hinlänglich weich sein, sonst würden sie bei jeder plötzlichen Bewegung von des Patienten Kopfe während ihrer Anwendung leicht in der Höhle des Stumpfes gebrochen werden können. Die Tiefe, bis zu welcher der Bohrer eingeführt wird, hängt bloss von der Länge der Wurzel ab, soll aber nie weniger als ein Viertelzoll betragen.

Die oben auseinandergesetzte Methode, den Nerven zu zerstören, und die natürliche Oeffnung des Zahnes zu erweitern, verlangt gewöhnlich eine geraume Zeit, aber da das Verfahren unausweichlich mit Schmerzen verbunden ist, ist es wichtig, es so schnell als möglich zu Ende zu führen.

Zu diesem Zwecke hat M. Dowall, von Lincoln's Jnn-Fields, ein sehr sinnreiches und einfaches Instrument nach dem Principe des Schraubenhebels erfunden. An dem Ende der Schraube ist ein Bohrer befestigt, der mittelst einer Schraubenmutter, die an einer Handhabe angebracht und befestigt ist, mit der grössten Schnelligkeit herumgedreht werden kann. Der ganze Mechanismus des Instrumentes ist in einer Röhre eingeschlossen, und so angebracht, dass man es eben so zur Aushöhlung der Caries beinahe unter jedem erforderlichen Winkel anwenden kann, indem man bloss das obere Ende der Röhre abschraubt, und die dazu gehörigen Köpfe, in welchen die Wirkung beruht, an seine Stelle setzt.

Das folgende Bild stellt die verschiedenen Theile dieses Instrumentes dar.

Nachdem nun die Wurzel des Zahnes so hergerichtet wurde, muss der Operateur eine künstliche Krone von derselben Gestalt, Farbe und Umfang, wie die natürlichen Zähne, die noch im Munde sind, und auch möglichst von derselben Grösse auswählen, dann passe man das künstliche Ersatzstück mittelst rother Oelfarbe sorgfältig und genau dem natürlichen Stumpfe an, indem man dabei Rücksicht nimmt, dass es in einer genauen Linie mit der vordern Fläche der andern Zähne sei, und auch an den hintern Theil der Wurzel genau anpasse. Wenn dies geschehen ist, befestige man zeitweilig die neue Krone in ihrer beabsichtigten Stellung mittelst eines Stückchens Birkenholz.

Der Patient muss die gegenüberstehenden Zähne zusammenbringen, und vorausgesetzt, dass die künstliche Krone ihre Antagonisten nicht hart berührt, oder auf irgend eine Weise ihre Nachbarzähne drückt, kann sie bleibend befestigt werden. Es ist jedoch in jenen Fällen, wo zwischen der künstlichen Zahnkrone und der Wurzel ein Goldplättchen angebracht wurde, wie es bei den englischen Mineralzähnen geschieht, nothwendig, ein Instrument an dem Centrum der Zahnwurzel zur Entfernung jener Beinsubstanz, die dort mit dem Goldplättchen in Be-

rührung käme, und ein genaues Anpassen der künstlichen Krone an Wurzel und Zahnfleisch verhindern würde, anzuwenden.

In solchen Fällen kann man sich des nebenstehenden, mit einem Knopfe in Form einer Rose versehenen Bohrers, der in einer Handhabe befestigt ist, bedienen.

Indem man denselben an der Oeffnung anlegt, und ihm eine leichte rotatorische Bewegung gibt, wird man finden, dass die künstliche Krone dann bei ihrer Einfügung vollkommen fest anpasst *).

Das Versehen der natürlichen Zähne mit Stiften. — Wenn die Krone, die mit einem Stifte versehen werden soll, eine natürliche ist, wird man sich nothwendiger Weise von der Wurzelhöhle genau überzeugen, damit die Oeffnung in der Krone derselben genau entspreche. Dies geschieht, indem man den Körper des künstlichen Ersatzstückes mit Wachs überstreicht, und es an der Oberfläche der Wurzel anlegt. Wenn man es wieder entfernt,

---

*) Es wurden von Dr. E. Townsend in Philadelphia zu diesem Zwecke neulich zwei sinnreiche Instrumente erfunden. Sie bestehen in einer ovalen und einer hohlen Feile, wovon die erstere genau in letztere einpasst. Dr. T. bedient sich des ovalen Instrumentes, um die Wurzel, und des hohlen, um die künstliche Krone zu feilen.

wird ein erhabener Punkt zu sehen sein, der mit jener Oeffnung in dem Stumpfe zusammenfällt; es muss nun an diesem Punkte ein Loch gebohrt werden, und durch sanftes
Drehen eines Golddrahtes von geeigneter Grösse in den

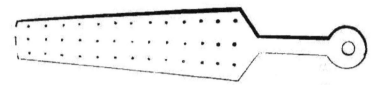

verschiedenen Löchern der hier angedeuteten Schrauben-
platte eine Schraube gebildet werden; worauf die Schraube, wie folgt, aussehen wird.

Das Schraubenende muss nun in die künstliche Krone,
und das andere in den natürlichen Stumpf eingefügt werden. Wenn Händekraft nicht hinreichen sollte, sie in den
dazu bestimmten Raum hineinzudrängen, kann man sich dazu auch der Beihilfe eines hölzernen Instrumentes bedienen, das wie das folgende geformt ist.

DAS VERSEHEN DER ENGLISCHEN MINERALZÄHNE MIT
STIFTEN. — Wenn man sich Zähne dieser Art bedient,
ist es nothwendig, an dem Goldstifte nahe der Basis

der Krone ein Goldplättchen, wie ein Achsenblech, anzulöthen, so dass, wenn man ihn in den Stumpf einfügt, er dem Drucke widersteht, der unvermeidlich angewendet werden muss, um den Stift in seine Stelle einzudrängen. Anderseits würden Stiftzähne dieser Art längs des Stiftes leicht hinabgleiten, und die Operation schwer und unsicher machen.

Der Zahn wird, wo er kürzer ist, mittelst Schwefel, und wo er länger ist, mittelst Flockseide auf bekannte Art an den Stift befestiget. Ein Stiftzahn dieser Art wird, wenn er zum Einsetzen fertig ist, dergestalt aussehen:

DAS VERSEHEN DER AMERIKANISCHEN MINERALZÄHNE MIT STIFTEN. — Diese Zähne werden dem Stumpfe auf dieselbe Art, wie die früheren angepasst, nur ist die Methode, sie bleibend zu fixiren, dem angewendeten Stoffe nach verschieden, indem man sich statt des goldenen, eines hölzernen Stiftes, und zwar aus der weissen nordamerikanischen Wallnuss, bedient, da die Höhlen dieser künstlichen Kronen nicht durch die Zähne gehen. Man rundet und glättet ein Stück von diesem Holze von der Grösse der Höhle mittelst einer Feile ab, und stösst es dann mit Kraft in die künstliche Krone. Der übrige Theil des Stiftes, der über der Krone herausragt, wird zur gehörigen Länge abgeschnitten, und mittelst einer Feile, der Grösse der Stumpföffnung entsprechend, zugefeilt. Um den Stift in den natürlichen Zahn hineinzubriugen, braucht der Druck nicht gross zu sein, da die Temperatur des Körpers und das Anschwellen des Holzes, wenn das letztere von der Feuchtigkeit des Mundes durchdrungen ist, hinreicht, den Stift fest in seiner Lage zu erhalten. Der folgende Holzschnitt gibt eine Vorder- und eine Seitenansicht eines amerikanischen Mineral-Stiftzahnes, der zum Einsetzen schon hergerichtet ist.

STIFTZÄHNE AUF EINER GOLDPLATTE. — Bisweilen ist der natürliche Stumpf im Munde hinter der Reihe der andern Zähne gelegen, in welchem Falle man keine von den früher erwähnten Methoden anwenden kann, und wenn man einen Zahn von den obbenannten einsetzen wollte, würde man finden, dass er entweder zu weit nach rück- oder zu weit nach vorwärts steht, oder dass er eine zu grosse seitliche Neigung nach rechts oder links hat. In diesen Fällen muss ein ganz anderes Verfahren eingeschlagen werden, und zwar folgendes: Nachdem man die Wurzel, wie schon früher erwähnt, hergerichtet hat, stecke man ein kleines Stückchen von Birkenholz, das nach der Grösse der natürlichen Oeffnung geschnitten wurde, in den Stumpf. Man nimmt nun einen Wachsabdruck von dem Fehlenden auf bekannte Art, worauf bei vorsichtiger Wegnahme des Wachses der hölzerne Stift an dem Wachse ankleben bleibt. Man giesse dann Gypsmasse auf den Abdruck, der den Stift enthält, trenne dann den Gyps, wenn er erhärtet ist, von dem Wachse, trockne das Modell, und tauche es dann in Wachs und Harz durch einige Minuten. Darauf kann man den Stift, wenn man sich überzeugt hat, dass seine Stellung der Höhle des natürlichen Zahnes entspricht, aus der Form entfernen. Es muss nun eine Goldplatte auf die gewöhnliche Art hergerichtet werden, und wenn sie der Gypsform genau angepasst ist, lege man ein kleines Stück Wachs auf die untere Fläche der Platte, die mit der Wurzel im Kiefer in Berührung kömmt; dann stelle man sie wieder auf das Modell, und man wird bei ihrer Entfernung einen erhobenen Punkt auf dem Wachse bemerken, wo auch der Stift angebracht und angelöthet werden soll. Die künstliche Krone kann nun an der Platte an jeder erforderlichen Stelle befestigt werden, damit sie den übrigen Zähnen im Munde der Stellung nach entspricht. Das folgende Bild stellt einen solchen Stiftzahn auf der Platte vor.

AMERIKANISCHE UND FRANZÖSISCHE MINERAL-STIFTZÄHNE AUF PLATTEN. — Dieselben mechanischen Verrichtungen, und zwar mit derselben Genauigkeit, finden auch bei Befestigung dieser Stiftzähne auf der Platte Statt, und zwar ganz der Art, wie wir zur Darnachrichtung des Lernenden

bereits in den früheren Bemerkungen auseinandergesetzt
haben. Wenn diese Zähne so construirt sind, gewähren sie
von der Seite und von rückwärts folgendes Bild:

BEMERKUNGEN. — Es kann mitunter nothwendig sein,
dass man den Stift seitwärts vom Mittelpunkte des Stumpfes anbringt, in welchem Falle das Ganze so aussehen
würde:

Wenn die Lichtung der Wurzelmündung zu gross wäre,
kann man ein Stückchen vom weissen amerikanischen Wallnuss-Holze zuerst daselbst einbringen, und dann den Me-
tallstift in das Holz einbohren.

Wenn Metallstifte mit der Beinsubstanz des Zahnstumpfes in Berührung kommen, werden sie mitunter durch Ab-
wetzen lose. Um dies .zu verhindern, soll der Stift entweder mit einer Feile etwas rauh gemacht, oder mit Flockseide, die mit Mastix-Solution getränkt ist, bedeckt, oder

in einer dünnen Schichte von zeitigem Wallnuss-Holze eingeschlossen werden. Bei dem Einsetzen eines Stiftzahnes
muss es sich der Anfänger immer gegenwärtig halten, dieselben im Munde so zu stellen, dass die gegenüberstehenden Zähne nicht mit ihm in Berührung kommen, sonst
würde der beständige Druck nicht allein eine Geneigtheit
zu Entzündungen an der Basis des Zahnstumpfes hervorrufen, sondern auch die künstliche Krone dem Brechen
aussetzen, was den Patienten in grosse Verlegenheit bringen kann.

KÜNSTLICHE ZÄHNE IN BEIN GEFASST, ODER SOGENANNTE
SAUGESTÜCKE. — Eine andere Art, künstliche Zähne ein-
zusetzen, besteht darin, dass man entweder Mineral- oder
natürliche Zähne in Zahnzellen von Flusspferdzahn (Hyppopotamus), oder der Wohlfeilheit halber in solche von Elfenbein oder Wallrosszahn einfügt. Aber die beiden letzteren
stehen, was Farbe und Dauer betrifft, den Flusspferdzäh-
nen sehr nach, und verursachen immer einen unangenehmen Geruch aus dem Munde. Der Flusspferdzahn ist diesen bei weitem vorzuziehen, in so fern er ein dichteres Gefüge und eine weissere Farbe besitzt, und auch länger dauert.
Ein anderer wichtigerer Vortheil, den er besitzt, besteht darin,
dass der grösste Theil seiner Oberfläche mit Email bedeckt ist,
und diese natürliche Decke zur Verwendung für künstliche
Vorderzähne im Munde hergerichtet werden kann. Es ist
jedoch immer mehr für die Seitentheile geeignet, indem
eben dieses Email, wenn man es eine kurze Zeit trägt,
ein blau-weisses Aussehen bekömmt.

Das Zerschneiden des Flusspferdzahnes in Stücke. —
Wenn der Mechaniker natürliche oder Mineral-Zähne in solche künstliche Zahnzellen einsetzen, oder eine Ansicht von
ihnen ganz aus Bein herausschnitzen will, muss er die Fasern
des Flusspferdzahnes horizontal auf das Gypsmodell bringen.
Für jeden der obigen Zwecke muss der Zahn in Querstücke
zerschnitten (wie durch punktirte Linien in obiger Zeichnung angedeutet), und dann, um das passende Stück zu
bekommen, neuerdings durch einen Längenschnitt dem
Centrum nach zerfällt werden.

Wenn wir den künstlichen Zähnen ihren Schmelz an
ihrer Vorderfläche geben wollen, müssen wir den erwähnten Hauzahn in einer queren Richtung zerschneiden; jedoch muss sich der Anfänger vorläufig durch einen Zirkel
versichern, ob eine hinlängliche Dicke des Zahnes für
die Tiefe der Zelle übrig bleibt. In diesem Falle wird man
bei Auflegung der Flusspferdsubstanz auf das Modell finden, dass ihre Fasern perpendikulär laufen.

DAS ANPASSEN DES HYPPOPOTAMUSSTÜCKES AUF DAS MODELL. — Nachdem die Oberfläche des Modells früher mit einem Ueberzuge von Wachs und Harz überkleidet wurde, wird sie nun mit einer blassrothen Oelfarbe übermalt und das Beinstück horizontal darauf gelegt, wornach ein Theil des Färbestoffes am Beine hängen bleibt, und so die Stellen anzeigt, die durch den Grabstichel, wie nebenstehende Zeichnung einen zeigt, entfernt werden sollen, von denen der Mechaniker immer eine grössere Anzahl von verschiedener Grösse in Vorrath haben muss. Das Abtragen oder Aushöhlen muss nach jedem Auflegen des Beinstückes auf da Modell so lange fortgesetzt werden, bis eine hinlängliche Tiefe der Zahnzelle hergestellt ist, und das Bein in genaue Berührung mit jedem Punkte und jeder Unebenheit der Oberfläche kömmt. Man muss ein ähnliches Anpassen auch an einem zweiten Modelle, das zu diesem Zwecke schon her-

16

gerichtet sein muss, vornehmen, da das erste durch
das öftere Anlegen des Beinstückes bald seine Schärfe
verliert.

Das Stück muss nun durch Feilen und Raspeln nahe
dieselbe Grösse und Form bekommen, die es zuletzt annehmen soll; und wird dann folgendermassen aussehen *).

DAS ANPASSEN DES STÜCKES IM MUNDE. — Wenn
man mit der Arbeit so weit gekommen, ist es nöthig, die-

---

*) Um die Handarbeit bei obigem Verfahren zu ersparen, hat
   T o m e s eine sinnreiche Maschine erfunden, aber die Art,
   wie der wichtigste Theil der Arbeit von ihr verrichtet wird,
   wo nämlich das Unterschneiden (eine wichtige Operation
   beim Herrichten des Beines) nothwendig ist, macht sie im gegenwärtigen Zustande für die mechanische Dentistik unbrauchbar.

selbe dem Munde anzupassen. Zu diesem Zwecke bemale man zuerst die Oberfläche des Zahnfleisches, über welches sich das Stück ausdehnen soll, gerade auf dieselbe Art, wie man es früher mit dem Gypsmodelle that, mit einer blassrothen Oelfarbe, und passe die gegenüberstehenden Zähne in der andern Kinnlade dem Gebisse an, indem man den Färbestoff auch auf ihre schneidenden Kanten oder Mahlflächen anbringt; hierauf trägt man diese Abmarkungen auf dem Beine, die von den so gefärbten Zähnen herrühren, die mit demselben in Berührung kommen, ab. Wenn das Stück für die obere Kinnlade bestimmt ist, muss der Mechaniker die äussere Fläche des Beines der Gestalt und dem Umfange des Mundes anpassen, indem er die untere Kante voller als die jenes Theiles macht, der mit dem Zahnfleische in Berührung kömmt. Er muss auch darauf bedacht sein, dass das Lippenbändchen sich frei bewegen kann, und muss zu diesem Behufe jeden Theil des Beines entfernen, der es im Geringsten belästigt. Wenn das Stück für die untere Kinnlade bestimmt ist, so muss das Bein in entgegengesetzter Richtung verkleinert werden, und man nimmt dabei zugleich auf die freie Bewegung der Zunge und auf die Lage der Unterzungendrüse Rücksicht.

DAS EINPASSEN DER ZÄHNE. — Nachdem man das Bein genau der Lippe, dem Zahnfleische etc. angepasst hat, muss man eine Linie dem Lippenbändchen gegenüber machen, um das Centrum der Kinnlade anzuzeigen, worauf das Einpassen der Zähne begonnen werden kann. Dies geschieht, indem man die Mineralzähne zu einer halb elip-

16 *

tischen Form zuschleift, oder sie bisweilen in eine schiefe
Richtung zuschneidet, so dass die hintere Fläche immer
kürzer, als die vordere ist. Diese letzte Art ist besonders nothwendig, wenn man ein dünnwandiges Zahnzellenstück braucht. Nachdem man so die erforderliche Zahl
von Zähnen, die für ein vorderes Gebiss acht im Durchschnitte betragen (indem das hintere aus dem rückwärtigen Theile des Zahnzellenstückes gebildet wird) müssen
zuerst die beiden mittleren Schneidezähne separat in das
Bein eingepasst werden, indem man die einzupassende
Fläche des Zahnes mit rother Wasserfarbe bemalt,
und sie dann auf die Kante des Beines bringt, wobei zwischen beiden Zähnen eine Linie bleibt, die das Centrum
der Kinnlade andeutet. Die gefärbten Berührungspunkte
werden mittelst einer runden, grob gehauenen Feile entfernt. So wird der Zahn genau und sorgfältig in das Bein
bis zur gehörigen Länge eingepasst, und einstweilen mit
Harz und Wachs in seiner Lage befestigt; damit er im erforderlichen Falle leicht herabgenommen und einstweilen
wieder auf obige Art befestiget werden könne.

Es ist gebräuchlich, die beiden mittleren Zähne in einzelnen Gebissen bei ihrer Befestigung auf einer künstlichen Basis so anzubringen, dass während dem Zubeissen
der Zwischenraum zwischen den obern beiden Mittelzähnen
genau mit dem der unteren zusammenfällt. Diesem Gebrauche ist vorzüglich der eigenthümliche formelle Charakter und das unnatürliche Aussehen zuzuschreiben, das
die künstlichen Zähne so oft darbieten. Dies kömmt daher, weil die Zahnärzte die wirkliche Stellung der Zäh-

ne während der Näherung der Kiefer nicht gut beobachten. Denn in den meisten Fällen, wo ein gutes natürli-
ches Gebiss vorhanden ist, fallen die obern Zwischenräume nicht mit den untern zusammen, sondern sie würden,
wenn man sie verlängern möchte auf drei bis sechs Linien seitlicher Entfernung einer dem andern parallel laufen, wie hier abgebildet ist.

Deshalb soll der Anfänger seine Zähne so anbringen,
dass sie ein ähnliches Aussehen gewinnen *).

---

*) Dieser bis jetzt vernachlässigte Sachbestand ist für den
practischen Zahnarzt nicht weniger, wie für den denkenden
Physiologen von Interesse. Es ist eine Einzelnbemerkung
aus einer Gruppe ähnlicher entnommen, die dazu dienen, die
mechanischen Gesetze des menschlichen Körpers zu erläu-

DAS BEFESTIGEN DER ZÄHNE. — Nachdem man das
Zahnzellenstück gefeilt und mit Sandpapier, fein gepulver-
tem Bimssteine und geschlemmter Kreide polirt hat, müssen

tern. Wie ein alter Schriftsteller beobachtet hat „sind die
Eingeweide, Höhlen und Trennungsapparate des menschlichen Körpers nicht genau Gleichgewicht haltend und eines
das andere unterstützend, wie die in solchem Verhältnisse
beschwerten Schalen einer Wage, das heisst, sie sind auf
der rechten und linken Körperhälfte weder symmetrisch, noch
von gleicher Stärke und Gewicht. So ist der rechte Lun-
genflügel grösser und geräumiger als der linke, ebenso die
rechte Brusthöhle oder ihr Pleurasack, der die rechte Lunge
einschliesst. Deshalb ist auch das Mittelfell hinter dem
Sternum mehr nach links gebogen. Die rechte Hälfte der
Zwerchfells-Ebene übersteigt die linke an Umfang und Stärke; so auch die rechte Hälfte seines unteren musculösen
Theiles mit seinen Schenkeln und Aesten. So liegt das Herz
wiederum nicht genau in der Mitte zwischen den Lungen
oder auf der sehnigten Aponeurose, sondern schlägt auf der
linken Seite der Brust, in der entgegengesetzten Richtung
der grössten Lungenkraft. Der Magen nimmt nicht den mittleren Theil des Bauches ein, noch ist seine Höhlung beiderseits mit einem gleichen Bogen versehen, noch findet man
seine beiden Mündungen, die Speiseröhren- und Zwölffinger-
darm-Oeffnung, von demselben Durchmesser. Die Milz auf
der linken Seite hat, wenn auch das Pankreas dazu gerech-
net wird, nicht das Gewicht der Leber auf der rechten Seite. Die Hohlader und die Aorta liegen bei ihrem Durchtritt
durch das Zwerchfell nicht dicht hinter einander. Der eine
Zwischenrippennerve läuft in der Brust nicht gerade so, wie
der andere; noch weniger im Bauche und in den Gekrösge-
flechten. So wie es im ganzen Körper ist, so ist es in jedem Eingeweide des Körpers". Dieselben Bemerkungen lassen sich in Bezug auf die Aussenseite des Körpers machen,
wie auf die beiden Seiten des Kopfes, die beiden Augen und
Augenbraunen, die Arme, Hoden, Füsse etc., an welchen

die Zähne bleibend in dasselbe befestigt werden. Zuerst muss man sich die Gewissheit verschaffen, dass der Punkt, wo das Loch in das Bein eingebohrt wurde, mit jenem im Mineralzahne zusammenfällt; dies geschieht genau auf dieselbe Art, wie es beim Einsetzen der Stifte in eine Goldplatte beschrieben wurde. Bei dem Befestigen aller englischen Mineralzähne in beinerne Zellen auf die eben aus-

---

allen die Bildung sowohl, wie die Energie der Verrichtung sichtlich verschieden ist. So besteht die Vollkommenheit des menschlichen Körpers nicht in einer blossen Symmetrie, sondern in einer vollkommenen Harmonie, nicht in dem todten Ebenmasse der Gleichförmigkeit, sondern in einem lebendigen gleichen Entsprechen unähnlicher Organe, in einem Gleichgewichte, das fortwährend verloren geht und wieder hergestellt wird, mit einem Worte, in einer beständigen Bewegung, durch vollkommene mechanische Mittel hervorgerufen. Dies lässt sich schön bei den Zähnen beobachten. Wenn die oberen und unteren Zähne so über einander gebracht werden, dass die zwei mittleren Zwischenräume genau einander entsprechen oder Eine Linie bilden, so haben wir das schauerliche Grinsen des Skeletts. Wenn anderseits die Zwischenräume einander parallel sind, aber nicht zusammenfallen, so ist die Freiheit und das Spiel des lebenden Mundes gebührend in's Licht gesetzt. Es ist jedoch sonderbar, dass beim Oeffnen des Mundes die mittlern Zähne und ihre Zwischenräume einander gegenüber kommen, was beweist, dass bei diesem Acte sowohl, wie beim Schliessen der Kiefer — welche beide Verrichtungen in einer geraden Linie Statt zu haben scheinen — eine rotatorische Bewegung in der That eintritt. Die Energie der Kaufunction scheint mit der obigen Ungleichheit in angemessenem Verhältnisse zu stehen. Der Gegenstand ist neu, obwohl man sich leicht davon überzeugen kann. Seine practischen Folgerungen scheinen, wie wir zu glauben geneigt sind, von grosser Wichtigkeit zu sein.

einandergesetzte Methode, muss nothwendiger Weise an
der Niete ein dünnes Plättchen von Gold (das früher erwähnte Achsenblech) angelöthet werden, um es zwischen
dem Zahne und dem Beine einzuschieben, damit so gehöriger
Widerstand gegen die Schläge des Hammers geleistet werde, der sonst die Zähne zerbrechen könnte. Es ist nebstdem noch wesentlich, dass die Niete aus dem weichsten
Golddrahte gemacht, und der Zahn daran mittelst Schwefel oder Flockseide früher befestigt werde.

Der Theil der Niete, der in das Bein hineinkommen
soll, muss von hinreichender Länge sein, um über die innere Seite des Beinstückes hervorzustehen, nachdem man
den an der innern Seite befindlichen Rand des Loches mittelst einigen Drehungen des rosenknöpfigen Bohrers, den
man beim Einsetzen der Stiftzähne braucht, angebohrt hat.
Der Schneiderand des Zahnes wird nun auf ein Stück Blei
von entsprechender Form gelegt, und der Golddraht an
der innern Seite angenietet.

Der Kopf der Niete muss in eine Ebene mit der innern Fläche des Beines mittelst eines Grabstichels gebracht,
und mit Sandpapier etc. polirt werden; die hintern Theile können entweder geschnitzt werden, um natürliche Zähne vorzustellen, oder sie mögen aussen und innen ganz
gelassen und bloss die Kronen daraus gebildet werden.

Natürliche Zähne in Bein eingesetzt. — Die Methode, diese Zähne im Beine zu befestigen, ist der obigen
ganz ähnlich, ausser dass man, nachdem die natürliche
Oeffnung in der Zahnkrone, so weit als das Email reicht,

mittelst eines Bohrers vertieft und erweitert wurde, eine
Schraube statt einer blossen Niete einfügt, und die Zähne
nicht eher bleibend befestigt, bis die beinerne Zahnzelle
polirt und gefärbt wurde, um das Zahnfleisch vorstellen
zu können.

DAS SCHNITZEN DER ZÄHNE AUS BEIN. — Bevor man
die Zähne aus dem Stücke herausschnitzt, ist es nothwendig einen Umriss von ihrer Zahl, Gestalt, Breite und Länge auf dem Beine mittelst des Pinsels anzudeuten, indem
man dabei einen hinlänglichen Raum über die obere Kante
jedes Zahnes übrig lässt, um das Zahnfleisch vorzustellen.
Dann muss mittelst Gravirinstrumente von verschiedener
Form und Grösse der Umriss herausgearbeitet, und der
Charakter und die Gestalt der Zähne nach und nach mit
dem Grabstichel geformt werden. Hernach muss das Stück
mit Bimsstein und Kreide auf gewöhnliche Art polirt
werden.

DAS SCHNITZEN DER ZÄHNE MIT VORDERFLÄCHEN VON
EMAIL. — Bevor man es unternimmt, diese Zähne zu formen, muss das Email vollkommen glatt geschliffen werden, denn wegen seiner ausserordentlichen Härte ist es
unmöglich auf demselben mittelst gewöhnlicher Gravirinstrumente zu arbeiten. Diese Arbeit muss daher mit geeigneten Feilen gemacht werden, wornach man das Stück
sorgsam polirt, wie oben angegeben wurde.

DAS ANBRINGEN VON GOLDPLATTEN MIT NATÜRLICHEN
ODER MINERAL-ZÄHNEN IN BEINERNE ZAHNZELLENSTÜCKE. —

Nachdem man das Beinstück dem Modelle angepasst hat, werden die natürlichen oder Mineral-Zähne in ihrer entsprechenden Form und Länge zugeschnitten, und in das Bein nach früher beschriebener Art eingepasst. Nachdem die gehörige Anzahl derselben eingepasst und anprobirt wurde, entferne man die Zähne, und befestige das Zahnzellenstück, indem man Gypsmasse um seine Kanten giesst. Es muss nun eine genaue Metallform und ein kleinerer Stempel auf bekannte Weise gemacht werden, zwischen welchen die Gestalt der Goldplatte hergestellt werden muss. Wenn dieses geschehen ist, muss man die Platte mittelst rother Oelfarbe und mittelst des Grabstichels, wie oben erwähnt, genau dem Beine anpassen. Wenn die Platte klein ist, und nur ein, zwei, drei Zähne angebracht werden sollen, wird dieses Verfahren hinreichend sein. Bei grossen Stücken, wo man acht bis zehn Zähne einsetzen soll, muss der Mechaniker, bevor er die Metallform abnimmt, das Bein zur erforderlichen Gestalt und Länge, die das Gold haben soll, zuschneiden. Man wird dann finden, dass die Platte, wenn anders der Mechaniker gut modellirt hat, dem Beine ohne viel Schwierigkeit anpassen wird.

Wenn die Platte dann genau an das beinerne Zellenstück angepasst ist, werden die gewöhnlichen Nieten, an denen die Zähne befestigt sind, an der Platte angelöthet. Bei grossen Stücken ist es nöthig, drei oder vier Löcher von hinlänglicher Tiefe durch das Beinzellenstück zu bohren, die den Golddraht, der die Nieten bildet, und mit der Höhle in dem Beine correspondirt, durchlassen, damit derselbe an der Innenseite des Zahnzellenstückes angenietet

werden könne; dadurch kann der vordere Theil der Platte mit Sicherheit an das Bein befestigt werden, und der
hintere Theil wird wiederum durch drei oder vier ko-
nisch geformte Nieten, die dem folgenden ähnlich sind,
und die auf dieselbe Art genietet werden, festgemacht.

Der Mechaniker soll seine Zähne an der Platte (wenn
man Schwefel braucht) auf die gewöhnliche Art, bevor er
zu nieten anfängt, befestigen; sonst kann das Bein durch
die angewendete Hitze leicht Schaden nehmen.

Der folgende Holzschnitt zeigt ein ganzes Gebiss die-

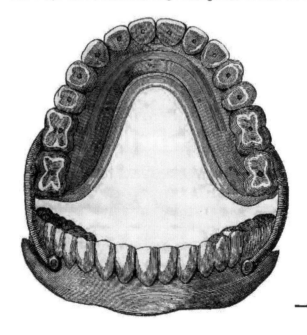

ser Art, das schon bis zum Einsetzen in den Mund fertig
ist, man sieht hier die Platte, die an der innern Seite der
obern befestigt ist, sammt einer vordern Ansicht der untern Reihe.

DAS FÄRBEN DES BEINES. — Zu diesem Zwecke bedient man sich einer Flüssigkeit, die aus einem Scrupel
Cochenille, einer Drachme Salzsäure, drei Gran Alaun, und
zwei Drachmen Wasser zusammengesetzt ist; diese Ingredientien werden in einem gläsernen Mörser zusammenge-
rieben und dann die Theile, die das künstliche Zahnfleisch
vorstellen sollen, mittelst eines Kameelhaar-Pinsels mit
der Zusammensetzung sorgfältig bemalt. Nach einigen
Minuten wird das Stück in kaltes Quellwasser eingetaucht,
und nachdem man seine äussere Fläche gebürstet hat, wird
man finden, dass es dem natürlichen Zahnfleische ähnlich
sehe. Das Bemalen des Beines auf diese Art ist bloss eine Verzierung, die man wohl entbehren kann, da sie nur
einige Tage dauert, und bloss dazu dienen kann, dass man
dem Stücke es ansieht, dass es vollendet ist.

DAS HERRICHTEN DER SEITENTHEILE DER STÜCKE FÜR
SPIRALFEDERN. — Wenn es nöthig ist, diese Federn anzubringen, müssen die Aussenseiten der Stücke an den Gebissen eben und glatt sein, und jene Stellen, an welchen
die Federn spielen, müssen um ein Sechzehntelzoll tiefer
sein als die Oberfläche des andern Theils, damit die Wangen vor jeder Beleidigung des vorragenden Theiles der Federn oder der Zapfen, mittelst welchen sie an den beiden
Stücken befestiget sind, geschützt werden.

Es ist hier nöthig zu bemerken, dass der Zweck dieser Federn bloss darin besteht, die zwei Stücke an ihrer Stelle fest zu halten. Die Festigkeit und Beständigkeit, mit der das Stück während des Kaugeschäftes aushält, hängt bloss von der Genauigkeit des Anpassens ab. Diese Federn sind nur nöthig, wo ein Mangel in der Höhe des Zahnfleisches vorhanden ist; in andern Fällen belästigen sie nur den Patienten, ohne einem nützlichen Zwecke zu entsprechen. Die folgende Abbildung zeigt ein Gebiss von Zähnen mit Spiralfedern, ganz nach der Art, wie wir sie beschrieben.

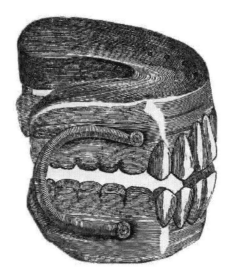

DAS VERFERTIGEN VON SPIRALFEDERN. — Der Zahnarzt kann in solchen Verhältnissen sein, dass er sich diese

Federn von Fabrikanten nicht verschaffen kann; in diesem
Falle ist es gut zu wissen, wie sie verfertigt werden.

Man nehme einen 16karatigen Golddraht, der dadurch
elastisch gemacht wurde, dass man ihn durch eine Reihe
von immer kleineren Löchern in einer Stahlplatte zog, bis
er den Durchmesser einer feinen Nähnadel erreicht hat;
man stecke ein Ende in das Loch A des beigefügten Apparates, indem man das andere Ende D mit einem kleinen
Feilkloben fest hält. Dadurch dass man die Handhabe C
langsam umdreht, wird der Draht sich um den Stahlstab
B winden.

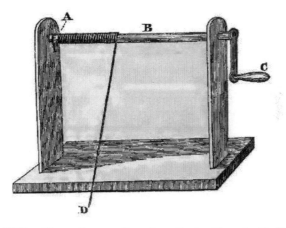

Einige Versuche werden den Mechaniker bald überzeugen, wie viel Gewalt man mit der Hand an dem andern
Ende D anwenden muss, um die Ringe nahe aneinander
zu bringen. Man muss bedenken, dass die wichtigen Eigenschaften der Spiralfedern von ihrer Elasticität abhän-

gen, daher würde das Glühen des Drahtes beim Ausziehen desselben ihn zu diesen Zwecken gänzlich unbrauchbar machen.

Die Länge der Federn wird von dem Munde des Patienten abhängen, aber durchschnittlich beträgt sie Ein und ein Viertel bis zwei Zoll.

DAS BEFESTIGEN DER FEDERN. — Die Spiralfedern werden an jeder Seite des Stückes mittelst eines Oehrchens, das sich um einen Zapfen drehet, der an dem Stücke angenietet ist, befestigt; ein kleines Stückchen Goldplatte wird als Achsenblech an den Stift angelöthet, und in das Bein eingelassen, und liegt so zwischen dem Oehrchen und dem Beine, um während der Bewegung der Feder jede Reibung zu vermeiden, und eine vollkommene Freiheit der Wirkung zu gestatten.

DAS VERFERTIGEN DER ZAPFEN. — Die Zapfen, um welche sich die an der Spiralfeder angebrachten Oehrchen drehen, werden gemacht, indem man ein Stückchen dicker Goldplatte in eine runde Form, gegen ein Viertelzoll im Durchmesser, zuschneidet, und es mit einem Loche im Mittelpunkte versieht. Dann wird ein goldener Drahtstift von der Dicke einer gewöhnlichen Stricknadel in das Loch eingefügt und eingelöthet. Die verschiedenen Stadien bei der Bereitung dieser Zapfen sind hier dargestellt.

A ist eine kreisrunde Scheibe von einer Goldplatte;
B der Stift; C zeigt beide zusammengelöthet; D die
Niete als vollendet.

Das Oehrchen, an dessen Schafte die Feder befestigt
ist, wird aus einem achtzehnkaratigen, runden Plättchen,
das mit einem Loche im Centrum versehen ist, gemacht,
und an dieses ist ein Drahtstück, das den Schaft darstellt,
angelöthet. Wenn es geendigt und zum Gebrauche fertig
ist, hat es folgendes Aussehen.

DAS BEFESTIGEN DER ZAPFEN AN DER PLATTE. —
In manchen Fällen, wo die Zahnzellenstücke aus Gold für
ganze und theilweise Gebisse gemacht sind, und wo Mineralzähne für den hinteren Theil des Mundes gebraucht
werden, oder wo das Stück für die hinteren Mahlzähne
so niedrig sein muss, dass keine Möglichkeit gegeben ist,
die Nieten durch dasselbe zur Befestigung der Zapfen hindurch zu führen, wird es nothwendig, den Zapfen an das
Zahnzellenstück anzulöthen, damit die Zähne darauf bleiben. Zu diesem Zwecke braucht man statt der Niete ein
aufrechtstehendes Plättchen, das aus einer starken Goldplatte gemacht und von folgender Form ist, wie hier sowohl die Vorder- als Rückenansicht dargestellt ist.

Dieses wird zuerst fest an die Stiften, und dann an die goldenen Zahnzellenstücke gelöthet, wie die Abbildung zeigt.

STELLUNG ZUM BEFESTIGEN DER FEDERN. — Die Zapfen, auf welchen die Spiralfedern spielen, sollen in einer gleichen Entfernung von den mittleren Zähnen, gewöhnlich dem ersten oder zweiten Backenzahne gegenüber, oder zwischen beiden angebracht werden. Wenn man nicht die grösste Genauigkeit in dem Befestigen der Zapfen, dass einer dem andern gerade gegenüber zu stehen kömmt, beobachtet, wird man, wenn man das Gebiss in den Mund einführt, finden, dass sie aus ihrer Lage wei-

17

chen, und es werden bei dem leichtesten Versuche den
Mund zu öffnen sich die Zahnreihen verdrehen. Der
folgende Holzschnitt stellt ein Gebiss mit englischen Mineral-Zähnen, auf Goldplatten gesetzt, und mit beinernen
Mahlzähnen dar, welches zum Einsetzen in den Mund ganz
fertig ist.

KÜNSTLICHE ZÄHNE AUF EINGRAVIRTER SAUGEPLATTE. —
Eine wichtige Verbesserung in der Erzeugung der Saugeplatte wurde neulich durch H a r n e t t in New-York
gemacht, der in einer Mittheilung in dem a m e r i k a -
n i s c h e n J o u r n a l e f ü r Z a h n k u n d e die folgende Beschreibung ihrer Fabrikation niederlegt: „Nachdem
man die Platte auf die gewöhnliche Art ausgeschlagen
hat, gravire man einen Rand oder eine Linie auf der inneren Seite der Platte; das Gold muss etwas dicker als ge-

wöhnlich sein, da das Auszugravirende wenigstens durch
die Hälfte der Platte gehen muss. Nachdem man den Rand
nahe der Kante der Platte ausgravirt hat, gravire man ferner nach dem Renaissance-Style von L u d w i g XIV.,
oder nach einer andern ausgezeichneten Mode, verschiedene
Schnörkel hinein, so dass die ganze innere Fläche der Platte
damit bedeckt sei, welches gewiss der Fall sein wird,
wenn die genannte Mode beibehalten wurde, da die verschiedenen Verzweigungen der Schnörkel nothwendig
so klein sein müssen, dass kein Theil entgehen kann.
Dann muss die Grundlage der Schnörkel weiter und tiefer eingravirt und dann ziselirt werden, da auf diesem vorzüglich der Vortheil beruht, indem das Ziselirinstrument
(wie es die Ziselirer gebrauchen) die Grundlage glatt zu
machen, und zu gleicher Zeit, indem es kleine Höhlungen in Gestalt von Nadelstichen hervorbringt, leere Räume
zu schaffen vermag. Wenn die Platte vollendet ist, hat sie
dasselbe Aussehen, wie der Rücken eines Genfer Uhrgehäu-
ses, eines Armbandes, oder eines andern Stückes von gra-
virter Juwelierarbeit."

Der Autor des gegenwärtigen Werkes hat, seitdem das
Vorhergehende erschien, mehrmal Gelegenheit gehabt, den
Werth dieser Verbesserung zu untersuchen, und freut sich
sogar sagen zu können, dass der Erfinder seine Erfindung
nicht überschätzt hat.

Bevor jedoch das obige Verfahren eingeleitet wird,
soll die Platte ihrer Vollendung so nahe sein, dass schon
die gehörige Anzahl Nieten, auf welchen die künstlichen
Zähne befestiget werden sollen, eingefügt sei.

17 *

Es ist auch nothwendig, dass der Mechaniker seine Platte von rückwärts unterstütze, um dem, bei der Anwendung der Werkzeuge so nothwendigen Drucke entgegen zu wirken, sonst würde die Platte ernsten Beschädigungen ausgesetzt sein. Zu diesem Behufe schmelze man in einem gemeinen Löffel eine hinlängliche Quantität von Juwelierkitt, den man dann in einen eisernen Ring von hinlänglicher Weite und Tiefe ausgiesst; ist der Kitt zu der Consistenz eines dicken Rahmes abgekühlt, so tauche man die Aussenseite der Platte bis zu ihren äussersten Rändern in dasselbe, in welchem Zustande man dann ohne Beschädigung arbeiten kann. Wenn der Process des Gravirens und Ziselirens vorüber ist, hat der Mechaniker bloss die Oberfläche der Platte zu erwärmen, und sie vom Kitte zu befreien, wornach die Zähne etc. an den Nieten auf gewöhnliche Weise befestigt werden können.

DIE VORBEREITENDE CHIRURGISCHE BEHAND-
LUNG DES MUNDES VOR DEM EINSETZEN DER
KÜNSTLICHEN ZÄHNE.

Bevor man die künstlichen Zähne entweder auf gol-
denem oder beinernem Grundstücke anpasst, ist es für den
endlichen Erfolg der Operation von grösster Wichtigkeit,
dass der Mund in einem vollkommen gesunden Zustande
sich befinde, denn unter andern Verhältnissen würde der
Kranke, wie schön und genau auch unser künstliche Apparat sein mag, denselben mit gar keiner Erleichterung
und Lust tragen können.

Es ist daher in allen Fällen, wo künstliche Zähne verlangt werden, nothwendig, dass der Zahnarzt, bevor er
den Wachsabdruck nimmt, die Beschaffenheit des Zahnfleisches und der natürlichen Zähne, die noch im Munde sind,
genau untersuche, und wenn er einige lockere Wurzeln
oder krankhafte Zähne entdeckt, sie auf der Stelle entferne,
wobei er den Abdruck auf drei bis sechs Monate verschieben muss, um der nachfolgenden vollständigen Absorption der Zahnzellen hinlänglich Zeit zu lassen. Dies
kann der Patient durch fleissiges Waschen des Mundes, und

288

Bürsten des Zahnfleisches mit folgender zusammenziehender
Solution passend unterstützen:

> Rp. Tinct. Ratanh. unc. duas
> — Pyrethri unc. unam
> Terchlorid. carbon. dr. tres
> Alum. dr. unam
> Aq. unc. duodecim
> M.

Bei einer gesunden Constitution erfolgt die Aufsaugung sehr schnell, während sie bei schwachen Subjecten
die längste, oben erwähnte Zeit übersteigen kann.

Man wird oft in Fällen, wo ganze Gebisse nöthig sind, und
wo viele kranke Zähne oder Stümpfe früher entfernt wurden,
finden, dass der Zahnbogen nach vollendeter Absorption, wenn
wir nun unsere künstlichen Ersatzzähne verfertigen wollen,
bedeutend zusammengezogen ist, so dass es unmöglich
wird, die gewöhnliche Zahl von Zähnen von gleicher
Grösse wie die natürlichen auf der Grundlage anzubringen.
So wird man auch in Fällen, wo nur einzelne Stücke
erfordert werden, unter denselben Umständen finden, dass
der Raum so enge wurde, dass die Lücke oft um die
Breite eines ganzen Zahnes zu klein ist. In beiden Fällen
muss sich der Mechaniker Zähne von kleinerem Umfange bedienen, indem er beim Centrum mit Zähnen von natürlicher
Grösse anfängt, und ihren Umfang allmählig vermindert,
wie er sich dem hinteren Theile des Mundes nähert, so
dass es der gewöhnliche Beobachter nicht entdecken kann.

Es wird aus den obigen Bemerkungen ersichtlich, dass
die Basis der künstlichen Zähne, wenn man dieselben zu
bald nach der Extraction der Stümpfe oder kranken Zähne,

also vor einer zur Aufsaugung der Zahnzellen, oder natürlichen Grundlagen, hinreichenden Zeit, im Munde befestigt, von dem beständigen Drucke, der beim Kauen ausgeübt wird, den ganzen Apparat in seinem vollkommenen Anpassen an das Zahnfleisch beeinträchtigen muss. Daher geschieht es, dass so häufig ein leerer Raum zwischen dem Zahnfleische und der Platte vorkömmt, wo sich Speisereste ablagern, die nicht allein für den Kranken ob ihrer chemischen Zersetzung eine Quelle von Schmerz und Unannehmlichkeit werden, sondern aus demselben Grunde auch für Andere den Athem des Zahnpatienten höchst übelriechend machen.

DIE FABRIKATION DER MINERALZÄHNE.

In England wurde die Methode, Mineralzähne zu bereiten, so wie die dazu verwendeten Bestandtheile, immer sehr geheim gehalten, und wir verdanken die folgende Belehrung über diesen interessanten Gegenstand nur dem vortrefflichen Werke der Doctoren Goddard und Parker.

VERWENDETE STOFFE. — Diese sind Pe-tun-tse, Kaolin, Thon und Kieselerde.

PE-TUN-TSE ODER FELDSPATH. — Es sind wenige Stoffe im Mineralreiche verbreiteter, als dieser. Er bildet einen wesentlichen Theil der meisten Ur- und vieler sekundärer Gebirgsformationen. Man findet ihn von verschiedener Farbe, aber die einzige Art, die zu unserem Zwecke zu verwenden ist, ist die weissfärbige, oder die dieser nahekommende; jede andere Farbe rührt immer von der Beimischung irgend eines fremdartigen Bestandtheiles her.

CHEMISCHE ZUSAMMENSETZUNG. — Dieses Mineral besteht aus einem Atom kieselsaurem Kali mit einem Atom kieselsaurer Thonerde verbunden : oder aus vier und sech-

zig Theilen Kieselerde, zwanzig Theilen Thonerde, und
vierzehn Theilen Kali.

ZUBEREITUNG. — Der Feldspath wird zuerst in Stücken
ins Feuer gegeben, bis zum Rothglühen erhitzt, und dann
plötzlich mit Wasser gelöscht; er wird dann in kleine
Theilchen zerbröckelt, und in einem Mörser so fein als
möglich gestossen.

KAOLIN. — Diese Substanz, auch chinesischer Thon, und
von den Chinesen Kaolin genannt, ist das Resultat der
Zersetzung des Feldspathes durch die vereinigte Wirkung
von Luft und Wasser. Feldspath besteht aus gleichen Theilen
kieselsaurer Thonerde und kieselsaurem Kali. Wenn die
Zersetzung des Feldspathes beginnt, verliert er allmählig
seinen kieselsauren Kaligehalt, und es bleibt, wenn der Process vollendet ist, nur kieselsaure Thonerde übrig. Da man sich
des Ausdruckes Kaolin bedient, bevor die Zersetzung noch
vollendet ist, so folgt daraus, dass diese Substanzen in ihren
chemischen Bestandtheilen in verschiedenen Exemplaren
auch verschieden erscheinen, indem es bald, wie schon früher erwähnt, reine kieselsaure Thonerde, bald dieselbe
mit einer verschiedenen Menge kieselsaurem Kali gemengt
vorstellt. In Frankreich heisst man dasselbe, wenn es rein
ist: Kaolin; wenn es nicht so sehr zersetzt ist: thonigen
Sand; und wenn es nur wenig vom Sande des Feldspathes abweicht: kiesligen Sand. Dieser Kieselsand kömmt
in einigen Recepten, die folgen, vor, wird aber mit seinem
eigentlichen Namen unvollkommener Feldspath an-

geführt. Dieser Zustand des Spathes gibt sich durch Verlust seines Durchscheinens, und durch die Leichtigkeit, mit der er bröckelt, was im unzersetzten Feldspathe nicht bemerkt wird, zu erkennen.

CHEMISCHE ZUSAMMENSETZUNG. — Das Kaolin enthält, wenn es ganz zersetzt ist, acht und vierzig Theile Kiesel- und zwei und fünfzig Theile Thonerde. So verliert der Feldspath, wenn er zersetzt wird, zwei Dritttheile seines Gewichtes. Zersetzter Bimsstein liefert einen sehr weissen Kaolin, der mit vielem Erfolge bei der Fabrikation der Mineralzähne gebraucht wird.

ZUBEREITUNG. — Der Kaolin wird zubereitet, indem man ihn im Wasser zum zartesten Pulver zerreibt. Um dies zu thun, muss man zwei Tonnen haben, von denen die eine mehrere Löcher seitwärts in verschiedener Entfernung vom Boden, drei, fünf bis sieben Zoll von demselben weg, gebohrt enthält. Diese müssen mit hölzernen Pflöckchen geschlossen sein. Diese Tonne heisse man Nr. 2. Nun nehme man die Tonne Nr. 1 und gebe, nachdem man sie mit reinem Wasser gefüllt hat, den Kaolin in dieselbe, und rühre das Ganze wohl herum, dann lasse man es zehn bis fünfzehn Sekunden stehen. Während dieser Zeit werden sich die gröbern Theile ihrer Schwere wegen zu Boden gesetzt haben. Nun schütte man den oberen Antheil der Flüssigkeit, der die feineren Theilchen in einem schwebenden Zustande enthält, in die Tonne Nr. 2, bedecke sie, und warte nun bis sich der ganze

Kaolin zu Boden gesetzt hat. Wenn dies geschehen ist, ziehe man das darüber befindliche Wasser durch die Seitenlöcher ab, indem man die Pflöckchen zu diesem Zwecke herausnimmt. Nachher muss die Masse in der Sonne getrocknet, und zum Gebrauche in wohl verschlossenen Gefässen aufbewahrt werden.

THON. — Einige reine und licht gefärbte Thonarten sind zur Verfertigung von Mineralzähnen verwendbar; aber da nicht alle Arten von Thon diesem Zwecke entsprechen, muss der Versuch mit jeder besonderen Art eigens vorgenommen werden, um zu sehen, ob er sich beim Brennen zu sehr zusammenzieht oder nicht. Pfeifenthon kann zu diesem Zwecke nicht verwendet werden.

KIESEL ODER KIESELIGE SÄURE. — Diese Substanz, die in der Mineralogie unter dem allgemeinen Namen Quarz bekannt ist, ist in der Natur weit verbreitet. Sie findet sich mehr oder weniger rein im Feuersteine, weissen Sande und körnigen Quarz, in vollkommener Reinheit aber im Bergkrystalle vor. Quarz soll immer in Krystallform genommen werden, da er so am reinsten ist, und am leichtesten präparirt werden kann.

ZUBEREITUNG. — Man bereitet den Kiesel zu, indem man ihn bis zur Rothglühhitze erhitzt, und dann im kalten Wasser ablöscht. Er wird dann leicht pulverisirt, und kann nachher levigirt werden.

Alle die erwähnten Substanzen müssen sorgfältig getrocknet und bis zum Gebrauche aufbewahrt werden.

SUBSTANZEN ZUM FÄRBEN DER MINERALZÄRNE. — Diese Substanzen sind entweder Metalle in einem Zustande feiner Vertheilung, oder es sind Metalloxyde. Sie werden gebraucht, indem man sie in bestimmten Verhältnissen entweder mit dem Körper der Zähne, oder mit dem Schmelze, oder mit beiden vermengt. Die gewöhnlichste Art, sie zum Färben der Zähne zu verwenden ist, sie mit dem Körper und Emaile zugleich zu mischen. Das Resultat ist kein absolut gewisses, indem nach Verschiedenheit der angewandten Hitze, und der Dicke des Zahnschmelzes die Farbe bald dunkler, bald blässer ist. Es wurde unter andern eine Methode versucht, die eine schöne Aussicht des Gelingens zeigt; sie besteht in dem Malen der Zähne und des Zahnfleisches auf dieselbe Weise, wie man Blumen etc. auf Porzellan malt. Der Hergang ist folgender: Die Oxyde werden zu einer Emailmasse gemacht, indem man sie mit irgend einem Flussmittel schmilzt. Eines der besten Flussmittel dafür bereitet man auf folgende Weise: man nehme Flintglas 12 Theile, Mennig 16 Theile, calcinirten Borax 3 Theile, gepulverten Feuerstein 4 Theile. Dies gibt einen Zahnschmelz, dessen Farbe vom Metalloxyde herrührt. Dieser Schmelz wird nun pulverisirt, und mit Lavendelöl gemischt, wenn man ihn mit einem Pinsel auf die Zähne malen soll. Wenn dies nun trocken ist, werden die Zähne zum dritten Male in den Ofen gegeben, und das Email geschmolzen. Der einzige Vorwurf, den man dieser Methode machen kann, ist, dass die Decke sehr dünn ist, und ihre Farbe leicht beim nachfolgenden Processe des Löthens verlieren kann. Es würde gut sein, diese Methode der

Färbung in der Art anzuwenden, dass man die Farbe auf
den Körper des Zahnes aufträgt, und ihn erst dann mit
einem Schmelze bedeckt, welcher durchscheinend genug
ist, dieselbe durchblicken zu lassen.

Die folgenden Substanzen sind beim Färben der Mineralzähne die gebräuchlichsten.

Gebrauchte Substanzen.	Erhaltene Farben.
1. Platinsalmiak	Blau
2. Platinfeilspäne oder Platinschwamm .	Graulich blau
3. Goldfeilspäne od. verriebenes Blattgold	Rosenroth
4. Goldperoxyd	Glänzend rosenroth
5. Cassius Purpurpulver	Rosig purpurroth
6. Titaniumoxyd	Glänzend gelb
7. Uraniumoxyd	Orangegelb
8. Zinkoxyd	Gelb
9. Manganoxyd	Purpur
10. Kobaltoxyd	Blau
11. Silberoxyd	Citronengelb.

Will sich der Mechaniker die erwähnten Präparate
selbst bereiten, so werden folgende Formeln hinreichen.

PLATIN-SALMIAK. — Man bereite sich Königswasser,
indem man einen Theil Salpetersäure mit zwei Theilen
Salzsäure mischt, schütte dies in eine gewöhnliche Oelflasche, die man in Sandbad gibt, werfe kleine Stückchen
Platin hinein, und lasse es so lange darin, bis es so viel
Metall als möglich aufgelöst hat. Dann schütte man die
Lösung, die Platinchlorid enthält, in ein grösseres Gefäss,
verdünne es mit Wasser zu einem bestimmten Grade, und
fälle es mit einer starken Auflösung von Salmiak, trenne
das Präcipitat durch ein Filtrum, dann wasche man es,
und hebe es zum Gebrauche auf.

PLATINMETALL. — Dies wird entweder als Feilspäne
oder als Platinschwamm gebraucht. Das letzte ist besser,
und wird bereitet, wenn man etwas von dem, durch den
erwähnten Process erhaltenen Präcipitate von Platinsalmiak
in einen Ballen zusammenpresst, und es bis zum Rothglühen erhitzt.

METALLISCHES GOLD. — Dies wird entweder als Feilspäne gebraucht oder als feines Pulver, das man durch
Fällung einer Chlorgoldlösung mittelst schwefelsaurem Eisen erhält. Man bekömmt es auch, wenn man Blattgold
mit Honig verreibt, und dann den Honig mit Wasser weg-
wäscht.

GOLD-OXYD. — Man bereite eine gesättigte Goldchlorid-
Auflösung, indem man metallisches Gold in Königswasser
löst, verdünne die Solution, und fälle sie mit flüssigem
Ammonium, wobei man Acht haben muss, dass man nicht
eine zu grosse Quantität Ammonium hinzufügt, indem sonst
das Präcipitat sich wieder lösen und eine heftig verpuf-
fende Verbindung entstehen würde. Wenn das Goldoxyd
gut bereitet ist, hat es eine braungelbe Farbe, und detonirt
schwach beim Erhitzen, indem es sein Oxygen verliert,
und wieder in metallisches Gold verwandelt wird.

DAS PURPURPULVER DES CASSIUS. — Dies ist eine eigene Zusammensetzung von Gold und Zinn, wo das Zinn
die Rolle einer Säure übernommen zu haben scheint. Von
diesem Gesichtspunkte aus könnte man das Zinn hier Zinn-
säure und das Cassius'sche Pulver zinnsaures Gold heissen.

Seine Zusammensetzung ist nach Berzelius folgende:

Gold	28 35
Doppeloxyd von Zinn. . .	64·00
Wasser	7·65
	100·00.

Bei Bereitung dieses Präparates muss man die grösste Vorsicht beobachten, um es immer von gleicher Güte zu bekommen. Folgendes sind die Regeln, die Thenard aufstellt: Man bereite Königswasser aus einem Theile Salzsäure und zwei Theilen Salpetersäure, um das Gold aufzulösen. Nachdem es gelöst ist, verdünne man es mit destillirtem Wasser und filtrire es; dann gebe man noch eine grössere Menge Wasser hinzu. Eben so bereite man, um das Zinn aufzulösen, eine Art Königswasser aus einem Theile Salpetersäure und zwei Theilen destillirtem Wasser bestehend, zu welchem man noch gemeines Salz im Verhältnisse von 130 Gran auf jedes Pfund destillirten Wassers hinzufügt. Das Zinn muss ganz rein sein, und darf nur allmählig der Säure zugefügt werden. Wenn die erste Portion aufgelöst ist, gebe man die zweite, und so fort, bis die Säure gesättigt ist, hinzu.

Die Lösung soll von gelber Farbe sein, und der Process sehr langsam an einem kühlen Orte vorgenommen werden. Wenn er beendet ist, filtrire man die Flüssigkeit, und verdünne sie mit hundert Theilen ihres Gewichtes destillirten Wassers.

Dann gebe man die verdünnte Goldlösung in ein gläsernes Gefäss, und füge die Zinnlösung allmählig hinzu, indem man die Mischung beständig mit einem Glasstabe umrührt, bis die Flüssigkeit die Farbe des Port-Weines annimmt. Man lasse es stehen, bis grosse Flocken des Purpurs sich am Boden ansetzen. Dann seihe man die Flüssigkeit ab, wasche den Niederschlag, und trockne ihn auf Fliesspapier.

TITAN-OXYD. — Dieses Oxyd, das man Titansäure heisst, findet man im natürlichen Zustande, bisweilen mit Eisenoxyd und manchmal auch mit reinem Uraniumoxyd verbunden. Dieses Oxyd wird auch in reinem Zustande gefunden, in welchem man es gewöhnlich anwendet. Seine Combination besteht aus:

Uraniumoxyd . . .	'72·15
Wasser . . . .,	15·70
Kalk	6·87
Zinn- und Manganoxyd .	1·55
Gangart	2·50.

Man soll es pulverisiren und im Wasser levigiren, dann trocknen und zum Gebrauche aufheben.

ZINK-OXYD. — Dieses wird durch Fällung einer schwefelsauren Zinksolution mit kohlensaurer Soda bereitet, worauf man das Präcipitat, das kohlensaures Zink ist, wäscht, und bis zur Rothglühhitze bringt, um die Kohlensäure zu entfernen, hernach hat es die Form eines weissen Pulvers.

MANGAN-OXYD. — Dies findet man in natürlichem und reinem Zustande.

KOBALT-OXYD. — Dies wird durch Fällung eines salpe-

tersauren, schwefelsauren oder salzsauren Kobalt mit kohlensaurer Soda erhalten; man trocknet und calcinirt es
bis zur Rothglühhitze, indem man die atmosphärische Luft
sorgfältig davon abschliesst. Es hat die Form eines grü-
nen Pulvers und besteht aus 100 Theilen Kobalt und 27·097
Oxygen. Seine färbende Eigenschaft ist so stark, dass Ein
Theil 300 Theile Borax beinahe schwarz färbt.

SILBER-OXYD. — Dieses Oxyd oder Protoxyd ist dunkel
olivenfärbig, und wird durch Lösen reinen Silbers in Salpetersäure, und Fällen desselben mit Kali oder Soda erhalten; man wäscht es dann mit einer reichlichen Quantität
Wasser, und trocknet es auf die gewöhnliche Weise.
Es besteht aus 100 Theilen Silber und 7·6 Theilen Oxygen.

DIE ZUBEREITUNG UND MISCHUNG DES ZAHNKÖRPERS
UND DES ZAHNSCHMELZES. — Nachdem man die gehörigen
Verhältnisse der verschiedenen Ingredientien für den Zahnkörper genau abgewogen hat, werden sie durch allmähliges Hinzugiessen von destillirtem Wasser angefeuchtet,
und durch Stossen in einem Wedgewood-Mörser gänzlich
amalgamirt. Die Masse wird nun auf eine Wedgewood-
Platte gebracht (da Glas so weich ist, dass es die Stoffe
verunreinigen würde) und mit einem Reibsteine, aus demselben Stoffe wie die Platte, zu der allerfeinsten Paste verrieben.

Wenn die Paste vollkommen durchgerieben ist, muss
man sie trocknen lassen, bis sie die Consistenz eines zähen Teiges bekömmt, und sie dann mit einem hölzernen

18

Hammer schlagen, oder sie zu wiederholten Malen, und durch längere Zeit mit einiger Kraft gegen die Platte werfen. Dieses Verfahren macht sie fest, und verhindert, dass sie sich beim Backen so stark zusammenziehe, wie es sonst geschehen würde.

Wenn die Paste ganz zubereitet ist, kann man sie ohne Nachtheil einige Zeit aufbewahren, wenn man sie nur nicht trocknen lässt; ja sie gewinnt sogar durch das Aufbewahren in stets feuchtem Zustande.

Die Zubereitung des Emails unterscheidet sich nur wenig von jener des Zahnkörpers, ausgenommen, dass der ganze Process wo möglich noch mehr Sorgfalt in Anspruch nimmt. Jedes Theilchen von Staub oder metallischer Beimischung muss sorgfältig ausgeschlossen, und eine elfenbeinerne Spatel gebraucht werden, um den Körper und Schmelz in dem Mörser oder auf der Platte zu behandeln. Das Email muss so fein als möglich verrieben werden, und die Consistenz eines Milchrahmes erhalten.

In den folgenden Formeln für Mineralzähne wird man finden, dass die Farbe derselben sich von jener der meisten andern wohl unterscheidet, sowohl durch den hohen Hitzegrad, der dabei angewendet werden muss, als auch die dadurch erzielte schöne Durchsichtigkeit, und ihre so genaue Aehnlichkeit mit den natürlichen Zähnen.

INGREDIENTIEN FÜR MINERALSTÜCKE.

Nr. 1.

Feldspath .	3 Theile
Thon .	1 Theil.

Nr. 2.

| Feldspath | . | . | 4 Theile |
| Kaolin | . | . | . | 1 Theil. |

Nr. 3.

Feldspath	.	.	24 Theile
Kiesel	.	.	.	12 Theile
Thon	.	.	.	6 Theile.

Nr. 4.

Feldspath	.	.	.	24 Theile
Kiesel	.	.	.	12 Theile
Kaolin	.	.	.	6 Theile.

Man kann der Masse, aus der man einzelne Zähne
macht, Stärkmehl im Verhältnisse von zwei Theilen Stärkmehl zu hundert Theilen trocknen Materials hinzufügen;
die Stärke wird zu einem Kleister gekocht, bevor man
sie mit der Masse vermengt, jedoch wird es nicht zweck-
mässig sein, Stärke der Masse beizumischen, wenn man
Zahnstücke daraus schneiden will, da dies sie sehr schwer
zu schneiden macht, wenn sie getrocknet ist.

INGREDIENTIEN FÜR MEHR DURCHSCHEINENDE EIN-
ZELNE ZÄHNE.

Nr. 5.

Feldspath	.	.	.	.	18 Theile
Zersetzter Feldspath	.	.	6 Theile
Kaolin	.	.	.	.	2 Theile
Feuerstein	.	.	.	12 Theile.

Nr. 6.

Feldspath	.	.	36 Theile
Kaolin	.	.	.	3 Theile
Kiesel	.	.	.	2 Theile.

Nr. 7.

Feldspath	.	24 Pfenniggewicht (à 24 Gran)
Kiesel	.	.	12 Pfenniggewicht
Kaolin	.	.	36 Gran.

18 *

Nr. 8.

Feldspath	. .	48 Theile
Kiesel .	. .	32 Theile
Thon .	. .	3 Theile.

Nr. 9.

Feldspath	. . .	60 Theile
Kiesel .	. . .	32 Theile
Kaolin .	. . .	3 Theile.

Nr. 10.

Feldspath	60 Theile
Zersetzter Feldspath	40 Theile
Kiesel	20 Theile.

Nr. 11.

Feldspath	72 Theile
Zersetzter Feldspath . .	48 Theile
Kiesel	24 Theile
Kaolin	6 Theile.

Nr. 12.

Feldspath	100 Theile
Zersetzter Feldspath	50 Theile
Kiesel	24 Theile
Kaolin	12 Theile.

ZAHNEMAILS FÜR DIE VORAUSGESCHICKTEN INGRE-DIENTIEN.

Nr. 1.

Zersetzter Feldspath . . .	24 Theile
Flint-Glas	12 Theile
Feldspath	6 Theile.

Nr. 2.

Zersetzter Feldspath	24 Theile
Gepulvertes blaues Canton-Porzellan	10 Theile
Flint-Glas	3 Theile
Borax	4 Theile.

Dieses Zahnemail ist sehr schmelzbar und wird bei Zahnkörpern gebraucht, die eben so beschaffen sind.

Nr. 3.

Zersetzter Feldspath . .	24 Theile
Blaues Canton-Porzellan .	12 Theile
Flint-Glas	6 Theile.

Nr. 4.

Zersetzter Feldspath . .	24 Theile
Flint-Glas	12 Theile
Feldspath	6 Theile.

Nr. 5.

Feldspath	36 Theile
Zersetzter Feldspath . .	18 Theile
Thon	12 Theile.

Nr. 6.

Zersetzter Feldspath . .	20 Theile
Flint-Glas	1 Theil.

Nr. 7.

Feldspath	12 Pfenniggewicht
Kiesel	12 Gran.

Die beste Methode mit Zahnschmelz zu belegen, ist die mit der zunächst angegebenen Mengung. Sie macht mehr Mühe, aber die Schönheit der Arbeit belohnt den Verfertiger.

GEMENGE FÜR EMAIL.

Zersetzter Feldspath . . .	28 Theile
Kaolin	14 Theile
Borax	12 Theile
Flint-Glas	8 Theile
Kali	3 Theile
Salpeter	3 Theile.

Nachdem man diese Bestandtheile in wohl verkitteten Schmelztiegeln in dem Ofen gegen drei Stunden geschmolzen hat, lasse man die Masse auskühlen, und entferne sie durch Brechen des Schmelztiegels aus demselben; dann pulverisire man dieselbe ganz fein, und gebe einen halben Theil Kanton-Porzellan und einen halben Theil Feldspath hinzu. Man mische und reibe nun das Ganze fest durcheinander.

SCHMELZ FÜR DAS ZAHNFLEISCH. — Zahnfleisch-Schmelz kann man aus allen angegebenen Formeln mit Ausnahme derjenigen bilden, die Thon enthalten. Ein Gran Goldperoxyd wird hinreichen, vierzehn Pfenniggewicht Zahnschmelz zu färben. Wenn das Gold eine zu lichte Farbe hervorbringt, muss ein sehr kleiner Antheil von Titaniumoxyd hinzugefügt werden.

FARBENGRADE FÜR DIE INGREDIENTIEN DER MINERALZÄHNE.

AUF SIEBEN UND DREISSIG PFENNIGGEWICHT TROCKENEN MATERIALS.

Der Grad der Farbe ist durch die grossen Buchstaben, und die Farbe selbst durch die kleinen angedeutet. Wenn *A* der reine ungefärbte Zahnschmelz ist, ist *B* dann die lichteste und *I* die dunkelste Farbennüance.

GELB.

B. g. Titaniumoxyd	. . .	2 Gran
C. g. detto	. . .	3 Gran
D. g. detto	. . .	5 Gran
E. g. detto	. . .	6 Gran
F. g. detto	. . .	8 Gran.

BLAUE FARBENNÜANCEN.

B. b. Platinschwamm	. . .	1½ Gran
C. b. detto	. . .	2 Gran

D. b.	Platinschwamm	. . . .	2½ Gran
E. b.	detto	. . . .	3 Gran
F. b.	detto	. . . .	4 Gran.

GRÜNLICHE FARBENNÜANCEN.

B. gr.	Titaniumoxyd	3 Gran, und Platinschwamm	. 1 Gran
C. gr.	detto	. 4 Gran, und	detto . 1½ Gran
D. gr.	detto	. 5 Gran, und	detto . 2 Gran
E. gr.	detto	. 6 Gran, und	detto . 2½ Gran
F. gr.	detto	. 7 Gran, und	detto . 3 Gran
G. gr.	detto	. 8 Gran, und	detto . 4 Gran.

FARBENGRADE FÜR ZAHNEMAILS.

AUF VIER UND EIN HALB PFENNIGGEWICHT TROCKNEN MATERIALS.

GELBE FARBENNÜANCEN.

B. g.	Titaniumoxyd	. . . .	¼ Gran
C. g.	detto	. — . .	½ Gran
D. g.	detto	. . . .	¾ Gran
E. g.	detto	. . . .	1 Gran.

BLAUE FARBENNÜANCEN.

B. b.	Platinschwamm	. . . .	¼ Gran
C. b.	detto	. . . .	½ Gran
D. b.	detto	. . . .	¾ Gran
E. b.	detto	. . . .	1 Gran.

GRÜNLICHE FARBENNÜANCEN.

B. gr.	Titaniumoxyd	¼ Gran, und Platinschwamm	½ Gran
C. gr.	detto	½ Gran, und	detto ¾ Gran
D. gr.	detto	¾ Gran, und	detto ¾ Gran
E. gr.	detto	1 Gran, und	detto ¾ Gran
F. gr.	detto	1¼ Gran, und	detto 1 Gran
G. gr.	detto	1½ Gran, und	detto 1¼ Gran
H. gr.	detto	1¾ Gran, und	detto 1½ Gran
I. gr.	detto	1¾ Gran, und	detto 1¾ Gran.

DAS FORMEN DER MINERALZÄHNE. — Die Formen zu

diesem Zwecke können entweder in Gyps, oder in Erz
oder Stahl gemacht sein, die letzteren sind dauerhafter,
und wenn sie gut ausgearbeitet sind, gleichförmiger und
besser. Die Höhlungen, in welchen die Zähne geformt
werden sollen, müssen um den fünften Theil grösser, als
die verlangten Zähne sein, indem sie sich um so viel beim
Backen zusammenziehen. Wenn man Gypsformen braucht,
müssen sie wohl getrocknet und in gleichen Theilen von
geschmolzenem Wachs und Harz getränkt sein, um sie
dauerhaft zu machen. Nachdem man die Formen mit einem
Pinsel, in feines Oel getaucht, wohl beölt hat, drücke
man die für den Zahnkörper zubereitete Masse in dieselben. Die Höhlungen müssen nicht allein angefüllt, sondern
ein beträchtlicher Theil noch hervorragend gelassen werden, der, indem man den hintern Theil der Form in einen
Schraubstock bringt, ausgepresst wird.

Wenn die Zähne Platten-Zähne (Amerikanische) sind,
und die Platinstiftchen vorläufig aus einem Drahte von geeignetem Umfange geschnitten wurden, so soll ein Ende
von ihnen entweder mit dem Hammer umgebogen, oder
ein kleiner Kopf an denselben angemacht sein, wornach man
sie in die Paste durch das Loch an der hintern Seite der
Form einbringt. Wenn sie Röhrenzähne werden sollen, brauchen sie keine Stiftchen, sondern man macht ein Loch in
der Mitte der Paste, indem man ein rundes Stück Draht in
die Oeffnung hineinstösst, die zu seiner Aufnahme an der
Spitze der Form angebracht ist; früher wird ein kleines
Instrument von der Gestalt eines Hohleisens eingeführt, um
eine kleine Menge des Zahnkörpers, wo das Platin-Röhr-

chen hinkommen soll, wegzunehmen. Die Zähne werden
dann getrocknet, was geschieht, indem man die Formen
in einen Ofen, oder an einen warmen Ort stellt. Wenn
sie vollkommen trocken sind, können die Formen auseinander gelegt werden, und die Zähne werden herausfallen.
Wenn man dann finden sollte, dass sie noch irgend einen
Makel an sich hätten, kann man selben mittelst Schneiden
oder Kratzen entfernen, und wenn es nöthig wäre, kann
man auch ihre Gestalt auf ähnliche Weise verändern.

DAS FORMEN VON GANZEN MINERALSTÜCKEN. — Es ist
besser, ein Stück zu machen, das mehrere Zähne in Einem
sammt dem entsprechenden Zahnfleische enthält. Nachdem
man die Goldplatte, auf welcher die künstlichen Zähne befestigt werden sollen, gemacht hat, hat man zugleich die
Basis, auf welcher das Stück geformt wird.

Die Masse wird zuerst in ihrem bildbaren Zustande
zu einer geeigneten Gestalt ganz roh modellirt, indem
man darauf bedacht ist, jeden Theil etwas grösser zu machen. Die Platin-Stiftchen oder Röhrchen werden nun dem
Centrum jedes Zahnes gegenüber eingefügt, und das Modell ganz getrocknet. Wenn es trocken ist, muss man nun
sorgfältig die passende Form aus selbem herausarbeiten,
und die Zähne so genau als möglich den natürlichen nach-
bilden; nur muss man sie um den fünften Theil stärker
formen. Dieser Theil des Verfahrens verlangt Geschicklichkeit und Achtsamkeit; Geschicklichkeit, um die Gestalt
der Zähne richtig zu treffen; Achtsamkeit, um die Masse

nicht zu beschädigen, die in diesem Zustande ausserordentlich gebrechlich ist.

Ein ganzes Gebiss künstlicher Zähne wird gewöhnlich aus drei Stücken gearbeitet; das Mittelstück, das die Schneide- und Eckzähne enthält, muss zuerst geformt und gebrannt werden, so dass es sich so viel als möglich zusammenziehen kann; die Seitenstücke müssen dann diesem entsprechend modellirt werden, so dass keine wahrnehmbare Lücke zwischen dem Mittel- und den Seitenstücken entsteht, wenn sie alle vollendet sind.

DAS BRENNEN UND EMAILLIREN. — Wenn nun die Zähne auf die beschriebene Art geformt und ausgearbeitet sind, kommen sie in einen Schmelztiegel, auf dessen Boden sich ein wenig trockner Kaolin befindet, und werden nun einer hellen Rothglühhitze beim Holzkohlenfeuer ausgesetzt. Dieser Hitzegrad verglast sie wohl nicht, aber backt sie doch zusammen und macht sie hart genug, um das Email anzunehmen. Man heisst die Masse in diesem Zustande matt-weisse Porzellanmasse.

Wenn diese matt-weisse Porzellanmasse ausgekühlt ist, muss der Zahnschmelz darauf kommen, was sehr viele Sorgfalt erheischt. Nachdem man eine entsprechende Menge Zahnemail von der Consistenz des Milchrahms hergerichtet, und zugleich für mehrere Farbenabstufungen desselben gesorgt hat, wird dasselbe auf die Vorderfläche des Zahnes, der früher gereinigt wurde, mit einem Kamcelhaar-Pinsel in einer gleichförmigen Schichte aufgetragen, und zugleich die schneidende Kante des Zahnes damit belegt, um diesem

Theile die nöthige Durchscheinbarkeit zu verleihen. Wenn der Zahn von gleichmässiger Farbe ist, braucht man ihn, wenn er trocken ist, nur regelmässig und eben zu machen, was mittelst einer Nadel, die in einer Handhabe befestiget ist, geschieht.

Gewöhnlich wünscht der Mechaniker den Zahn in drei verschiedenen Farbentönen, und bei ganzen Mineral-Stücken auch das Zahnfleisch zu färben. Um dies zu bewerkstelligen, müssen mehrere Portionen Zahnemails von erforderlicher Farbe gemischt (siehe die Farbengrade für Zahnemails Seite 279) und jede an die gehörige Stelle angebracht werden. Man muss genaue Sorge tragen, dass nicht das rosige Email des Zahnfleisches die Zähne berühre, denn geschieht dies, so bildet sich dann um jeden Tropfen eine scharf ausgesprochene Kante. Die Farbentinten der Zahnkrone müssen sorgfältig aufgetragen werden, um sich zu vermischen oder in einander überzugehen, während das Zahnfleisch eine genau abgegrenzte Trennungslinie darbietet. Um dies Alles gut zu Stande zu bringen, müssen die verschiedenen gefärbten Emailsubstanzen auf den Zahn aufgetragen, und mit einer dünnen Schichte von Schmelz bedeckt werden, das, um es flüssiger zu machen, mit einer grössern Menge Wassers vermischt ist.

Man pflegt gewöhnlich jenen Theil der Krone, der dem Zahnhalse zunächst ist, gelb, und die Spitze blau zu färben. Wenn die hervorstechende Farbe jener Zähne, die man nachahmen will, gelb ist, muss die dünne Schichte von gelbem Schmelze sein; ist sie blau, so muss diese Lage mit blauem Schmelze aufgetragen werden.

Der Körper des Zahnes muss ebenfalls gefärbt werden, um mit dem Email desselben zu harmoniren, sonst fällt die Wirkung nicht gut aus. Wenn die Zähne vollkommen trocken sind, kann man sie in den Ofen geben.

Der Ofen ist von der Art, die man Muffel-Oefen (verdeckte Oefen) heisst, und ist mit einem Schieber versehen, auf welchen die Zähne gelegt werden. Derselbe ist aus starkem feuerfesten Thone gemacht, und enthält kleine Aushöhlungen, um die Platina-Stifte anzubringen (wenn man flache Zähne macht), vermöge welcher Vorrichtung sie so gelagert werden können, dass ihre schneidenden Kanten frei bleiben, und mit nichts in Berührung kommen, was ihre Form verändern kann. Bevor man die Zähne auf den Schieber bringt, muss derselbe mit einer ziemlich dicken Lage Kaolin, das mit Wasser angemacht ist, bedeckt werden, oder man kann auch eine Schichte gepulverten Kiesels aufstreuen, Beides, um das Ankleben der Zähne zu verhindern. Vielleicht ist eine Lage trockenen Kaolins zu diesem Behufe das beste Mittel. Wenn man Röhrenzähne brennt, müssen sie so in eine Höhlung des Schiebers gestellt werden, dass ihre Kante vorspringt und ihre Form nicht verliert. Zu diesem Zwecke muss man die Höhlungen in der Quere machen, was man gewöhnlich auf einem separaten Schieber bewerkstelliget, der mittelst eines Halsstückes mit einem Ofenrohre in Verbindung steht, welches letztere in einen Kamin gehen muss, um einen hinlänglichen Zug herzustellen.

DIE FEUERUNG. — Das Feuer muss mit kleinen Stücken Holzkohle unterhalten werden, weil dies wenig Asche er-

zeugt. Ueber diese muss eine Lage Anthrakit (jene Art Koh-
lenblende, die hart ist und weisse Asche gibt) ausgebreitet
werden, nachdem man ihn früher in Stücke von der Grösse
einer Wallnuss zerbröckelt hat. Um zu verhüten, dass der
Ofen auskühlt, muss der Anthrakit in kleinen Quantitäten
so lange zugelegt werden, bis der Ofen voll ist. Wenn
nun dieser vollkommen erhitzt und die Holzkohle ganz verbrannt ist, muss der Ofen mit Anthrakit bis zwei Zoll unter
dem obern Rande gefüllt, und der Deckel auf die Oeffnung aufgesetzt und wohl verkittet werden. Die Kohle muss,
bevor man diese letzte Füllung vornimmt, im Ofen gut nach
abwärts geschüttelt werden, da man die grösste Hitze gerade an diesem Punkte braucht.

Nachdem die Zähne in mattweisse Porzellanmasse verwandelt wurden, und der Schmelz darauf aufgetragen ist,
werden sie, wie erwähnt, auf den Schieber aufgestellt.
Wenn der Ofen an seiner Stelle ist, wird der Schieber vorsichtig hineingeschoben, und die Oeffnung am obern Ende
des Ofens mit feuerfestem Thone vermacht. Man hüte sich,
nachdem dies geschehen, das Feuer noch aufzustören oder
unter einander zu rütteln.

Das Probir-Stück (es besteht aus einem Platindrahte,
der aus dem Ende jenes Pfropfes hervorragt, welcher das
Loch in dem eben erwähnten Deckel ausfüllt) ist bestimmt,
einen Zahn von derselben Mischung an seinem Ende befestigt zu haben, um den Laboranten in Stand zu setzen, über
den Fortgang des Brennens zu urtheilen, und dieses wird
nun an seine Stelle gebracht; dann gibt man den zweiten
Deckel darüber und verkittet ihn genau.

Einige geben einem Deckel mit drei Löchern den Vorzug, indem sie in jedes derselben ein Probirstück einführen.
Der Vortheil dabei ist, dass der Laborant eine Probe wegnehmen, und wenn sie noch nicht gehörig gebrannt ist,
in seiner Arbeit fortfahren kann, ohne befürchten zu müssen, dass die andern Proben dem Kühlungsprocesse ausgesetzt waren, während dem er die erste untersuchte. Diese
Methode ist für Anfänger sehr vortheilhaft, aber bei einiger Erfahrung kann man den Grad der Erhärtung im Feuer,
ohne das Probirstück auszukühlen, recht wohl bestimmen. Einige bedienen sich gar keines Probirstückes, sondern öffnen den Ofen und ziehen den Schieber allmählig
heraus, wenn sie meinen, dass die Zähne hinlänglich gebrannt sein könnten. Wenn dies noch nicht geschehen,
wird der Schieber schnell wieder zurückgeschoben, und
einige Zeit länger darin gelassen, bis man neuerdings untersucht. Sobald als die Probe bei der Untersuchung zeigt,
dass die Zähne vollkommen gehärtet sind, was man daraus
erkennt, dass das Email über die ganze Oberfläche des Zahnes geschmolzen ist und sich glänzend ergossen hat, muss
der Pfropf von der obern Oeffnung entfernt, und der Sto-
pfer in die untere Oeffnung gebracht, und wohl vermacht
werden. Der Ofen muss dann so lange stehen, bis die Ver-
brennung aufgehört, und Alles kalt geworden ist. Auf diese
Art werden die Zähne sehr allmählig von einer intensiven
Hitze auf die gewöhnliche Temperatur herabgebracht, und
die Theilchen oder Moleküle, aus welchen sie bestehen,
haben Zeit genug, sich in der festesten Verbindung aneinan-
ander zu reihen. Dieses nennt man gewöhnlich den Aus-

glühungsprocess, und man sagt, die Zähne sind entweder gut oder schlecht ausgeglüht. Wenn sie gut ausgeglüht sind, werden sie plötzliche Temperaturveränderungen ohne Schaden vertragen, wo im Gegentheile die flachen Zähne, wenn sie schlecht ausgeglüht sind, unter dem Löthrohre leicht springen, und so unbrauchbar gemacht werden.

SILBER, GOLD UND PLATIN VON FREMDEN BEI-
MISCHUNGEN ZU TRENNEN.

Wie vorsichtig auch der Mechaniker bei der Arbeit
sein mag, so wird sich doch immer eine gewisse Quantität
des Metalles, das er verwendet, als Staub und Feilspäne
auf dem Tische und dem Boden und in dem am Arbeitstische befindlichen Lederschurze ansammeln. Dies heisst man
mit einem technischen Ausdrucke K r ä t z e oder M e t a l l-
k e h r i c h t, und da es gewöhnlich nebst den edlen Metallen eine Menge anderer Substanzen, wie Eisen, Zink,
Wismuth, Zinn etc. enthält, so wird es nöthig, den werth-
vollen Antheil von dem werthlosen zu trennen. Wir wollen nun die verschiedenen Methoden beschreiben, nach denen dies gemacht wird.

SILBER. — Um die Holzkohle, die ausgeglühte Asche
und andere fremde Körper von den Metallen zu trennen,
passire man die Krätze durch ein feines Drahtsieb, pulverisire das Ueberbleibsel sehr fein, indem man es in einen
Eisen-Mörser zerstösst, und es wieder durchsiebt; hierauf
werde das Ganze öfter durchgewaschen, indem man es

in's Wasser eintaucht und es mittelst der Hand oder eines
Stäbchens umrührt. Während diesem Verfahren schwimmen
die erdigen Theile, die leichter als die Metalle sind, die
der Staub enthält, in dem Wasser herum; dies giesst man
dann ab, und die Metalle bleiben auf dem Grunde.
Nachdem man nun den Rückstand gesammelt hat, unterwerfe man ihn in einem gläsernen Gefässe der Einwirkung von verdünnter Salpetersäure, in dem Verhältnisse von
vier Theilen Säure zu zwei Theilen destillirten Wassers,
und unterstütze die Wirkung der Säure durch die Wärme
des Sandbades. Wenn Wismuth, Kupfer, Eisen oder Silber
darin enthalten ist, wird die Säure diese Metalle auflösen,
und ein Antheil von Eisen oder Zinn, der nicht aufgelöst
wird, in einem oxydirten Zustande zurückbleiben, während der Rückstand aus Gold und Platin besteht.

Es wird die Flüssigkeit nun abgeseiht, und das Resi-
duum zu wiederholten Malen mit Wasser ausgewaschen,
und dies neuerdings zur Mutter-Flüssigkeit hinzugegeben.
Man filtrire diese Flüssigkeit durch Fliesspapier, und behandle
das Fluidum mit Salzsäure, bis kein Niederschlag mehr zu
Boden fällt. Der Niederschlag ist Silberchlorid, wovon
1000 Theile 753 Theile Silber enthalten, das man wie folgt
darstellen kann : Nachdem man den Niederschlag gewaschen,
und auf einem Filtrum gesammelt und getrocknet hat, mische man ihn mit kleinen Stückchen Kreide und Kohle,
gebe die Mischung in einen Schmelztiegel, und unterwerfe
das Ganze der Wirkung des Ofenfeuers durch eine halbe
Stunde. Wenn der Ofen ausgekühlt ist, zerbreche man den
Schmelztiegel, und man wird das Silber auf seinem Boden

19

in Gestalt eines Knopfes finden, der mit ein oder zwei Percent Gold gemengt ist.

GOLD. — Der zuvor erwähnte Rückstand, der Eisenoxyd, Zinn, Platin und Gold enthält, muss nun mit Salzsäure unter der Mitwirkung des Sandbades behandelt werden. Das Eisen und Zinn wird schnell gelöst sein, und wenn man es mit Wasser verdünnt, braucht man es bloss abzuseihen. Wir haben jetzt kein Ueberbleibsel als Gold und Platin, welche gesondert werden können, wenn man sie in Königswasser auflöst. Ist dies geschehen, verdünne man die Lösung mit destillirtem Wasser, und tröpfle eine Lösung von schwefelsaurem Eisen, die aus Einem Theile dieses Eisenpräparates im Verhältnisse zu vier Theilen Wasser besteht, hinzu, lasse es dann durch drei bis vier Tage stehen, giesse darauf die Flüssigkeit ab, und das Gold wird auf dem Boden des Gefässes in der Gestalt eines feinen Pulvers sich vorfinden.

Es ist immer nothwendig, sich von der Genauigkeit der Operation zu überzeugen, um die Gewissheit zu haben, dass alles Gold aus der Lösung sich niedergeschlagen hat; dies geschieht, wenn man eine andere Eisenvitriollösung hinzufügt. Wenn sich nun, nachdem die Mischung durch 24 Stunden gestanden ist, ein neuer Niederschlag bildet, kann man ihn zu dem ersteren hinzugeben.

Man wasche den Niederschlag mit destillirtem Wasser, das leicht mit Schwefelsäure gesäuert ist, und dann mit reinem Wasser. Man sammle und trockne nun das Pulver auf einem Filtrum, so wie das Silber, dann reduzire man es, indem man den Niederschlag mit etwas Borax und Salpeter in einem Schmelztiegel mischt, und es dann der Ofenhitze in der früher beschriebenen Art aussetzt.

PLATIN. — Der überbleibende Theil der Lösung, der jetzt bloss Platin enthält, muss wie folgt behandelt werden. Um das Platin zu trennen, hänge man Zinkplatten durch zwei oder drei Tage in der Lösung auf, und das Platin wird sich allmählig in der Gestalt eines schwarzen Pulvers niederschlagen. Man wasche dieses mit Wasser, das mit etwas Schwefelsäure versetzt ist, um jeden Antheil Zink, der noch übrig bleiben könnte, zu entfernen. Man löse es dann wieder im Königswasser, und dampfe es bis zur Trockenheit ab; löse das Ueberbleibsel in destillirtem Wasser, dem man eine Lösung von Salmiak hinzufüge, worauf ein gelbes Präcipitat, aus Salzsäure, Platin und Ammoniak zusammengesetzt, erfolgen wird. Man sammle und trockne den Bodensatz auf einem Filtrum, gebe es in einen Schmelztiegel, und erhöhe allmählig die Temperatur des Ofens. Wenn die weissen Dämpfe, die der Zersetzung des Ammoniaks folgen, verflüchtigt sind, steigere man die Hitze, lasse dann den Schmelztiegel auskühlen, und sammle den Rückstand, der in der Gestalt einer schwammigen Masse sich darstellt, und dies ist jene Masse, die man Platinschwamm nennt.

19 *

FÄLLE, DIE IN DER PRAXIS VORKOMMEN.

Nachdem wir in den vorhergehenden Blättern dem Lernenden eine hinlängliche Unterweisung in den mechanischen Verrichtungen gegeben haben, die er zur Verfertigung und Anpassung einzelner Stücke, wie ganzer Gebisse künstlicher Zähne braucht, wollen wir nun einige Fälle auseinandersetzen, die am häufigsten vorkommen, dass er bei Verfertigung solcher künstlicher Zahnarbeiten, die aller Wahrscheinlichkeit nach von ihm in seiner Praxis verlangt werden könnten, aus Mangel an Kenntniss nicht in Verlegenheit komme. Wir wollen der bildlichen Darstellung halber einen Fall annehmen, wo der Verlust der sechs Vorderzähne Statt fand; die Krone dreier Schneidezähne und des linken Eckzahnes nämlich fehlt, und die Wurzeln des linken seitlichen Schneide-, und des rechten Eckzahnes wurden ausgezogen, wie es der nächste Holzschnitt zeigt.

Es ist in diesem angenommenen Beispiele einleuchtend, dass man auf die vier Wurzeln vier künstliche Kronen mittelst Stifte auf die gewöhnliche Art befestigen kann,

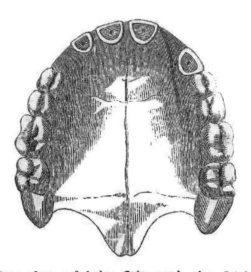

dass dann aber auf jeder Seite noch eine Lücke bleibt, die man sowohl der Bequemlichkeit, als des bessern Aussehens des Patienten halber ausfüllen soll. In dem aufgestellten Falle, den wir vor uns haben, ist zu bemerken, dass die Backenzähne noch vorhanden sind, und man sich ihrer vortheilhaft als Stütze bei Befestigung einer Platte mit Klammern bedienen kann. Einige Patienten jedoch haben eine Abneigung gegen den Gebrauch von Klammern, und bisweilen geschieht es, dass der Verlust aller Backenzähne es dem Mechaniker zur gebieterischen Nothwendigkeit macht, das Stück so zu arbeiten, dass die nöthige Anzahl der Zähne an den vier Wurzeln, wie erwähnt, mit Sicherheit befestigt werde. In beiden Fällen muss ein Abdruck von dem vordern Theile des Mundes genommen werden, nachdem man früher hölzerne Stifte in die natürlichen

Oeffnungen der Zahnstümpfe eingefügt hat; ferner muss
eine Platte gemacht werden, die sich längs des erforderlichen Raumes erstreckt, so wie man auch an der Innenseite dieser Platte vier metallene Stifte gerade auf dieselbe
Art anlöthet, wie wir es für die Befestigung eines einzelnen Stiftzahnes an der Platte angegeben haben.

BEFESTIGUNG EINES EINZELNEN ZAHNES AN EINER PLATTE.—
Die Methode, die die Zahnärzte gewöhnlich bei der Befestigung eines einzelnen Zahnes anwenden, besteht darin,
dass sie die Goldplatte nur so weit führen, als die Lücke
des Zahnes auf jeder Seite reicht, und einen feinen Golddraht an der Platte anbringen, der die zwei Nachbarzähne
umklammern soll, wie die Abbildung zeigt.

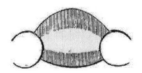

Diese Methode, die einzelnen Zähne zu befestigen,
ist nebst dem Uebelstande, dass sie das Gold im Munde
zeigt, auch den benachbarten Zähnen sehr nachtheilig, an
welchen die Drähte befestiget sind, indem durch die beständige Reibung der letztern die Zähne in ihrer Substanz
bald zerstört, und aus Mangel an Solidität und Festigkeit
der künstlichen Stellvertreter gelockert werden, und gewöhnlich im Verlaufe weniger Monate ganz verloren
gehen.

Der wichtige Zweck, der erreicht werden soll, und
den der Mechaniker bei der Verfertigung künstlicher Zähne nie aus dem Auge verlieren darf, ist der, sein Werk
über eine solche Fläche des Zahnfleisches auszudehnen,
dass die Befestigungen, durch welche die Zähne in ihrer
Lage gesichert werden, hinlänglich weit nach rückwärts
seien, um nicht gesehen zu werden. Die Klammern müssen
auch hinlänglich breit sein, um die Kraft zu vertheilen,
und jene ernstlichen und zerstörenden Folgen abzuhalten,
die die Anwendung der Drähte im Gefolge hat.

Die Methode, die wir bei Befestigung eines einzelnen
Vorderzahnes befolgen und anempfehlen, ist, die Goldplatte längs den Seiten des Mundes bis zu den ersten
Mahl- oder Backenzähnen auszudehnen, und breite Klammern an dem Ende der Platte zu befestigen. In einigen
Fällen, wo keine natürliche Theilung zwischen den Zähnen
besteht, wird es nothwendig sein, sie mit einer Feile zu
trennen. Ein Zahn, der so verfertigt ist, wird, wie hier
abgebildet ist, aussehen.

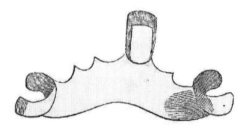

Es kann geschehen, dass in Folge des Verlustes der
Zähne auf einer Seite des Mundes die Befestigung nur an

einem einzelnen Zahne, oder an mehreren Zähnen Einer Seite angebracht werden kann; im ersteren Falle, würde das Stück wie folgt aussehen.

Wenn die Platte und Klammer von hinlänglicher Stärke sind, wird diese Vorrichtung sogar zum Kauen hinreichen.

In ähnlichen Fällen bleibt es immer, wo es angeht, wünschenswerth, zwei Klammern zur Unterstützung des Stückes, wie hier zu sehen, anzubringen.

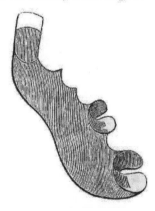

In anderen Fällen, wo nur Ein Zahn zur Befestigung des künstlichen Zahnes übrig bleibt, und wenn auch dieser ein Backen- oder Mahlzahn ist, wird es einleuchtend sein, dass man keine grosse Festigkeit erreichen kann. Doch wird der Druck des gegenüberstehenden Zahnes immer etwas dazu beitragen, dass sich der neue nicht von seiner Grundlage erhebe. Die Fälle, wo man des Erfolges in vorhinein sicher sein kann, sind die, in welchen der überbleibende Zahn im Munde fest und gesund, und von einer platten oder eckigen Form ist, um den Mechaniker in den Stand zu setzen, die Klammer zur Befestigung seines Stückes genau demselben anzupassen; in solchen Fällen wird der künstliche Zahn zum Kauen zu brauchen sein.

In Fällen, wo der erste Backenzahn fehlt, muss der Operateur seine Goldplatte verlängern, und seine Befestigung am ersten Mahlzahne, wie folgt, anbringen.

Wenn die zwei Mittelzähne der obern Kinnlade fehlen, besteht die allgemein angenommene Methode darin, das Stück mittelst Drähte zu befestigen, und zwar so:

Derselbe Vorwurf, wie im ersten Falle, kann auch hier gegen die Anwendung der Drähte erhoben werden. Es ist bei Weitem vorzuziehen, das Stück entweder an dem zweiten Backen- oder ersten Mahlzahne zu befestigen, und zwar mittelst breiter Klammern, wie hier abgebildet.

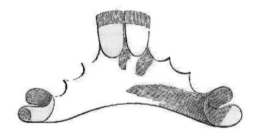

In Fällen, wo die vier obern Schneidezähne fehlen, ist es besser, anstatt ihre Stellvertreter an den zwei Eckzähnen, wie es gewöhnlich geschieht, zu befestigen, die Goldplatte auf jeder Seite bis zum ersten Mahlzahne zu verlängern, und dann den Hals jedes dieser Zähne mit einem breiten Bande zu umschliessen, wie diese Abbildung es zeigt.

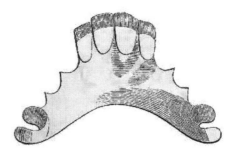

Es verursacht den Patienten oft grosse Beschwerde, wenn man ihnen zwei oder mehrere einzelne Zähne separat auf Goldplatten befestigt, z. B. die zwei ersten Backenzähne; in solchen Fällen ziehen wir es gewöhnlich vor, dieselben an einer einzigen Platte zu befestigen, auf folgende Art:

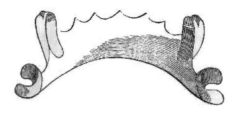

Bisweilen bleibt nur der erste Mahlzahn noch im Munde, um einem grossen künstlichen Stücke als Unterstützungspunkt zu dienen. In diesen Fällen muss die Goldplatte so hoch als möglich über den Rand des Zahnfleisches hinaufreichen, und zwar jener Seite des Mundes, wo die Befestigung angebracht wurde, entgegengesetzt, wie hier zu sehen:

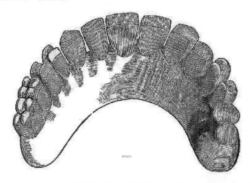

Es gibt auch Fälle, in welchen nur zwei Mahlzähne noch übrig sind; die Goldplatte muss sich in diesem, wie in ähnlichen Fällen, so weit als möglich nach rückwärts im Munde erstrecken; dies gibt dem Stücke Festigkeit und Stütze während dem Kauen, wie dieses:

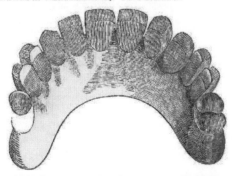

Wo alle oberen Zähne verloren gegangen sind, besteht die gewöhnliche Methode zur Unterstützung eines künstlichen Stückes darin, eine Platte oder Spange an der innern Oberfläche der untern Zähne anzubringen, und das Gold, so weit der Rand des Zahnfleisches reicht, in der Form von Kapseln über die Kronen und äussern Flächen der Backen- und Mahlzähne auszudehnen. An der Platte, die die letzteren umhüllt, sind die Zapfen für die Spiralfedern angelöthet.

Dieses Alles aber ist zur Unterstützung eines obern Stückes ganz unnöthig, wenn die Goldplatte nur, wie früher beschrieben, genau gemacht, ziselirt und eingravirt ist, und gut über die Winkel des Kiefers hinüber reicht, und wenn das Aufbeissen wohl geordnet ist, wird die Platte niemals der Beihilfe von Spiralfedern zu ihrer Stützung benöthigen. Und selbst wenn der Fall wegen Seichtigkeit des Zahnfleisches den Gebrauch des Goldes nicht zuliesse, kann man noch immer mit Bein sich behelfen.

KÜNSTLICHE GAUMEN. — Der Zahnoperateur wird heut zu Tage zur Verfertigung dieser selten aufgefordert, seit die Behandlung der Syphilis und die Anwendung ihrer Gegenmittel viel besser wie früher verstanden werden. Ob der Substanzverlust des Gaumens angeboren, wie beim Wolfsrachen, oder ob er Folge von Krankheiten ist, ist für den Zahnarzt kein Gegenstand von Bedeutung.

Dr. Brown von New-York, der über diesen Gegenstand geschrieben hat, theilt diese Missbildungen in zwei

Classen, einfache und zusammengesetzte; die erstere begreift die Fälle, wo man bloss einen Mangel im harten Gaumen zu ersetzen hat, die zweite umfasst jene Fälle, wo die nöthige Vorrichtung auch zugleich künstliche Zähne haben muss.

Die Uebelstände, die man durch künstliche Gaumen zu heben hat, sind: erstens die mangelhafte Aussprache, zweitens das Herausdrängen von Flüssigkeiten und festen Substanzen durch die Nase, drittens die Schlingbeschwerden.

Die einfache Missbildung, wie wir früher bemerkten, besteht in einer einfachen Lücke im harten Gaumen, sei diese nun angeboren, oder durch Krankheit entstanden. Wenn sie auf die erstere Art sich bildete, hat sie immer eine grössere oder geringere Abdachung des Gaumengewölbes im Gefolge, zugleich aber eine vollkommene Zahnreihe, und der Zweck ist, eine bessere Aussprache zu erzielen, und den Austritt von Flüssigkeiten durch die Nase zu verhindern.

Um diese Zwecke zu erreichen, muss eine Platte verfertigt werden, die sich an den obern Theil des Gaumens anlegt, an welcher wiederum eine zweite Platte angelöthet wird, die die eigenthümliche Krümmung des Gaumenbogens hat. Diese muss durch Federn oder Klammern, die an den Mahlzähnen jeder Seite befestigt werden, ihre Stütze erhalten.

Die andere Art von Fällen, d. i. jene, die einer Krankheit ihren Ursprung verdanken, bieten eine Oeffnung in dem Gaumen dar; auch hier ist die Zahnreihe vollkommen.

Um diesem Uebelstande abzuhelfen, muss eine Platte

verfertigt werden, die den grösseren Theil des Gaumenbogens bedeckt; in der Mitte derselben, und zwar auf jener Seite, die mit den Rändern der Lücke in Berührung
kömmt, sind mehrere kleine Schnürlöcher, an welchen ein
Stück weichen Schwammes, das bedeutend grösser als die
äussere Oeffnung der Höhle ist, befestigt wird. Wenn
der Schwamm an der Platte befestigt ist, wird er trocken,
wie er ist, in die Höhlung hineingepresst; und so wird
sich die Platte, wenn der Schwamm vom Nasenschleime
durchdrungen wird, genau an den Gaumen anlegen. Die
folgende Zeichnung zeigt eine solche Platte mit dem daran
befestigten Schwamme.

Die zusammengesetzte Art von Missbildung
besteht dann, wenn einige oder alle natürliche Zähne fehl-
len, und künstliche Ersatzzähne an der Platte befestigt
werden, wie der folgende Holzschnitt zeigt.

In allen Fällen von Gaumenmangel muss der Zahnarzt
immer daran denken, dass man so lange keine mechanischen Hilfsmittel in dem Munde anbringen darf, bis nicht
nur die natürlichen Zähne, sondern auch die knöchernen,
muskulösen und häutigen Theile in der Mundhöhle in voll-

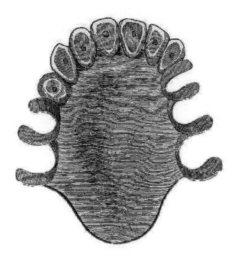

kommen gesundem Zustande sind. Es ist auch wesentlich
nothwendig, dass ein Abdruck vom Gaumenbogen und den
natürlichen Zähnen auf die gewöhnliche Art genommen,
und eine Platte genau nach einem Gypsmodelle gemacht
werde, die dann mittelst Klammern an die Mahlzähne befestigt wird. In Bezug auf Reinlichkeit muss die Einrich-
tung getroffen sein, dass der Patient mit Leichtigkeit die
Platte entfernen, und wo ein Schwamm daran befestigt ist,
denselben jeden Tag erneuern kann *).

------

*) Die Verfertigung künstlicher Gaumen ausführlicher abzu-
handeln, und die vielfältigen Modificationen und uns bekannten Verbesserungen derselben auseinander zu setzen,
würde schon für sich ein Bändchen ausfüllen, und die Mühe einer Monographie wohl lohnen.   A. F.

DIE ODONTOGNOMIK UND IHRE PRACTISCHE WICHTIGKEIT.

Es gibt eine Thatsache, die mit allen organischen Wesen im Zusammenhange steht, und die von besonderer Wichtigkeit bei allen jenen Wissenschaften und Künsten ist, die auf dem Studium und den Mängeln des menschlichen Körpers insbesondere gegründet sind; wir meinen die Thatsache, dass der Körper ein Ganzes bildet, und dass alle Theile dieses Ganze vorstellen, umfassen, charakterisiren, und mit ihm im innigsten Zusammenhange stehen. Diese Thatsache verdankt ihren Ursprung vorzüglich der harmonischen Verwendung der Theile, mit welcher sie alle dem Endzwecke des Systems, zu dem sie gehören, dienen. So geschieht es, dass das Gesicht in jedem einzelnen Falle das eigenthümliche Gesicht jenes Individuums ist, dem es angehört, und oft seinen Charakter mit erstaunlich vollkommner und richtiger Genauigkeit wiedergibt. Daher die Kenntniss der Physiognomie. Und daher kömmt es auch, dass die Theile und Glieder einer Person nie ganz jenen einer andern Person gleich sind. Vernunft und Erfahrung bestätigen auch, dass dieses mit den mensch-

20

lichen Zähnen der Fall ist. Wenn das Sprichwort „so viel
Köpfe, so viel Sinne“ seine Gültigkeit hat, so ist es eben
so wahr, wenn man sagt: „so viel Köpfe, so viel Verschiedenheit der Zähne“. Daher mag man so gut von einer Odontognomik, wie von einer Physiognomik sprechen,
und es ist in der That für die Zahnheilkunde höchst nothwendig, eine solche Wissenschaft anzunehmen, und in so
fern sie noch nicht existirt, sie wenigstens einstens auszu-
bilden. Diese Wissenschaft und die darauf gegründete
Kunst werden die Art und Weise auffinden, wie die Zähne
in ihrer Form und Beschaffenheit mit dem Ganzen und den
Einzeltheilen ihres Individuums, besonders aber mit seinem
Antlitze, harmoniren.

Ihr practischer Einfluss auf die Dentistik ist hinlänglich einleuchtend; denn obgleich die Zähne kleine Organe
sind, so gehören sie doch zu den ausdrucks- und charak-
tervollsten Theilen des menschlichen Organismus. Die
oberflächlichste Beobachtung reicht schon hin, zu zeigen,
wie gross ihre Verschiedenheit in den einzelnen Subjecten
ist, und wie sehr diese Verschiedenheit zu dem Charakter
des Gesichtsausdruckes beiträgt. Deshalb müssen sie, wo
sie fehlen, durch künstliche Zähne ähnlicher Art ersetzt
werden, oder wenigstens durch solche, die mit den Ge-
sichtszügen harmoniren. In vielen Fällen hat der Zahnarzt
keine Richtschnur, nach der er sich bei der Wahl der
künstlichen Zähne für seine Patienten richten könnte, ausser seinem guten Geschmacke und seine künstlerische Auf-
fassung, die beide noch durch wissenschaftliche Beobach-
tungsgabe verbessert werden müssen. Und man braucht

hier in der That ein scharfsinniges Beobachtungstalent, und zwar dergestalt, dass man dasselbe zu den wichtigsten Befähigungen, die im ganzen Gebiete der zahnärztlichen Kunst in Anwendung kommen, rechnen kann.

Wenn es so handgreiflich, wie eine neue Nase oder ein frisches Bein wäre, die man dem Gesichte, oder dem Körper anstatt eines unglücklicher Weise verlorenen, natürlichen Gliedes anpassen soll, so würde man es gleich als eine Hauptnorm annehmen, dass die nachfolgende Nase ihrer Vorgängerin ähnlich sein soll, dass, wo eine römische Nase verloren ging, keine Stumpfnase an ihre Stelle treten, und dass auf ähnliche Art das hölzerne oder korkene Bein eine grosse Aehnlichkeit sowohl mit dem einen verlornen, wie mit dem einen noch übrig bleibenden haben soll; denn wer wird die kräftige Gliedmasse des Trägers zum Ebenbilde des magern und zusammengeschrumpften Schenkels vom Tagsschreiber, oder das muskulöse Bein des Mannes zum Conterfei bei der runden und schönen Gliedmasse des Weibes machen. Und doch können künstliche Zähne, obgleich verhältnissmässig gering, mit der Person des Individuums eben so schreiend disharmoniren, wie eine neue Nase, die den Gesichtsausdruck entstellt, oder wie ein neues Bein, das für seinen unglücklichen Träger zu lang oder zu kurz ist. Es ist wahr, dass in diesem Falle der Beobachter verlegen sein kann zu bestimmen, welcher Zug zu den andern Gesichtslineamenten in so falschem Verhältnisse steht, aber nichts desto weniger wird er die klare Einsicht von etwas Disharmonischem haben, wenn er es auch nicht mit Einem bestimmen kann.

20 *

Man lasse den Leser nur im Geiste an die zierliche und
zarte Perlenreihe in dem Munde einer aristokratischen
Schönheit denken, wie sie sich ausnehmen würde, wenn
man sie in den Mund eines Arbeiters mit harten Zügen
und strotzender Sehnenkraft verpflanzen würde, und er
wird schnell einsehen, wie irrig ein Zahnarzt zu Werke
geht, wenn er keinen Unterschied bei der Wahl seiner
Zähne für verschiedene Individuen eintreten lässt. Wir
nehmen keinen Anstand zu behaupten, dass die Zahnärzte
oft aus Mangel an Aufmerksamkeit für diesen Gegenstand
ihrem Patienten einen läppischen Zug im Gesichtsausdrucke
verleihen, der besonders während dem Lachen hervortritt,
wenn das künstliche Gebiss fürchterlich hervorgrinst, als
eine Masse nichtssagender Förmlichkeit, von der man sich
nicht einzubilden vermag, dass sie in's Gesicht gehöre.
Solche Fälle setzen Alles, was in der Zahnkunde Mechani-
sches ist, herab, und machen den Practiker zu noch etwas
weniger, als einen gemeinen Zimmermann. Er mag fähig
sein, Holzzwecke zu schneiden, aber er höre durchaus auf,
die natürlichen Theile eines Organismus nachzuahmen, wo
Leben und Harmonie Haupterfordernisse sind.

Wir müssen zu unserer Beschämung gestehen, dass
wir bei Behandlung dieses Gegenstandes durchaus nicht
wissen, wo wir uns um eine geschriebene Belehrung um-
sehen sollen. Zweifelsohne haben alle guten Zahnärzte
einen feinen künstlerisch - fühlenden Takt gezeigt, der sie
bis zu einem gewissen Punkte in der Praxis richtig leitete;
aber dieses Gefühl wurde nicht analysirt, und einer eigenen Wissenschaft zu Grunde gelegt, die, wir sagen es

voraus, mit der Entwicklung unserer Kunst auch sich bilden muss. Diejenigen, die blindlings recht gehen, gehen blindlings b i s w e i l e n auch falsch. Wir müssen uns nicht länger mit dem Instinkte in einer so wichtigen Lebensfrage zufrieden stellen, aber es muss eine genaue Beobachtung an dessen Stelle treten, und darüber nachgedacht werden, und auf das Ergebniss von Beidem die Normen einer Wissenschaft gegründet werden. Der Zahnarzt muss die Zähne, so wie die Gesichter in gewisse grosse Classen theilen, und indem er die ersteren mit den letzteren immer in Parallele stellt, Gesetze festsetzen, die ihn in allen Fällen in Stand setzen, mit Zuversicht die künstlichen Zähne dem Gesichte entsprechend anzubringen, und dabei mit einer gewissen logischen Consequenz auf die verlorengegangenen Zähne Rücksicht zu nehmen.

Wir können wenig thun, um das Studium jener Wissenschaft, die wir Odontognomik genannt haben, zu erleichtern, aber das Folgende ist jedenfalls ein gut gemeinter Beitrag, oder vielleicht nur der Versuch zu einem Beitrage.

In der Odontognomik können wir bis jetzt vier Arten von Zähnen speciell hervorheben, welche vier Arten von Gesichtern entsprechen:

1. Gibt es eine ovale Gesichtsform, und dieser entsprechend haselnussförmig gebildete Zähne, die ein bedeutend langes Email, grosse Schönheit des Aussehens, und eine ovale Form an dem obern Theile ihrer Vorderfläche nahe dem Zahnfleische zur Schau tragen.

2. Das runde Gesicht; die Zähne sind bei diesem

kurz und viereckig, ihre Kanten dick und breit, ihre Vorderflächen beinahe glatt, und die Kiefer nähern sich meistens einander perpendikulär.

3. Die dritte Varietät kömmt meistens bei magern
Subjecten mit hohen Backenknochen vor; die Zähne sind
daselbst gewöhnlich von mittlerem Umfange, lang und
schmal, die Schneidezähne dünn, die Eckzähne abgerun-
det und gespitzt, die Backenzähne spitzig und die Mahlzähne tief eingeschnitten.

4. Es gibt wieder andere Personen mit besonders
breiten Gesichtern; die Mittelzähne sind auch bei ihnen
verhältnissmässig breit und dünn, und ihre Rückenfläche
stark eingeschnitten, die Seitenzähne meistens schlecht
gebildet und klein, und die Eck-, Backen- und Mahlzähne
meistens auch das Charakteristische der Mittelzähne an sich
tragend.

Dieses Alles jedoch ist eine blosse Skizze, welche wir
unsern Kunstgenossen aus den reichen Fällen, die sich
täglich darbieten, zu verbessern, auszufüllen, und zu erweitern bitten; denn wir sind überzeugt, dass es heut zu
Tage genug Talente unter unseren Collegen beiderseits des
atlantischen Oceans gibt, die dem Gegenstande in kurzer
Zeit eine befriedigende, d. i. wissenschaftliche Begründung
verleihen können. Vor Allem wenden wir uns an jene
Zahnärzte, die bereits diesen Gegenstand in ihrem Geiste
festhielten, damit sie sich ihre Beobachtungen in's Gedächtniss zurückrufen, und sie veröffentlichen; vorzüglich
wenden wir uns an jene, die sich mit der Fabrikation
künstlicher Zähne abgegeben haben, und von denen man

annehmen darf, dass sie über Odontognomik Beobachtungen gemacht haben. Denn wir kennen keinen Zweig der Dentistik, der sich für den aufmerksamen Forscher dankbarer zeigen, keinen, der den Geist und die Fähigkeiten eines Anfängers mehr entwickeln würde. Nur diese feinen Beziehungen sind es, die den Unterschied zwischen dem Manne von Talent und dem blossen Routinier ausmachen, und die sinnreichen Arbeiten des Einen mit der rohen, rein zufälligen Zimmermannsleistung des Andern als grell kontrastirend herausstellen.

Es sei uns erlaubt, schliesslich zu bemerken, dass unsere Meinung keineswegs dahin geht: die künstlichen Zähne müssen immer die natürlichen sogar in ihren Fehlern nachahmen (wie wir sie oben in der vierten Classe detaillirten), aber es sollen die Hauptcharaktere beibehalten werden, so dass der Zahnarzt im gehörigen Umfange auch ein Künstler sei.

DIE BILDUNG DES ZAHNARZTES.

Wir haben bis jetzt nach unseren besten Kräften den
Leser, der uns so weit folgte, durch das medicinische und
mechanische Gebiet jener Kenntnisse geführt, die in ihrer
geschickten Anwendung die zahnärztliche Kunst ausmachen;
und da es unsere Absicht ist, unsere Erfahrung, möge sie
nun negativ oder positiv sein, wenn sie nur Andern nützlich sein kann, hier auszusprechen, so wollen wir zum
Schlusse, dieser Erfahrung gemäss, einen Umriss von jener Bildung, die zu besitzen dem Zahnarzte Noth thut,
und von dem Benehmen und der Etiquette, die er in der
Praxis zu beobachten hat, entwerfen. Es ist jedoch nicht unser
Zweck, als ein dentistischer C h e s t e r f i e l d aufzutreten,
oder uns als Ceremonienmeister für unsere älteren Kunstgenossen aufzuwerfen (denen gegenüber wir die Rolle eines
Schülers, aber nicht die eines Lehrers übernehmen wollen);
wir wollen nur den jüngern Anfängern der Kunst, denen
es um das öffentliche Vertrauen und die Ehre des Zahnarztes zu thun ist, ganz anspruchslos einige nützliche Winke
ertheilen. Wir wollen deshalb uns vor jeder Missdeutung

bewahren, als ob wir uns im Besitze aller jener Fähigkeiten und Erfordernisse dächten, die wir nichts desto weuiger unsereu sich erst bildenden Collegeu empfehlen, da sie bei dem ersten Beginne ihrer Studien immer noch Zeit haben.

Es ist einleuchtend, dass eine classische Bildung in jedem Stande von besonderem Vortheile ist. Der Zahnarzt aber zieht nicht allein mittelbar den Nutzen daraus, seinen Geist und seinen Ausdruck zu veredeln, und sich dadurch für das allgemeine Studium jeder Wissenschaft, und für den Eintritt in die besseren Classen der Gesellschaft einen sichern Geleitsbrief zu verschaffen: sondern es setzt ihn auch unmittelbar in den Stand, die classischen Werke über die Zähne durchzulesen, und sich die Ansichten eines A r i s t o t e l e s und anderer verehrten älteren Autoren anzueignen, deren Lehrsätze in einigen Theilen der Physiologie der Zähne kaum wesentlich bis auf unsere Tage verändert wurden, während so viele andere Zweige der Wissenschaft durch neue Entdeckungen bereichert wurden.

Aus noch nothwendigeren Gründen, als diese, soll der Lernende sich auch mit der französischen und deutschen Sprache, in denen so viel Lesenswerthes geschrieben wurde, vertraut machen, Sprachen, die so oft für den gewöhnlichen socialen Verkehr mit Kranken von grösster Nothwendigkeit sind. Es gewährt in der That einen traurigen Anblick, zwei Individuen zu sehen, die aus Mangel mündlicher Mittheilung unbestimmte Zeichen, wie Kinder, machen, oder mit Scham und Aerger auf ihren Gesichtern fremdartige Laute, wie Thiere, ausstossen. Eine solche Zusammenkunft endet gewöhnlich damit, dass Einer das Bedürfniss

des Andern entweder gar nicht versteht, oder wenn er es
ja erräth, nicht weiss, ob er doch vielleicht etwas nicht
beachtet oder nicht gethan, was der besuchende Kranke
von seinem Zahnarzte verlangte. Welcher Practiker immer
ein- oder zweimal in dieser Lage war, wird vom Herzen
wünschen, dass ihm das Loos gefallen wäre, noch als Stu-
dent sich die modernen Sprachen angeeignet zu haben,
bevor die beständig in Anspruch nehmenden Berufspflichten
und die zähen Gewohnheiten des spätern Alters es schwer
oder unmöglich machen, sich von neuem einer Schülerar-
beit hinzugeben.

Aus einem ähnlichen Grunde, wie der medicinische und
chirurgische Practiker, muss auch der Zahnarzt, wenn
auch in einem etwas beschränkteren Grade eine allgemeine
Kenntniss der Anatomie und Physiologie des menschlichen
Körpers haben. Wir wollen nicht sagen, dass die g a n z e
allgemeine Anatomie in jeder dieser ärztlichen Richtungen
Anwendung fände, denn dieses ist nicht der Fall; doch ist
sie sehr bildend für den Geist, und die beste Basis für die
Erlangung jener speciellen anatomischen Kenntnisse, die für
den Dentisten, Chirurgen und Mediciner jedesmal eine
verschiedene ist. Nebstdem ist es auch unmöglich, einen
Theil des menschlichen Körpers ohne Kenntniss des ganzen
richtig zu verstehen, so harmonisch ist das organische Sy-
stem, und so sehr hängen die Theile vom Ganzen und wieder umgekehrt ab. Deshalb ist es schon in der eigentlichen
Natur des Körpers selbst begründet, dass der Dentist die
Studien der allgemeinen Anatomie und Physiologie durch-
machen soll.

Comparative Anatomie hat auch einen bildenden, wenn auch etwas entfernteren Einfluss auf das Studium der Zahnheilkunde, und es dient besonders, wie bis jetzt angenommen, die Wichtigkeit der Zähne als Andeutungs-Organe, d. i. als Mittel der Classification in's Licht zu setzen. Es mag daher diese Kenntniss immerhin, wo sich die Gelegenheit dazu darbietet, in dem Studienplane des sich bildenden Zahnarztes aufgenommen werden.

Jene specielle Menschen-Anatomie aber, welche die Zähne insbesondere betrifft, und die alle Theile und Organe des Mundes, die Kiefer und das Gesicht umfasst, muss sich der dem Zahnarzneifache sich Widmende ganz vorzüglich aneignen. Eine oberflächliche Kenntniss kann hier nicht ausreichen. Man muss sich deutliche anatomische Ansichten von dem Charakter, der Form und der relativen Lage aller Theile, deutliche mechanische Ansichten von ihrer vereinten und getrennten Wirkung, und endlich deutliche physiologische Ansichten von ihrem Nutzen und ihrer Anwendung im gesunden Zustande verschaffen, und dieses Alles durchs Leben hindurch sich getreulichst in der Erinnerung bewahren, sonst wird der Practiker sich nie auf die Basis seiner Tüchtigkeit einen Ruf gründen oder erhalten können. Denn nur in der Kenntniss des menschlichen Körpers besteht das eigentliche Grundgerüste der ganzen Zahnkunde.

Die Kunst des Zahnarztes ist in gewissem Sinne ein Sprössling der Medicin, wesshalb auch der Dentist mit den allgemeinen Principien der Medicin wohl vertraut sein muss. Dies ist nothwendig, um seiner Anschauung einen

grössern Horizont zu geben, und ihn in Stand zu setzen,
die speciellen Principien der medicinischen Zahnpraxis auf-
zufassen und zu verarbeiten. Was die letztere betrifft, besteht hier für den Dentisten dieselbe dringende Nothwendigkeit, wie wir es auch zuvor beim Studium der speciellen Anatomie andeuteten, sich ganz vollkommen in derselben zu machen. Die Pathologie, die Arzneimittel-Lehre,
die Behandlung der Zahnkrankheiten müssen dem Anfänger
sehr geläufig sein, um seinem practischen Berufe ganz ge-
wachsen zu sein. Dies ist sein eigenes Erbe, das ihm als
besonderen Vertreter der medicinischen Praxis angehört.

Die Zahnchirurgie ist auch ein Theil der allgemeinen
Chirurgie, und ihre Principien müssen aus der allgemeinen
entnommen werden, bevor die Zahnchirurgie sich zu einer
rationellen Praxis erhebt, und ihre speciellen Principien genau festgestellt und gewürdigt werden können. Es muss
immer durch eine allgemeine Kenntniss der Grundsätze einer
umfassenderen Praxis die Verbindung mit dem Mutterstamme
unterhalten werden, was dem Zweige Saft verleiht, und ihn
fruchtbringend macht. Doch ist dieser Zweig zu wichtig,
um nicht zu einem gesonderten Studium aufzufordern. Er
bedarf seiner eigenen Pflege, und diese muss genau und
sorgfältig sein. In einer Beziehung hat die Zahnchirurgie
vielleicht noch vor ihrer Mutter etwas voraus: ihr Feld ist
kleiner und abgegrenzt, und die mechanischen Behelfe der
Chirurgie sind vielleicht nirgend in solcher Genauigkeit an-
wendbar, wie bei den Zähnen und im Munde. Es ist wun-
derbar, was von einem geschickten Dentisten in diesem
kleinen Raume ausgeführt wird, bald bei den kleinen Brü-

chen und Verrenkungen, die da vorkommen, bald bei der
Anwendung von beständigen Schienen, wenn wir uns des
Ausdruckes bedienen dürfen, bald in der Entfernung von
erkrankten Theilen etc. etc. etc. Die Kunst des Dentisten
in ihrer Vollendung ist das wahre Ideal einer rein mechanischen Chirurgie.

Die Beziehung der Zahnkunst zur Mechanik ist zwei-
fach: denn es besteht erstens die Mechanik der Kunst selbst,
auf die wir eben hingedeutet haben, und zweitens die Mechanik, die der Ausübung der Kunst gewissermassen vor-
hergeht, und die den Hauptgegenstand im zweiten Theile
des gegenwärtigen Werkes bildet. Beide sind der Zahnkunde nothwendig, denn, wie ein bewunderungswürdiger
Schriftsteller mit grossem Nachdrucke bemerkt hat: „ist
keine Kunst vollkommen, wenn nicht eine
andere Kunst, die die Instrumente zu verfertigen und sie zu den Zwecken der Kunst zu
verwenden lehrt, darin begriffen ist.‟ Beide
diese Künste entspringen aus den allgemeinen Grundsätzen
der Mechanik, mit welchen sowohl, wie auch mit den speciellen Principien und Anwendungsweisen, die in der Praxis nothwendig sind, sich demnach der Lernende vertraut
machen soll. Von der mechanischen Geschicklichkeit und
dem Takte des Individuums wird auch grösstentheils sein
Erfolg als Dentist abhängen. Wenn diese Bedingungen ab-
gehen, kann er wohl ein guter Zahnmediciner, aber nie
ein guter Zahnchirurg werden. Wir können hinzufügen,
dass die grössten Triumphe unserer Kunst beinahe alle durch
die Mechanik erzielt werden.

Wir halten dafür, dass der der Zahnkunst Beflissene
drei bis fünf Jahre der Verfertigung künstlicher Stücke jeder Art widmen soll, bis. er in der That darin eine grosse
Geschicklichkeit und Gewandtheit an den Tag legt. Während dieser Zeit muss er auch immer, wo es angeht, die
Gelegenheit ergreifen, seine Stücke im Munde anzubringen,
und die verschiedenen Zahnoperationen zu üben. Wenn er
sich alles Dieses zu Nutzen gemacht hat, wird er, wenn er
zur Praxis kömmt, auf keinen Mangel an Vertrauen und
auf keine Lücke in seiner Fertigkeit stossen.

Zu welchem Zweige der Dentistik wir uns auch wenden mögen, so ist es immer einleuchtend, dass einige Kenntniss der Chemie für den Zahnarzt nothwendig sei. Sowohl
in dem ersten als zweiten Theile dieser Abhandlung kommen
Stellen vor, die beweisen, wie nahe die Chemie mit der
Zahnkunde verbunden ist.

Schon eine oberflächliche Betrachtung der verschiedenen
Gegenstände, die nach und nach der Ansicht des Lesers
in den vorhergehenden Blättern vorgeführt wurden, wird
zeigen, wie die Zahnkunst Theile der mannigfachsten Wissenschaften begreift, ohne denen sie nichtig und nutzlos
wäre. So muss eine ganze Gruppe wissenschaftlicher Kenntnisse den Zähnen dienen. Und doch gehören diese, wenn sie
auch unentbehrlich sind, zu den niedrigsten Organen des
Körpers. Was für einen Blick lässt uns dieses in die Ma-
schinerie des ganzen Organismus thun, die nothwendig ist,
um ihn gesund zu erhalten, und ihn zu heilen, wenn er erkrankt ist. Auch ist eine solche Betrachtung nicht ohne
Werth für den Geist des Lernenden, in so fern sie ihm die

weit ausgebreiteten Verzweigungen seiner Kunst zeigt, und
derselben dadurch eine breitere Basis in der Natur und in der
Gesellschaft verleiht, ihre Umrisse mehr ausfüllt, und sie
edler und nützlicher macht.

Aber wenn der Studirende noch so wohl unterrichtet
in seiner Wissenschaft, und noch so vollendet in seiner
Kunst ist, so braucht er nebstbei immer noch andere Eigenschaften, um ein glücklicher und nützlicher Practiker zu
werden.

Zuerst muss er seine Kraft und seine Gemüthsbewegung
beherrschen lernen, und selbst unter den versuchendsten
Verhältnissen keine Aufregung zu erkennen geben. Ohne
Rücksicht auf den Rang des Patienten muss er kühn, ruhig
und bestimmt sein. Er muss sich in der Erfüllung seiner
Berufspflichten auf keine Weise gegen seine bessere Einsicht bestimmen lassen. Er muss genau auf ein gefälliges
und gebildetes Benehmen in seinen chirurgischen Verrichtungen sehen, indem er einen gewissen Grad von Würde
mit einer gehörigen Theilnahme für seinen Kranken ver-
bindet, so weit nämlich als sich Zartheit mit den Pflichten,
zu denen er berufen ist, verträgt. Er muss von einem hohen Sinne für Ehre beseelt sein, und sich in einer höflichen,
leutseligen Weise ausdrücken, die Vertrauen erweckt,
Furchtsamkeit beschwichtigt, und dem Publikum gerechten
Anlass gibt, vor seiner Geschicklichkeit und Rechtlichkeit
sich eine gute Meinung zu machen. Er muss die grösste
Reinlichkeit in Betreff seiner Person beobachten, und nie
vergessen, dass es der Mund des Patienten ist, den er
zu behandeln hat. Er muss auf seine Instrumente und auf

die Geräthschaft, die er in chirurgischer Beziehung anwendet, in dieser Beziehung besonders Acht haben. Er soll bei seinen Verrichtungen das Gesicht des Patienten mit der Hand nicht mehr berühren, als es gerade zur Unterstützung jenes Theils nothwendig ist, an dem er operirt. Unter keinen Verhältnissen darf er seine Instrumente zur Schau auslegen, noch einem Patienten erlauben einzutreten, bevor er nach der Behandlung eines Andern Instrumente, Tücher, Gläser etc. was früher gebraucht wurde, entfernen liess. Er muss keinen Tabak schnupfen und auch das Rauchen vermeiden. Kurz, er muss liebenswürdig, angenehm und arglos sein.

Es ist kaum nöthig zu sagen, dass ein reines moralisches Gefühl die sicherste Quelle ist, aus der alle obigen Eigenschaften entspringen sollen. Denn sie werden wahrscheinlich länger andauern, und jede Probe bestehen, wenn sie aus dem Innern kommen, und das eigentliche Wesen des Mannes sind, als wenn sie bloss der Gelegenheit zu Liebe angenommen sind. Und es ist in der That der moralische Charakter bei einem Manne von höchster Wichtigkeit, der so wie der Zahnarzt bei Erfüllung seines Berufes dem Menschen so nahe tritt. Aber dieser ernste Gegenstand ist zu einleuchtend, um erst lange dabei verweilen zu müssen. Wir wollen nur bemerken, dass ein des Rechts sich bewusstes Selbstgefühl die wahre Quelle von Gemüthsruhe, und die beste Art von Muth sei. Wir empfehlen die Aneignung und Erhaltung desselben der entstehenden Generation von Aerzten, und glauben, dass dieses der beste und letzte Rath ist, den wir ihnen ertheilen können.

ANHANG.

ÜBER

DIE ANWENDUNG DER SCHWEFELÄTHERDÄMPFE IN DER ZAHNÄRZTLICHEN PRAXIS.

21

ANHANG.

ÜBER DIE ANWENDUNG DER SCHWEFELÄTHER-DÄMPFE IN DER ZAHNÄRZTLICHEN PRAXIS.

Obgleich die Sorgfalt für die Zähne unter dem Publikum schon ziemlich allgemein wurde, und die meisten Eltern die Zähne ihrer Kinder schon von den frühesten Jahren an von Sachverständigen überwachen lassen, so macht dennoch oft das Verderben eines Zahnes oder die Erkrankung seiner Umgebung die Extraction nöthig, und es ist diese Operation immer noch eine sehr häufig vorkommende. Es ist aber auch fast keine Operation von den Patienten so sehr gefürchtet als diese, und es wird Wenige geben, die sich derselben ganz kaltblütig unterziehen.

Unter solchen Verhältnissen ist es wohl nicht zu wundern, dass Dr. Jackson's Entdeckung, dass die eingeathmeten Schwefelätherdämpfe die Empfindung im Körper aufheben, zuerst von den Zahnärzten seines Landes in Anspruch genommen wurde. So war auch in Europa ein Zahnarzt, und zwar der Verfasser vorliegenden Werkes, Robinson in London, der erste, von dem bekannt ist, er habe vor Zahnextractionen Patienten durch Einathmung

21 *

von Schwefelätherdämpfen empfindungslos gemacht, und sein Verfahren sei mit glücklichem Erfolge gekrönt worden. Und so wie der erste Gebrauch dieser Entdeckung von Zahnärzten gemacht wurde, so wurde sie bei ihrer schnellen Verbreitung über ganz Europa wohl fast von jedem Zahnarzte in Anwendung gebracht.

Die Meinungen unserer Collegen jedoch (wie die der Operateure überhaupt), welche das Resultat der ersten Erfahrungen waren, berührten häufig die beiden Extreme, indem Viele mit Enthusiasmus von dem unbeschränkten Vortheile dieser Erfindung sprachen, Andere aber wieder mit warnender Stimme die Sache fast ganz verwarfen. Und unter jenen, welche sie nur auf sehr wenige Fälle beschränkt wissen wollten, gab es auch wieder Meinungsverschiedenheiten, indem man es bald bei diesen bald bei jenen Operationen angemessen fand, die Einathmung der Schwefelätherdämpfe vorhergehen zu lassen.

Aus Allem aber geht hervor, dass aus den bisher gemachten Erfahrungen, obschon sie sehr zahlreich sind, noch keine bestimmten Regeln in Bezug auf diesen Gegenstand aufgestellt wurden. So viel ist jedoch gewiss, dass diese Entdeckung auch in der zahnärztlichen Praxis (und nur diese wollen wir ferner hier im Auge behalten) oft schon für die leidende Menschheit wohlthätig war, dass man aber auch mancherlei Beschränkungen in der Anwendung zugeben müsse.

Wie Viele liessen sich schon durch Jahre von Zahnschmerzen quälen, die bei der geringsten Veranlassung immer wiederkehrten, und nicht nur manche Genüsse verbitterten, sondern auch oft die nächstgelegenen Theile gefährdeten, ja manchmal die Gesundheit im Allgemeinen störten. Und doch konnten sie sich trotz aller Vorstellungen von Seite ihrer Umgebung, und trotz aller Vernunftgründe, die sie sich bei ihrer oft hohen Bildung selbst vorführen konnten, ihre Angst nicht mässigen, und der Operation sich nicht unterziehen; und diese Abängstigung war gewiss manchmal eine neue Ursache von Körper- und Gemüthsleiden. Wohl jeder Zahnarzt hat in der jüngsten Zeit Fälle erlebt, dass dergleichen Patienten, durch die in Rede stehende Entdeckung bewogen, sich mit vielem Troste und grosser Beruhigung in den Operationsstuhl setzten, und so die Operation glücklich überstanden. Solche Fälle können gewiss Beispiele abgeben, dass der Schwefeläther für die zahnleidende Menschheit wohlthätig ist. Dass er aber kein Universalschutzmittel gegen die Schmerzempfindung abgeben könne, kömmt daher, weil manche Individuen (wie man aus den ferneren Erörterungen dieser Abhandlung ersehen wird) nicht geeignet sind, durch Schwefelätherdämpfe betäubt zu werden.

Da bei dem ersten Eindringen der Aetherdämpfe in die Luftwege auch bei gesunden Lungen öfter ein leichter Reiz zum Husten eintritt, so lässt sich wohl der Schluss machen, dass Patienten, die an Lungenkrankheiten leiden, auf die Wohlthat verzichten müssen, sich durch dieses Mittel gegen die Schmerzen einer Operation empfindungslos machen zu können. Auch habe ich gesehen, dass eine lungenschwache Dame, die mehrere Stunden nachher, als eine Operation mittelst Schwefeläthernarkose vorgenom-

men worden war, in dasselbe Zimmer trat, sich baldigst
entfernen musste, da ein zu starker Reiz zum Husten
eintrat.

Da beim Einathmen der in Rede stehenden Aetherdämpfe leichte Röthe der Wangen, Turgor in den Augen,
Pulsbeschleunigung etc. eintritt, wollte man wohl auch
von vorhinein bei vollblütigen Individuen die Aethereinathmung untersagt wissen, und die Operateure thaten sehr
recht, wenn sie bei solchen Gelegenheiten behutsam zu
Werke gingen. Nach den gemachten Erfahrungen zeigte
es sich jedoch, dass vollblütige Leute die Narkose häufig
recht leicht vertrugen. Zeigt es sich aber bei dergleichen
Individuen während des Einathmens, dass die Congestionen
gegen den Kopf zu sehr zunehmen, so wird wohl jeder
vernünftige Operateur lieber von der weiteren Aetherisi-
rung abstehen, als seinen Patienten etwaiger Gefahr aussetzen.

Wenn man bei Personen von sehr reizbaren Nerven
eine Parallele zieht zwischen einem Falle, wo man ohne
Narkose operirt, und einem Falle, wo man die Schwefelätherbetäubung der Operation vorangehen lässt, wird sich
die Beobachtung aufdrängen, dass in ersterem Falle solche Patienten vor der Operation von grosser Angst und
Beunruhigung gequält werden, dass Erzittern aller Glieder
und selbst Ohnmachten der Operation schon vorangehen,
dass alle diese Unannehmlichkeiten durch die Operation
selbst in einem hohen Grade gesteigert werden, so dass
manchmal eine tiefe Ohnmacht nach einer leichten Operation, und ein Unwohlsein, selbst von Fiebersymptomen

begleitet dem operativen Eingriffe folgt. Lässt man aber
dergleichen Individuen vor der Operation die Schwefelätherdämpfe athmen, so fällt vor Allem die übeleinwirken-
de Gemüthsbewegung der Angst hinweg ; und ferner zeigte es sich, dass sehr irritable Personen durch die Aetherdämpfe nicht in einen unruhigen Zustand versetzt werden,
sondern dass bei weitem in den häufigeren Fällen, solche
gerade auf die leichteste und angenehmste Weise in die
Aetherbetäubung verfallen.

Gegen Krämpfe , besonders hysterische , wurde die
Aethereinathmung schon öfter mit gutem Erfolge versucht,
daher man wohl keinen Anstand nehmen darf, dergleichen
Individuen auch vor einer schmerzhaften Zahnoperation zu
ätherisiren. Ich sah bei einer Frau, die häufig an Kräm-
pfen litt, nach Einathmung der Schwefelätherdämpfe Behufs einer Zahnoperation einen heftigen Krampfanfall eintreten, wie er auch sonst bei ihr sich einstellte. Einge-
zogenen Erkundigungen zu Folge war Patientin jedoch
lange Zeit nachher von keinem Anfalle belästiget, so lange
als die Krankheit sonst nicht aussetzte.

Entzündungskrankheiten dürften wohl als Gegenanzeigen gegen die Einathmung der Schwefelätherdämpfe
anzusehen sein; unter den chronischen Krankheiten aber
sind vielleicht Lungenübel die einzigen Gegenanzeigen.

Eine Unannehmlichkeit ist es, wenn ein Patient vor
dem Einathmen der Aetherdämpfe sich scheut, und aller-
lei Besorgnisse hegt. Er lässt das Aus- und Einathmen
nicht regelmässig sich folgen, stösst mehr Luft aus, als
er einzieht, wodurch nicht nur zu wenig Aetherdämpfe in

die Lungen kommen, um die Narkose herbeizuführen, sondern auch noch durch die zu geringe Ausdehnung der Lungen Beklemmung und Druck auf der Brust entsteht. Unterzieht sich ein Patient dem Acte des Einathmens ganz unbefangen, so geht die Narkotisirung gewöhnlich am schnellsten und leichtesten vor sich. Die zahnärztlichen Operationen, denen man die Narkotisirung vorangehen lassen soll, sind wohl nur die Extraction eines Zahnes, und das Ausbohren der Zahnnerven. Das Feilen, Plombiren, Reinigen etc. können für Manche recht unangenehme Operationen sein, dauern jedoch zu lange, um bei einmaliger Betäubung vollführt zu werden, und sind doch gewiss zu wenig schmerzhaft, um deshalb einen Patienten stundenlang in der Narkose zu erhalten. Das Entkrönen eines an seinem Halse noch festen Zahnes mittelst der Entkrönungszange (um z. B. einen Stiftzahn zu setzen) wäre zwar auch eine schmerzhafte Operation, und, besonders wenn mehrere Zähne zu entkrönen wären, der Schwefelätherbetäubung werth; da es jedoch jeder humane Zahnarzt vorzieht, dergleichen Zahnkronen entweder ganz abzusägen, oder wenigstens einzusägen, und dann mit einem ganz leichten Drucke mittelst der Entkrönungszange zu entfernen, so fällt jener heftige, schmerzhafte Eingriff weg, und eine Betäubung voranzuschicken wird unnöthig. Viele werden finden, dass auch das Herausziehen eines Zahnes, oder Ausbohren eines Nerven Operationen von so geringem Schmerze seien, dass es sich nicht der Mühe lohne, sich vordem erst empfindungslos gegen selbe machen zu lassen. Das kann

man wohl zugeben, und die Operation bei Solchen ohne
weiters so vornehmen. Manchmal wird auch der medicinische Ordinarius seinem Patienten die Einathmung der
Schwefelätherdämpfe untersagen; und da der Zahnarzt in
solchen Fällen voraussetzen kann, dass der Arzt seine
Gründe habe, möge er die Betäubung unterlassen. Zuweilen aber hält der ordinirende Arzt selbst es für rathsam,
dass die Operation während Aethernarkose vorgenommen
werde; und sehr häufig finden sich Patienten ein, die eine Zahnoperation für die peinlichste Operation halten,
für einen Schmerz, den sie kaum zu überstehen vermögen;
warum sollte da der Zahnarzt, der ohnedem auch Arzt
ist, und weiss, wo und in welchem Grade er die Narkose
in Anwendung bringen darf, warum sollte er Anstand
nehmen, dem allzufurchtsamen Patienten einen Schmerz zu
ersparen? —

Wählt man zum Narkotisiren einen ganz einfachen
Apparat, der aus einem Ballon von Goldschlägerhäutchen
und einem Ansatzstücke, welches Nase und Mund des Patienten umschliesst, besteht, so ist es vortheilhaft, dass
der Ballon einen Durchmesser von wenigstens 1 Schuh habe, und vor dem Eingiessen des Schwefeläthers mit at-
mosphärischer Luft ganz angefüllt werde. Bei Nichtbeachtung dieser Vorsicht (wenn also zu wenig atmosphärische Luft enthalten ist) wird die in der Blase enthaltene Luft zu bald stickstoffhältig und unathembar. Bedient man sich eines einfachen Ballonapparates, dessen
Ansatzstück nur den Mund umschliesst, so wird es nöthig,
die Nase auf eine andere Weise zu verschliessen. Thut

man dies nicht, so geschieht es leicht, dass der Patient nur durch die Nase athmet, und so keine Aetherdämpfe einzieht. Zum Schliessen der Nase gebrauchte man gewöhnlich die Finger, oder man hatte über dem Mundstücke des Apparates einen schnabelartigen Aufsatz angebracht, der durch eine Feder geschlossen erhalten wurde, und der die Nasenflügel während dem Einathmen zusammendrückte. Ich zog es vor, einen Nasenschliesser von dem Einathmungsapparate getrennt nach Art des Mittelstückes einer Aufsatzbrille anfertigen zu lassen.

Des obenerwähnten Umstandes wegen, dass nämlich durch das Einathmen die im Apparate enthaltene athembare Luft nach und nach mit stickstoffhältiger Luft vertauscht wird, ist besonders bei länger dauernden Operationen, wo man die Narkose länger hinausziehen muss, ein Apparat vortheilhaft, dessen Ansatzstück mit zwei Ventilen versehen ist. Beim Einathmen öffnet sich das eine vom Aetherbehälter gegen den Mund, und lässt die Dämpfe in die Luftwege, während das zweite Ventil geschlossen bleibt; beim Ausathmen wird durch den Luftstrom das erste Ventil zugedrückt, und die ausgeathmete Luft entweicht durch das zweite Ventil, welches eben durch den Luftstrom nach aussen hin aufgeschlossen wird. Da aber bei einem solchen Apparate die in demselben enthaltene Luft bald aufgeathmet sein würde, bevor noch die gewünschte Narkose eintritt, so muss man an dem Aetherbehälter ein zweites Ansatzstück angebracht haben, durch welches man atmosphärische Luft einlassen kann.

Hat man nun vor, einen Patienten vor einer Zahnope-

ration mittelst Schwefeläther zu betäuben, so bringe man
ihn vorher in den Operationssessel in eine Stellung, die
man bei der Operation wünscht; untersuche aber bei einer
vorzunehmenden Extraction vorher ja genau, welcher Zahn
der schmerzhafte und zu entfernende sei, und behalte selben gut in seiner Erinnerung, damit man nicht etwa einen
andern statt des schmerzhaften herausziehe. Es ist nöthig,
zwischen die Zähne jener Seite, an welcher man nicht
operirt, ein an einer Schnur befestigtes Stück Kork zu geben, damit nämlich der Narkotisirte die Kiefer nicht schliessen könne, was bei Nichtbeachtung dieser Vorsicht häufig
geschieht, und das Einführen eines Instrumentes unmöglich
macht. Hierauf giesse man zwei Esslöffel voll Schwefeläther in den Apparat, und beginne die Narkotisirung, indem man den Apparat allmählig dem Munde des Patienten
nähert, damit dessen Lunge sich nach und nach an die
fremde Luft gewöhne, was in einigen Sekunden geschehen
sein wird, wobei Patient manchmal einen kleinen Husten-
reiz empfindet. Hierauf aber wird er bei vollkommen an-
gesetztem Apparate, ruhig fortathmen, während welchem
Acte die Pulse schneller sich zu folgen beginnen, leichte
Röthe die Wangen überfliegt, die Augen mehr Glanz bekommen, die Gefässe der Albuginea injicirt erscheinen,
eine angenehme Wärme und leichter Schweiss über den
ganzen Körper sich verbreiten, und endlich die Athemzüge
tiefer und schneller werden. Hat die Einathmung zwei bis
fünf Minuten mit der Erscheinung obiger Symptome gewährt, so erweitert sich die Pupille, der Patient schliesst
die Augenlieder, wie schlafend, und gibt weiter kein Zei-

chen des Verstehens auf die an ihn gerichtete Anrede; Pulse
und Athemzüge werden langsamer, ein Nachlassen aller Muskeln ist ersichtlich. Tritt dieser Zustand ein, so sind nur ein
Paar Sekunden mehr nöthig, die Einathmung fortzusetzen,
wornach der Kranke durch fünf bis acht Minuten das Bild
eines in tiefen Schlaf Versunkenen gewährt, in welcher Zeit
man die Operation mit den gehörig zur Hand gerichteten Instrumenten vollführt.

Wenn sich auch die Betäubung am gewöhnlichsten unter
den eben beschriebenen Erscheinungen einstellt, und die
Hauptsymptome constant bleiben , so kann man doch in
verschiedenen Fällen verschiedene (wenn auch zuweilen
ganz geringe) Abweichungen beobachten. So sind die Muskeln nicht immer ganz unthätig, und es findet manchmal
ein Strecken der Glieder, oder ein Hin- und Herbewegen
derselben Statt, das sich auch bis zu grosser Unruhe des
Einathmenden steigern kann. Die Augenlieder bleiben oft
geöffnet, und der Augapfel starr. Manchmal lassen die
Patienten Töne vernehmen, und eine Narkotisirte schrie
sogar gewaltig, bevor ich noch das Instrument zur Extraction ansetzte, und das Schreien endete erst mit dem Erwachen aus der Betäubung ein Paar Minuten nach der
Operation. Nach der Aussage der Patientin war ihr das
Einathmen nicht unangenehm, sie hatte von der Operation
gar keine Empfindung, befand sich gleich nach dem Erwachen, wie auch späterhin vollkommen wohl, und konnte
nicht begreifen, die Töne ihres Schreiens nicht selbst gehört zu haben. Dieses Schreien ist wohl der Thätigkeit der
Fantasie zuzuschreiben, die sich fortwährend mit der zu

überstehenden Operation beschäftigte, ohne die Idee dem
Bewusstsein zu überliefern.

Während Viele in ein Paar Minuten hinlänglich betäubt
sind, brauchen Manche wohl auch zehn Minuten; bei Einigen tritt die Narkose auch nach viel längerer Zeit nicht
ein, wobei grosse Unruhe, Congestion gegen den Kopf,
Ohrensausen u. dgl. den Patienten belästigen, und in einem
solchen Falle glaube ich, wie schon angedeutet, der sich
zu sehr widersetzenden Natur nachgeben zu sollen, und
vom Versuche zur gänzlichen Betäubung abzustehen.

So wie die meisten Narkotisirten während der Operation ganz ruhig sich verhalten, so gibt es Einige, die
mit den Händen nach der Hand des Operateurs fahren,
gleichsam als wollten sie den operativen Eingriff verhindern. Es ist wohl klar, dass aus Vorsicht ein Assistent
da sein muss, der in einem solchen Falle die Hände des
Patienten halte. Nach dem Erwachen aus der Narkose hat
der Patient, so wie von der geschehenen Operation, so
auch davon, dass er die Operation verhindern wollte, keine
Erinnerung.

Fast alle Narkotisirten wissen von dem, was mit ihnen
und um sie vorgeht, nichts, während einem Mancher unterkömmt, der beim Erwachen behauptet, Alles gehört und gesehen, aber keinen Schmerz empfunden zu haben. Wenn
Manche angeben, die Operation sei trotz der Ätherisirung
schmerzhaft gewesen, so hat man die Betäubung nicht bis
zum gehörigen Grade gebracht, und man hat dadurch ebenso
gefehlt, als man fehlt, wenn man das Einathmen über die
erforderlichen Massen hinaus fortsetzt, und als man fehlt,

wenn man ein Individuum, das die Aetherdämpfe nicht
wohl verträgt, eigensinniger Weise in die Narkose versetzen will. Es lässt sich wohl keine sichere Norm angeben, wann eigentlich mit dem Einathmen aufgehört werden soll, und nur vielfältige Erfahrung, und genaue nüch-
terne Beobachtung können dem Operateure einigermassen
endlich eine Richtschnur geben.

Was das Befinden des Patienten nach dem Erwachen
aus der Aetherbetäubung betrifft, ist es fast ebenso verschieden, wie das Verhalten während der Betäubung. Die
Meisten erwachen wie aus dem Schlafe, und fühlen weiter
nicht die geringste Unannehmlichkeit, indem sie sich ganz
in ihrem natürlichen Zustande befinden. Manche fühlen
nur etwas Mattigkeit, die zuweilen nur ein Paar Stunden,
zuweilen aber auch noch am andern Tage fühlbar ist.
Manchmal, besonders wenn der Patient viel mit Aether im-
prägnirten Speichel hinabschluckte, entsteht Magenreiz
und Erbrechen; da dies nach genommener Mahlzeit leichter der Fall ist, wähle man zum Aetherisiren lieber den
Vormittag. Manche werden durch einige Stunden lebhaft
und redselig, wie nach dem Genusse von Wein; während
Andere gerne durch eine Viertelstunde der Ruhe sich hingeben u. s. f.

Auf die Heilung der Wunde nach einer Zahnextraction hat der Schwefeläther keinen üblen Einfluss. Sollte
dies also bei andern chirurgischen Operationen der Fall
sein, so sind es wahrscheinlich zwei Bedingungen, die der
Zahnextraction zu Gunsten kommen; nämlich die Eine,
dass die durch die Extraction gesetzte Wunde im Verglei-

che zu andern von chirurgischen Eingriffen herrührenden eine kleine Fläche bietet; und die andere, dass der Zahn- arzt meistens mit Individuen von guter Blutkrase, die nicht durch langwierige Krankheiten verdorben wurde, zu thun hat. Die Beobachtung, dass nach Zahnextractionen oder nach dem Ausbohren von Zahnnerven, wenn man die Kran- ken Behufs der Operation ätherisirt hatte, seltener Zahn- fleischgeschwülste, oder, was besonders nach dem Aus- bohren der Zahnnerven öfter geschieht, Zahnfleischabscesse entstehen, bedarf wohl erst einer mehrfachen Erfahrung, um als Regel aufgestellt werden zu können. Verhält es sich aber wirklich so, dann wäre es ein grosser Gewinn, besonders für Jene, die sich wegen dem Anbringen von Stiften an künstlichen Zahnersatzstücken Nerven ausboh- ren lassen; denn bei eintretender Geschwulst und darauf- folgendem Abscesse musste man oft das Einsetzen des künstlichen Stückes für viele Tage verschieben, und der Patient war in die unangenehme Lage versetzt, während dieser Zeit ohne Zähne zu sein.

Bei dem Bekanntwerden der in Rede stehenden Ent- deckung hörte man manche Laien urtheilen, dass der ge- schickte Zahnarzt dadurch verliere; denn für den Patien- ten sei die Hauptsache, bei der Operation wenig Schmerz zu empfinden; da dies nun aber mittelst des Schwefeläthers Jeder zu bewirken im Stande sei, könne man sich auch bald von irgend Einem operiren lassen. Die Unrichtigkeit eines solchen Urtheiles ist jedoch einleuchtend. Das Ver- trauen eines Patienten zu seinem Zahnarzte muss nun ein um so grösseres sein, als der Patient, wenn er sich äthe-

risiren lassen will, auch noch in dieser Beziehung die
Ueberzeugung haben muss, dass er sich dem gewählten
Zahnarzte anvertrauen könne. Ueberdies besteht die Geschicklichkeit bei einer Zahnoperation, namentlich der Extraction, nicht allein in Verhütung unnöthigen Schmerzes,
sondern auch in Berücksichtigung mancher anderen Umstände, die ausser Acht zu lassen, die Schwefelätherbetäubung nicht den Freibrief ertheilt. Bricht der Zahnarzt
durch zu rasches Operiren die Krone des Zahnes ab, wodurch er genöthiget ist, durch tiefere und wiederholte Eingriffe die Wurzeln zu entfernen (was wohl auch aller Vorsicht
ungeachtet manchmal sich ereignen kann) oder nimmt er ein
Stück des Zahnfächerfortsatzes oder des Kiefers selbst mit
dem Zahne heraus, quetscht er das Zahnfleisch bedeutend,
so können dergleichen Unfälle mindestens Unannehmlichkeiten, die durch einige Tage dauern, manchmal aber
auch bedenklichere Folgen, wie Vereiterung, Caries u.
dgl., nach sich ziehen.

Der Zahnarzt sei beim Operiren eines Narkotisirten um
so vorsichtiger, als er manchmal genöthiget ist, bei einiger Unruhe des Patienten zu operiren, und er nehme sich
hierbei wohl in Acht, dass ihm nicht einer der oben erwähnten Unfälle passire, oder er mit dem Instrumente
ausgleite, und die Wangen des Patienten verletze, oder
den unrechten Zahn herausziehe u. s. w.

Der Operateur lasse sich durch die Ueberzeugung,
dass der Patient nichts empfinde, ja nicht verleiten, einen
unnöthig heftigen oder rohen Eingriff zu machen, der
leicht die oben erwähnten üblen Folgen nach sich ziehen

könnte; sondern beobachte trotz der Unempfindlichkeit des Narkotisirten die grösste Schonung, und verrichte seine Operation (schon der Umstehenden wegen) mit möglichster Delikatesse.

Da die durch den Schwefeläther bedingte Schmerzlosigkeit einer Operation zur Folge hat, dass nun manche Patienten sich ohne Bedenken dem zahnärztlichen Eingriffe hingeben, so erwäge jeder Zahnarzt wohl, dass er bei dem ihm geschenkten Vertrauen schuldig sei, mit grösster Redlichkeit eher dafür Sorge zu tragen, den Zahn, als einen Theil des Organismus zu erhalten, als leichtsinnig zu entfernen, da ein Zahn, oder selbst nur ein Zahnstumpf, wenn er noch erhalten werden kann, dem Kiefer und den Nachbarzähnen zur besseren Existenz und leichteren Verrichtung ihrer Obliegenheiten, wie ohnedem bekannt, Vortheile bringen kann.

22

Gedruckt bei Carl Ueberreuter.

Druck:
Customized Business Services GmbH
im Auftrag der KNV-Gruppe
Ferdinand-Jühlke-Str. 7
99095 Erfurt